ちくま新書

思想史講義【明治篇Ⅱ】

山口輝臣 Yamaguchi Teruomi
福家崇洋 Fuke Takahiro 編

1672

思想史講義 明治篇Ⅱ【目次】

凡例

＊各講末の「さらに詳しく知るための参考文献」に掲載されている文献については、本文中では（著者名　発表年）という形で略記した。

＊固有名詞（地名・人名等）の旧字は原則として新字に改めた。

刊行の辞

山口輝臣
福家崇洋

読者のなかには、思想という抽象的でとっつきにくいイメージをもたれる方がいるかもしれません。しかし、思想は私たちの生活とともにあるものです。思想に向き合うことで、自己や他者、社会について理解を深めることができます。

思想になじみがないと感じられるのは教育が関わっています。高校において、思想史の「思想」の部分は倫理の授業で、「史」の部分は歴史の授業で主に勉強しています。大学でも思想史の講義は決して多くはありません。

しかし、思想を知ることで、歴史をより深く理解することができますし、思想を理解するためにも歴史は不可欠です。思想史という視点から歴史を考えることは、分けて習ってきた思想と歴史をともに学び直すことを意味します。

その方法として、私たち編者は、思想に歴史という軸を与えながら、歴史に思想という広がりを与えたいと考えました。個々の思想の歴史をひもときながら、それらの思想を通底する歴史の思想に触れていただければと考えています。

歴史を通して過去に起こった出来事を知ることができますが、思想史という視点を通して、出来事の背景や関わった人びとの想いを知ることで、起こりえた出来事、ありえた未来までも受けとめることができます。歴史上で失われた、数多くの可能性を掘り起こしながら、その可能性をいまへと接合できることが思想史の醍醐味です。

しかし、その姿勢が恣意的なものにならないためにも、歴史の知識を学ぶことが必要です。本シリーズでは、各分野の第一線で活躍する研究者に、学術的知見に裏付けられた最新の成果をもとに、講義やコラムという形で執筆していただきました。さらに各テーマを掘り下げてみたいと思われたときは、講義の最後にある文献一覧が参考になると思います。

筑摩書房『思想史講義』シリーズを通して、読者の皆さまが歴史と思想に改めて関心を持っていただければ幸いです。

はじめに

山口輝臣

『思想史講義』シリーズは、明治Ⅰ、明治Ⅱ、大正、戦前昭和の四篇から構成される。

この明治Ⅱでは、講義とコラムという魚たちを堪能しながら、明治維新に続く時期の歴史の海のただなかに、読者が泳ぎ出せるよう工夫してみた。

*

各講義は、原則としてその時代に実際に用いられていたある言葉を、それにふさわしい長短さまざまな時間の幅を取りながら、他の講義やコラムと濃淡さまざまに関連を取り結びつつ、取り扱う。よって、この本を読み進めていくと、読者は時間を行きつ戻りつする。その意味で本書は、よくある歴史の書物とは異なり、時間軸に沿ってひとつの話が進んでいくかたちにはなっていない。しかしむしろこれこそが、思想史の魅力と威力を最大限に引き出し得るものと信じ、意図的にそうしてある。

そのため、どこからどんな順に読んでもらっても構わない。その違いによって、海の見え方まで違ってくるのなら、むしろ歓迎すべきことだろう。よって「はじめに」など、蛇足というほかない。ただ、海で漂流するのがどうしても怖いという読者も、いるかもしれない。

そこで以下では、海に持っていく浮き輪代わりに、本書に対する読み方の一例を示しておこう。海なんか怖くない、それどころか漂流してみたいという方は、読み飛ばしてくださって結構。あるいは、すべて読み終えたあと、同じ本を読んだ友人に感想を聞く気分で、ここへ泳いで戻ってくるのも、また一興かもしれない。

†時代と憲法

ひとつの時代が終わり、新たな時代が幕を開けつつある——そんな雰囲気を、多くの人が共有する時期がある。元号が明治となって二〇年が経った頃の日本は、まさにそうだった。

こうした感覚をどうして抱いたかは、人それぞれに違いない。鉄道や紡績などの会社設立ブームにそれを感じ取った人もいただろう。明治生まれが「大人」となり、人口の半分に迫ってきたことも、そうした雰囲気を体感させたかもしれない。ただその中心にあったのは、間違いなく立憲政治の開始であった。

いわゆる明治一四年の政変にともなって出された国会開設の勅諭で、政府は「明治二十三年を期し議員を召し国会を開」く公約をした。伊藤博文は憲法調査へと旅立ち、太政官制は内閣制度へと転換し、地方自治が導入された。政府によるこうした動きを注視しながら、民間でも、議会開設に向け、政治勢力の再結集が図られていく。

議会の開設は憲法の制定によってなされ、それによって日本は立憲政体に移行し、新たに立憲政治がはじまるものと考えられていた。また実際に政府も約束を反故にすることなく、その方向で準備を進めていた。しかもその過程で、さまざまな事柄が立憲政治と結びつけられ、立憲政治のために必要であるといった理由で推進されていく。こうして、ただでさえ巨大なプロジェクトであった立憲政治の実施はさらに肥大化し、そしてまさにそのことにより、これまでにない緊張と高揚をもたらした。立憲政治の開始とは、それを生きた人びとにとって、いまからは想像しづらいほどの大事件だったのであり、新たな時代の到来を告げるものだった。

かくて新時代の起点は、一八八九(明治二二)年公布の「**大日本帝国憲法**」に置かれた。強大な君主権力と脆弱な議会権限によって特徴づけられることの多いこの憲法について、第1講は、起草の中心を担った井上毅の立憲主義理解から迫っていく。王と民衆という二つの専制の脅威から、国民の自由と権利を守り得るものこそが良き統治だと井上は考えており、議院内閣制ではなく、多元的な権力の均衡によってそれをはかろうとする混合政体論に与していた。

これを踏まえると「**超然主義**」も理解しやすい。藩閥政府は、政党の存在を認めつつも政府は超然とその外に立つとして、政党の党派性を批判したことから、政府与党の形成もままならなかった一方、主要政党を網羅する内閣であれば党派性は消滅するとして、全党参加型の政権を模索する。党派性への批判は、革命政権であった藩閥自身に還ってくる危険があり、むしろそれ故に、藩閥は自らを時限的な存在と意識していた可能性を、第3講は示唆する。

議会を拠点に藩閥と激しい攻防を繰り広げた民党が掲げたのが「**民力休養**」であった。これは「政費節減」(行政整理)と一体となって地租の軽減を要求するものだったが、民党連合の崩壊と条約改正問題への争点の移行によって政治生命を失った——わけではない、と第4講はいう。そしてその担い手や減税の費目などを変化させながら、「民力休養」がその後も長く生命を保ち続けた様子を描き出す。政治における言葉の力を考えさせてくれる講義である。

立憲政治開幕時の役者は以上に尽きるものでなく、「**教育勅語**」もそうだったというのが、第2講の主張である。「異説」の存在を前提とする立憲政治を円滑に実施するため、「人心の帰一」を図る方策の一つとしてこの勅語は生み出された。よって、新たな「異説」を生じさせぬよう細心の注意が払われ、そのためには当時における常識に依拠するほかなかったとし、フランスにおけるライシテとともに、国家主導で世俗道徳を構築する難しさを示しているという。

さて、ここまでの印象はどうだろう? なんとなく知っていたことではあり、それと重なる点も多いが、どこか違うところもある——こうしたあたりであろうか。もしも事前にお持ちの知識が、大日本帝国憲法は立憲主義からはほど遠く、そのせいで民力休養を掲げていた民党は変質し、政党を否認していた藩閥の軍門に降ることになったとか、教育勅語は封建時代の道徳を民衆に押し付けたものだという類のものだったら、なるほど相当に違った印象を持たれたに違いない。そうした像がかつてどこかにあったことは否定しない。だが、史料との整合性があまりに低すぎて、いまはそれをそのまま支持する研究者は皆無であろう。

ただかりにそこまで極端でなくても、お持ちの知識と本書の内容とにズレを感じたら、むしろそこに食らいつき、どうしてズレているのか、どちらがより的確なのかなどと考えるきっかけにしてみて欲しい。それだけの価値があるものだからである。

というのは、それらがほかならぬ新しい時代の根幹的なルールと、それにまつわる人びとの思想についての理解だからである。このあとの時代は、ひとまずここで生まれたルールをもとに、それに則ったり、それを変えたり、あるいは壊そうとしたりする活動の集積と見ることもでき、そうした時期を考えていく上でも、起点となったところを正確に踏まえないと、以後は掛け違いの連続となり、とんだ勘違いをしでかしかねないからである。

†メディアと主義

時代が変わるという雰囲気を人びとが共有するあたり、決定的な役割を果たしたのは新聞と雑誌というメディアである。

明治に入って本格的に出現した新聞と雑誌は、当時は最先端のメディアであり、政府の勧奨と干渉を受けながら成長していった。民権派は「機関新聞」を擁して言論を競い、政府もそれに対抗して自らの息のかかった新聞を刊行した。もちろんそうした政治色の強いメディア一色に塗りつぶされたわけではない。ただ、それらの声が確かにもっとも大きかった。

ところがここにも変化が訪れる。これまた立憲政治の開幕が近づいた頃である。政党にしろ政府にしろ、それらに従属するのではなく、それらから独立したメディアが次々に出現してきたのである。読者層が拡大し、メディアの影響力が増大したことで、そうすることが合理的な選択肢として浮上し、そこに参入する人材が出現してきたことによる。

とは言え、そこで論じられたのは、まずはこれまで通り政治であった。しかしその議論の構成の仕方が違っていて、議会で検討すべき事柄を独自に提示し、その検討を政治の場に求める形が主流となった。このため当然のことながら、メディアはそれぞれ明確な政治的な立場を持っている。しかし具体的な政治勢力との関係は一義的に決まっていない。そのため、メディアの影響力を無視できない政治家たちは、メディアへの接近を余儀なくされる（本シリーズ【明治篇Ⅰ】第8講「政論」）。政党や政府の機関紙・誌とは異なるこうしたメディアの登場は、それ自体が新しい時代を予感させるものであり、それらがもたらしたこれまでとは違ったメディアと政治の関係のなか、日本における立憲政治は開幕したのである。

徳富蘇峰とかれの率いる民友社の大看板が「**平民主義**」である。デモクラシーの訳語である平民主義をかれらは繰り返し説き、社会に大きな影響を与えたが、蘇峰は、それがなんであるかはあたかも自明であるかのように、明確な定義を下すことはなかった。しかしだからこそ、世間から変節を指弾された以降も、「平民主義」を使い続けることができたことを第5講は指摘し、その継続的な使用と内実の変化から、蘇峰の軌跡を読み解いていく。

それと一字違いの「**国民主義**」は、英語の nationality を主張する思想を指すものとして、陸羯南(くがかつなん)によって提示された。第6講は、言論の自由の擁護や弱者救済への関与など、「国民主義」の有していた力量に目を配りつつ、それが谷干城(かんじょう)〔たてき〕や品川弥二郎といった政治家に伴走する姿をあぶりだす。政治からの独立を果たしたからこそ、自らの主義を実現するため、これと見込んだ政治家とあらためて自発的に関係を取り結ぶメディアの姿を、示すものであろう。

「**国粋主義**」の「国粋」も実は nationality の訳語である。このことからも分かるように、それを主唱した政教社の面々は、西洋の知識を十分に蓄えた人びとだった。かれらの対外認識に焦点を当てた第7講は、実業を重視するかれらの対外認識が地域社会に受容され、さらに地域から発信されていく様子を示すことで、「国粋主義」の裾野の広がりを浮き彫りにする。思想が広まるとはどういうことか、具体的な場を通じて見せてくれる講義である。

「日本主義」という言葉は、国粋主義の変奏として、それと同じ頃から使われていたが、日清戦争後に「日本主義」を高唱した高山樗牛（ちょぎゅう）の名とともに想起されることが多い。第8講は、それにまつわる誤解を解きながら、のちに樗牛が**「個人主義」**の立場を擁護するに至ることを踏まえ、国家と個人の関係の捉え方に着目する。国家レベルの思潮の変化を先取りして体現するかのような樗牛の軌跡は、それ自体が国家と個人について考えるこの上ない題材である。

それにしても、なんという主義のオンパレード！【明治篇Ⅰ】にはなかった「○○主義」の講義は、【明治篇Ⅱ】で突如として五講になり、【大正篇】と【戦前昭和篇】でもほぼ同数で推移する。立憲政治の開幕に並行して、主義を語る時代も開幕した。とくに主義という語で語っていなかった政府の方針が超然主義とされていったのも、こうしたなかでのことだった。

主義という捉え方は、自称か他称かにより多少の違いはあるが、ある程度の広がりとまとまりを持った思想のかたまりのようなものを想定し、それによって自他の区別を付けようとする発想と縁が深い。同じ主義のものは集うもの、集うべきものであり、そうでないものはそうでないし、そうすべきでもない。その集散の目印が主義の前に置かれた言葉である。そしてこういった発想が、政治はもちろん、それ以外のさまざまな領域でも共有され、しかもそれらが拡大していくことで、主義なるものは、思想を考えるにあたって重要なものと見做されていく。思想と言えば○○主義と思い込み、それが分かれば思想が分かったような気がするというのも、この時期以降にできた慣習に過ぎない。

ただ現実のなかで発せられる主義は、どうしても神学の理論体系のようにはいかず、せいぜい行動指針といったものであることが多い。そのため、○○主義とはなにか、とゴリゴリ突き詰めていくと、かえって肩透かしを食うこともある。しかし主義が重要とされた時代を研究しようとすれば、主義なるものを避けて通るわけにはいかず、それを工夫によって乗り越えていかねばならない。それぞれに個性的なアプローチでさまざまな主義に迫った本書の諸講義から、読者はなにを得られただろうか。

†批評と言葉

新聞や雑誌といったメディアが影響力を誇示したのは政治だけではない。メディアとは別個に政治家という集団が存在し得た政治の世界は、影響力という点では、むしろかなり限定的だったと言ってよい。メディアに作品が掲載されることが地位を得る足掛かりとなり、それなくして文学者がほぼ存在し得なくなった文学の世界などと比べると、その点は明らかだろう。

そして思想というと、この政治と文学とのあいだに広がるメディアにおいて展開される言論のことを想起する方も多いだろう。そうした領域が目に見えるようになってきたのも、まさに立憲政治の開幕が見えてきた時期のことである。徳富蘇峰は「批評の時代」の到来を宣言した。

だが「**批評**」をするとはどういうことであり、いかにして可能になるかとについて、はじめて原理的な考察をしたのは、蘇峰の友人であった大西祝（はじめ）であると第9講はいう。批評を哲学的に基礎付けようと試みた大西の作業がメディアを場に遂行されていくことで、それへの賛否を超えて、法や道徳、歴史や宗教をも批評の対象とし得る時代が切り開かれていったという。

批評される側となった「**宗教**」は、むしろ勇んでこの世界に投じていった。第10講が描写するのは、宗教の排斥／擁護に加え、既存の仏教でなく「新仏教」なら擁護するとか、宗教を排斥して「新神道」の樹立を目指すなど、実に入り組んだ議論のなか、次第に変化していく宗教の様相である。そうしたなかから生まれ、さらなる広がりを獲得しようとした運動が、日蓮主義や精神主義など、揃いも揃って主義を称しているのは、いかにもこの時期らしい。

この「宗教」をはじめ、基礎的な用語でありながら、世紀の転換期を経るなかで、意味するところを大きく変えたものがかなりある。それにはもちろん各々に理由があるが、あえて概括的な話をすれば、西洋諸語に由来する言葉をいったん漢語に訳すと、あとは漢字からの連想を活かして思考していった世代が次第に減り、明治に入って高等教育を受けた世代が、訳語は受け継ぎつつも、その時点における西洋諸語への理解に厳密に基づいた形へと再定義し、使用していったことが大きい。訳語を次々と作り出した明治初年のような派手さや分かりやすさはないものの、これは音もなく起きた知の地殻変動であり、またこうした作業を可能にするほどに、批評を支えるメディアは拡大していた。

第11講が取り上げる「**南北朝正閏論**（せいじゅん）」は、批評の対象が天皇家の系譜にまで至ったものと解せよう。国定教科書の記述に不満を抱いた教育者が新聞社に持ち込み、さらにそれを政党が議会で取り上げて政府を弾劾することによって政治問題化させ、南朝を正統とする政府見解を導き出した経緯を見ると、立憲政治が生み出した仕組みが整うことではじめて可能となった事件であり、その後も繰り返されていく事件の型を作り上げたものであったことがよく分かる。

この世界はほとんど男性だけのものだったが、議会と異なり、女性が完全に排されていたわけではない。メディアが報じ、メディアで活動した「**新しい女**」について論じた第12講は、「新しい女」の由来となった英国のThe New Womanが、文学的虚構の世界と現実社会との緊張関係のなかで存在していたことに示唆を受け、日本でその旗手とされた平塚らいてうが、メディアによる像と自身の人格の間で葛藤しながら、力強く生きる姿を見つめ直す。

立憲政治の開始に向けて更改がなされたメディアは、それから二〇年ほどの間に、規模と領域をさらに広げ、その影響力をより大きくした。先に述べた知的変動も、その多くはなんらかのメディアにおいてなされたものであり、それらを読んでいると、まさにここのあたりに今日の起点があったのに気付かされることもしばしばある。なにもはじまりは明治維新や敗戦である必要はない。思わぬ出来事が思わぬ形でいまに繋がる——そうした機微に富んだ歴史像がお好みなら、このあたりの時期を掘ってみてはいかがだろう。有望な鉱脈が見つかるに相違ない。

†新旧と東西

立憲政治をはじめた日本の姿を大きく変えたのは、それから四年後の一八九四年に開始された日清戦争であった。日本はこの戦争に勝利し、台湾を獲得する。憲法制定時には想定していなかった植民地を得たのである。さらに一九〇四～五年の日露戦争によって樺太と旅順・大連の租借地を加え、一九一〇年には韓国を併合する。こうして国土は拡大し「帝国」となり、国民の感覚を変えていく。そしてそこへと至るまでには、多くの考えが入り乱れ展開された。

いまではよく知られた「脱亜」が前提としていた「**興亜**」の内実を検討したのが、第13講である。一八八〇年代の初頭、日・清・朝鮮三国の人びとが東京で会するという未曽有の状況が生じるなか、三国による連携論として起こった「興亜」は、壬午軍乱と甲申事変によって衰退していくとし、その理由として、共有可能で明確な価値の欠如が大きかったとの解釈を提示する。そしてこの系譜を受け継いだものとして、樽井藤吉の『大東合邦論』を位置付ける。

第14講「**日韓合邦論**」は、その『大東合邦論』に刺激を受けた人びとたちによる運動の顚末を描く。日露戦争後、日韓が対等に「連邦」して「合一」することを目指す運動が、日韓両国において本格化してくる。韓国の植民地化を推し進めたと見られがちなこの運動への参加者の多くにとって、韓国併合という帰結は意図とは違ったものであり、その後も痛惜の念を抱き続けて生きていった。人の思いにまで入ることではじめて見えてくるものがあるようだ。

日露戦争と韓国併合により、東西文明を融合させ、それをより高い次元に高める特別の使命を日本は有しているとの考え方が広まった。「**東西文明論**」と呼ばれる思考枠組みを取り上げた第15講は、その特徴が、東／西と二元的に思考しながら、そのいずれとも異質な日本を定位するため、実質的には三元構造になっていることにあり、さらにそうした考え方は、戦間期の退潮と戦時期の暴走を経て、二一世紀の今日に至るまで生き残ってきたと指摘する。

第一次世界大戦を経て、それ以前の外交は「**旧外交**」と名付けられ、議会などの統制を受けることなく秘密主義的に進められたものとされた。だがそうした方向性に対しては、憲法起草時から井上毅による異論があり、初期議会でも条約改正について議会の意向を確認することが模索された。しかし職業外交官の台頭により、「旧外交」が定着していったと第16講は説く。憲法というルールをめぐる駆け引きの結果、議会には外交を決する力が与えられなかった。

しかしながら、「東西文明論」をはじめ、明治末年の日本が周辺に対して感じていた優越感は、自分たちは立憲政治を実現したという自信が支えていた。おっかなびっくりはじめてから二〇余年が経って、ようやくそう思えるようになったものであり、当然ながら、明治初年には持ちようのなかった根拠に根差した感覚である。一世一元の制を導入したこともあり、元号としての最長記録を更新した明治は、そのはじめとは程遠いところにまでたどり着いた。しかもそれは一直線の軌跡をたどってそうなったのではなく、構想され期待された未来が、実現したりしなかったりして、できあがったものであったことを、思想史は教えてくる。

明治という時代は、明治維新を起点にすれば、明治維新とそのあとの時代とに分けられるのかもしれない。しかし明治維新が分かればそのあとの時代が自ずと分かるわけではなく、それを知ろうとすれば、その時代の海のなかを本気で泳ぎ回らねばならない。この【明治篇Ⅱ】はまさにそのために編まれたものである。

＊

これにてすべての講義に一通り言及し終えた。そしてこのほかに、「**実業家**」「**新聞と雑誌**」「**煩悶青年**」「**新仏教**」「**明治天皇**」「**平民社**」「**報徳社**」「**黒龍会**」「**亡命中国人**」「**台湾**」の10本のコラムを収める。「はじめに」をここまで読んできた読者なら、これらがどうして置かれているのか、もうおおよその推測がつくだろう。だが、それには回収しきれない広がりを、各コラムは持っており、コラムという魚のあとについていくと、ここで提示したのとは別の海に出ることもできるかもしれない——とはいえ、海はどこかで繋がっているから、別の海があるのかどうか分からぬが。ただ、そうなったら、もはやこの浮き輪も、完全にお役御免であろう。

第1講

大日本帝国憲法

坂本一登

†大日本帝国憲法の思想史的系譜

　大日本帝国憲法の思想史的系譜とは、何だろうか。この問いを考えるにあたって、まず思い浮かぶのは、それはいまさら立ち止まって考えるに値する問題なのだろうかという自問である。というのも、試みに手近にある明治史を扱った文献をひもとけば、すでにその問いには明快な解答が与えられているように見えるからである。大日本帝国憲法（以下、明治憲法と略記する）は、政党内閣制の英国モデルを排斥した明治一四年政変後、主としてドイツに憲法調査に出かけた伊藤博文の主導の下、ドイツの憲法をモデルとして、井上毅（こわし）（一八四三〜一八九五）が中心になって起草されたもので、当然にドイツの君主主義や官僚主義の影響を強く受けて、君主権力が強大で、議会権限が脆弱な、本来の立憲主義にはほど遠い憲法であった、と。これ以上、何か付け加えることなどあるのだろうか。

もっとも、どんな通説でも完全無欠ということはないし、またそれが作られたある時代の支配的な見方や価値観を濃厚に宿している。また実際、明治憲法の制定過程を子細に検討すると、通説的な説明とは必ずしも整合的ではない事象に出会うことも多い。たとえば、明治憲法の実質的な起草者として知られる井上毅は、強大な君主権力の確立をめざし、政党内閣制を警戒して議会の権限を極力抑圧した人物としてしばしば描かれる。しかし憲法起草過程における井上毅の姿は、それとはかなり異なった印象をうける。

伊藤博文、井上毅、伊東巳代治（みよじ）、金子堅太郎の四人は、通常、憲法起草者たちとよばれる。だが彼ら四人は、憲法構想について必ずしも一致していたわけではなく、そのため明治憲法の起草作業はかなり激しい論争を孕んだものとなった。そしてその激しい論争において、お雇いドイツ人のロエスレルとともに、天皇大権や行政権の裁量を拡大しようとする伊東巳代治に、真っ向から反対し、人身の自由を含む国民の自由と権利を重視し、自由と人権を擁護する制度的保証という観点から議会の権限を尊重するように主張したのは井上毅であった。

憲法構想とは、畢竟（ひっきょう）、よき統治とは何か、のぞましい政治制度とは何かという問いをめぐる議論である。それでは、なぜ井上毅はそうした態度をとり、その思想史的背景とはいかなるものであったのだろうか。

本講は、以上のような問題意識に立ち、明治憲法の従来見えにくかった思想史的系譜をたどろうとする試みである。もっとも限られた紙幅ゆえ、ここでは幕末明治初年の思想史的磁場において、井上が憲法や立憲主義といかに遭遇し、憲法構想をいかに形成していったかという点に限定して考察していきたい。その後、明治一〇年代となり、明治一四年政変を含む複雑な政治情勢の変化の中で具体的な対応は変わるとしても、憲法に対する井上の基本的な姿勢は一貫しているように思われるからである。

†津田真道と西周のオランダ留学

まず、幕末明治初期における憲法構想をめぐる思想史的磁場を確認するところから始めたい。井上が、本格的に西欧の法政理論と遭遇するのは、一八七二（明治五）年に岩倉使節団の一員として司法省からフランスに派遣されてからである。だが、井上の西欧体験は決して白紙の状態で行われたわけではなく、儒学的教養とともに、すでに幕末期に公刊された様々な書籍を通して関心のあり方がある程度方向づけられていた。蕃書調所（ばんしょしらべしょ）に集まった幕府系知識人によって著された憲法や立憲政体に関する書籍は、かなり体系的で深みをもち、単なる紹介に止まらないものであった。井上は、そうした先学の西欧理解や立憲政体に関する議論を通して、よき統治とは何か、のぞましい政治制度とは何かという問いに出会い、西欧の法政思想に接近していったのである。

こうした観点から決定的な重要性をもつのは、津田真道と西周のオランダ留学である。津田や西は、幕府崩壊前夜の政治的混迷のなかで、西欧の人文社会科学の一端に触れ、従来学んできた漢学とはまったく異なる「実に可驚公平正大之論」に驚愕する。そして日本の政治改革のために、西欧法政理論を修学するという使命感に駆られて、オランダ留学を決意した。こうして一八六二(文久二)年、日本を発った津田と西はオランダで二年間、ライデン大学教授S・フィッセリングのもと、国法学の講義を受け、この講義ノートを元に、近代日本における西洋法政思想の受容を先導するべく、一八六八(慶応四)年に『泰西国法論』(西欧国法学)を刊行したのである。

†『泰西国法論』の政治思想

それでは『泰西国法論』の政治思想とは、いかなるものだったのだろうか。

西と津田が赴いた一八六〇年代初頭のオランダ王国は、自由主義改革の直後であった。国王の専制的な統治に反発し、国王と国民との協調を旗印に、憲法改正によって責任内閣制の導入と参政権を拡大した、新たな立憲君主制が創設されたばかりの時期であった。この改革の立役者こそ、フィッセリングの指導教官であり、教授職の前任者、J・R・トルベッケであった。

トルベッケの政治的思索は、フランス革命の衝撃から始まる。一九世紀前半の自由主義的知識人の一人であったトルベッケにとって、フランス革命は自由と人権の確立にとって不朽の価値をもつ出来事であった。しかし他方で、国家や法の人為性を過度に強調して秩序を破壊し、未曾有の惨事を引き起こした政治的悲劇でもあった。フランス革命に対する、こうした両義的な評価をもつトルベッケは、フランス革命後ドイツで勃興したサヴィニーらの歴史法学に共感して、自由主義的立場から旧来の専制君主制を批判するとともに、ルソー流の社会契約論や人民主権論を非歴史的な革命理論として排斥し、各国固有の歴史的事情に基づく穏健な立憲君主制の確立を主唱した人物であった。

　フィッセリングは、こうしたトルベッケの思想的立場に立って、津田と西に国法学を講義した。フィッセリングは、まず各国が成立した歴史的固有性を重視し、国家の起源を社会契約に求める見解を、王権神授説とともに、妄説として斥ける。そして文明社会における国家の基礎を国民の権利の保護と義務の確定に求め、それを法的に規定する憲法の制定とそれを政治的に保証する立憲君主制を「立憲主義」の具体化として高く評価したのだった。

　こうした思想に基づいて、フィッセリングは、君主の専断と民衆の「暴政」という二つの専制を防ぎ、国民の自由と権利を保護するため、国家の主権を行政・立法・司法の三権に分かちそれぞれ均衡させる政治制度の重要性を力説した。「主権の三作用互に均勢の状を為し彼此（ひし）相控制（こうせい）して其偏重を防ぐ、此は是国の平安を護り且（かつ）予（あらかじめ）以て暴君の虐政を防ぐ至良法なり」。

その上でフィッセリングは、三権に分かつことの緊張関係、とりわけ行政権と立法権の分立が国家統治にもたらす危険性をも指摘し、その分立的仕組みが国家の分裂や崩壊ではなく、自由の確保のための均衡と協調につながるように様々な方策を示唆した。

具体的には、のぞましい立憲君主制の試金石として、国民の暴走や立法権の濫用を防止するため、議会を二院制とすることや国王に議会の解散権を付与すること、逆に王権の暴政や行政権の専制の歯止めとして、議会の自律性と十分な監督権、あるいは国王の不可侵性を認めつつ行政権を監視する大臣責任制の導入を提案したのである。

津田と西は、このようなトルベッケとフィッセリングの政治理論を正確に理解し、写し取り、帰国後『泰西国法論』として公表して、日本の政治改革論議に一石を投じたのであった。

†混合政体論

以上のように、ここには、明治以降に朝野で論議される憲法や立憲制に関する政治的モチーフのほとんどが先取りされている。そしてよき統治とのぞましい政治制度についても、明確なイメージが提示されている。よき統治とは、国民の自由と権利を、王と民衆という二つの専制の脅威から保護して、国民の生活に平安を与えることであり、のぞましい政治制度とは、そうしたよき統治を制度的に保障するもので、具体的には、国王が保持する国家主権を行政・立法・司法の三権に分かち、それぞれが権力濫用に陥らず均衡と協調とがはかれるように憲法を制定して確立することであった。そしてそれらを具現化したものとしての立憲君主制が、フランス革命の衝撃とその後のオランダ自由主義的改革を踏まえて、推奨されたのである。

ここで留意すべきは、津田や西がトルベッケやフィッセリングから継受したのが、政治思想史上の議論からいえば、混合政体論だったことである。権力分立論と混合政体論は、似ているが必ずしも同じではない。権力分立論が国家権力を三権に区分することにまず意義を見いだすのに対し、混合政体論とは、そのような区分を前提としないで、権力の一元化をよしとせず、多元的な主体や制度を均衡させて自由と権利の確保につなげようとする議論である。実際、フィッセリングの講義においても、「本来三権惟一（ゆいいつ）君主より出づ」と国家権力全体は国王が保持するもので、行政・立法・司法の三権はその国王大権から流れ出た国家権力の作用として論じられ、「三権各（おのおの）其本を異にし特立して相関渉（あいかんしょう）せずと云ふ説あれど当らず」と権力分立論を否定している。

西欧の自由主義者にとって政治改革は、国王によって一元的に保持された国家権力の専制に対する異議申し立てから始まった。だが、フランス革命によって民衆の「暴政」の惨劇を経験し、国民や議会による一元的な権力保持も、同様に専制をまねく危険があることを体験すると、身分によるものであれ、政治機構によるものであれ、国家権力の一元化に対する強い警戒が生まれた。トルベッケとフィッセリングもその系譜に連なる。そしてその流れのなかで、王権の専制からも民衆の「暴政」からも自由な政体として、トルベッケやフィッセリングの念頭にあったのは、モンテスキューが称揚し、ブラックストーンによって聖化された、王政と貴族政と民主政とが均衡し調和する英国の混合政体だった。その意味で、彼らが推奨した立憲君主制とは、英国混合政体をモデルとしたものだったのである。

†加藤弘之の立憲政体論

こうした津田や西のよき統治やのぞましい政治制度についてのイメージは、同僚である加藤弘之(ひろゆき)にも共有されていた。津田や西と同時並行的に、あるいは直接間接の影響をうけながら、そしてフィッセリングとも思想的に近いドイツの穏健な自由主義者ブルンチュリを参照しつつ、加藤は『隣草(となりぐさ)』(一八六一)、『立憲政体略』(一八六八)、『真政大意』(一八七〇)という立憲政体に関する三部作を著した。加藤は、『泰西国法論』の学術的な文体とは異なり、平易な親しみ易い文体で、しかも政治体制を四つに分類するなど直観的に理解しやすい形で議論した。

加藤は、『立憲政体略』において、「立憲政体とは公明正大・確然不抜(ふばつ)の国憲を制立し、民と政をともにし、もって真の治要を求むるところの政体」と述べる。そして政体の類型を「君主専治」「君民同治」「豪族専権」「万民共治」と四つのカテゴリーに分け、日本に適する政体として「君民同治」を推奨した。その上で、次のように「君民同治」の具体的なあり方を説いたのである。「天下をもって天下億兆の天下とす」「かならずまず公明正大・確然不抜の国憲を制立し、万機すべてこれに則らざるものなく、かつ臣民をして国事に参預するの権利を有せしむ。しかのみならず君権ややもすれば専肆にいたるの恐れあるがために、天下の大権をもってこれを三類に分かち、もっておのおのその官員をあて、君主これを統括す」。

ここには、『泰西国法論』の統治イメージと多くの共通性を見いだすことができる。しかし加藤の議論には、学術的で網羅的な津田らの議論に比べて、ある種の角度がつけられている。すなわち、日本の現状に即して、より実践的に政治改革に応答しようとする意識が存在していたのである。

まず、それは日本風に改変された混合政体論に見られる。加藤も、多元的な主体や制度を通して権力を均衡させ国民の自由と権利とを保護しようとする、混合政体論的発想をとる点では同様である。しかし加藤は、英国風の国王、貴族、庶民の三要素の混合政体論ではなく、日本においては、貴族を除いた、君主と国民との二つの要素の均衡をはかる君民共治論を提唱した。英国混合政体の要である英国貴族と日本の華士族との大きな差異を考慮すれば、英国風の混合政体論はリアリティをもたなかったのであろう。そこから、日本においては、君民共治論、すなわち君と民との関係をいかにするかという命題が、よき統治、のぞましい政治制度を構想する際の喫緊の課題となっていくのである。

そして加藤は、君と民との関係について、民の専制よりも、君権の専制の方を脅威として強調した。君権の専制を防ぐために、「一君のために億兆がある」という国学者流の家産国家論を否定して、国家は君主の私有物ではなく「天下の天下」すなわち公有物であると繰り返して主張し、公正な憲法の制定と国民の政治参加を前提とする議会の開設を重視した。そこには日本の現時の政治情勢においては、民衆騒乱の危険よりも、幕府の「専断」にしろ、明治政府の「有司専制」にしろ、君権の専制こそが現実的な課題であるという実感と、法が為政者の命令であるという日本の政治的伝統を考慮すれば、君権の専制的性格こそが取り組むべき優先的な課題だと考えられたからであろう。

もう一つの加藤の特徴は、憲法や議会によって保護されるべき、国民の自由と権利を二つに分類したことである。ひとつが国民の私的な自由や人権を意味する「私権」であり、もうひとつが参政権を意味する「公権」である。この二つのうち、加藤は、とりわけ「私権」を重視した。「私権」の保護こそ立憲政体の要諦と力説し、君権の「暴政」によって「私権」が危殆に晒された場合、単なる不服従に止まらず、抵抗と叛逆を肯定し、むしろ義務づけさえした。これに対して「公権」の実現については、即時の実現は立憲政体にとって必ずしも不可欠ではなく、「時と処」すなわち時勢と国情に鑑みて漸進的に実施されるべきものであった。

†井上毅のフランス留学

井上は、以上のような、混合政体論的発想と君権の専制を警戒し私権を重視する、加藤の思想的プリズムを通して、西欧の法政思想の世界に接近していった。井上の遺文書のなかには、井上が留学準備のため閲読したと推測される図書が一七冊残されている。その図書リストがどこまで網羅的か判然としないが、そこには西周『万国公法』や福沢諭吉『西洋事情』と並んで、加藤の『立憲政体略』と『真政大意』が含まれている。とりわけ『真政大意』には、精読の跡を示す本文への傍点と「明治十四年六月再閲」との朱書きがあり、明治一四年政変において「漸進論」の立場から大隈意見書を反駁する決定的な場面で、井上が加藤の書を参照したことを示している。それは、井上と加藤との思想的な関係の近さを示唆するものであろう。

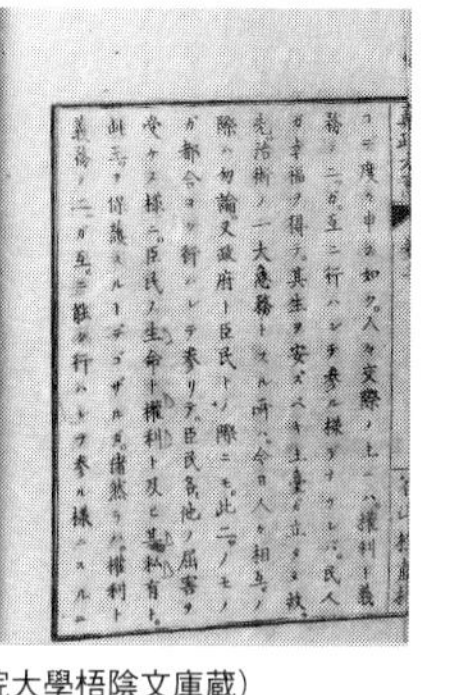

加藤弘之『真政大意』（國學院大學梧陰文庫蔵）

　実際、司法官僚としての井上のフランス留学は、治罪法（刑事訴訟法）という窓を通して、加藤やその背後にいる西欧自由主義的知識人たちの思想的遍歴を遡り、確認し、その上で井上なりの憲法構想を深掘りしていく軌跡であった。

井上が帰国後、留学の成果として著したのが、『治罪法備攷』（一八七四）と『王国建国法』（憲法）（一八七五）である。特に『治罪法備攷』は、ボアソナードらの講義ノートのみならず、自ら一〇種以上のフランス法律書を参照して周到に編まれた大部の書で、井上のフランス留学の集大成でもあった。

井上は、刑事訴訟手続きを調査する中で、拷問による自白の強要が常態化している東洋の「夷風」に対して、文明国たる欧州においては推定無罪の原則に基づいて被告人を人道的に扱うことを目撃して愕然とする。その理由と沿革を探索する過程で、井上は「各国建国法、首めに身体の自由、家宅の不侵を掲げて、以て治罪の原則」とすることを知る。さらに人権の確立がフランス革命を契機とすることに気づき、一七九一年憲法の人権宣言、すなわち「何人も法律に定められた場合でなければ且つ法律の定める手続きによらなければ、起訴され、逮捕されまたは拘禁されることはない」という人身の自由を始めとする各種の基本的人権を、憲法の根本原則として翻訳する。しかのみならず、井上はイギリスの「人身保護令」など「各国建国法」をも「治罪原則」として収録し、「人身自由」と「家宅不侵」を「民権（私権）ノ大義」として詳細に解説したのである。

『王国建国法』の翻訳においても、憲法による「私権」の保護という関心は一貫している。これはラフェリエールの『欧米各国の建国法』の中から、プロイセン憲法とベルギー憲法を選んで翻訳したものであるが、井上が、プロイセン憲法を選んだのは、その君主主義や官僚主義のゆえではない。そうではなく、一八四八年革命の結果として制定されたプロイセン憲法は、井上の目からみて、制定の由来から人為的で数多い欠点があるにもかかわらず、自由主義的憲法として定評のあったベルギー憲法と並んで、「国民に付する所の私権に至ては、言語、著述、行動、来止、教授、礼拝の自由、名実完全して、民俗に浸潤すること、実に欧洲に冠首たり」という国民の私権に対する保護の手厚さのゆえであった。

興味深いのは、人権宣言の翻訳において、井上が、国家主権は国民に由来するという第三条を注意深く除いていることである。しかし、それは井上の非民主性を示すというより、西欧自由主義者のフランス革命に対する両義的な評価を共有していたがゆえであろう。

以上のような探索の延長線上に、井上の憲法構想は形成されていった。一八八〇年に岩倉に提出された「憲法意見控」の中で、井上は次のように述べる。「国憲（憲法）なるものは即ち欧洲の所謂「コンスチチュシオン」を翻訳したるものなり、「コンスチチュシオン」の政とは即ち「アブソリュ」の政に（専制）対するの名にして君権限制の政を謂ふなり」「結構は必ず立法行政司法の三権を分立し立法官をして憲法の監守たらしむる是なり、故に所謂「コンスチチュシオン」は君民の共議に成るものなり、「コンスチチュシオン」を守るは必ず君民同治の法に依るものなり」。

†明治一四年政変との関係

それでは、こうした井上の憲法構想と明治一四年政変とは、いかなる関係にあるのだろうか。それを詳細に論じる余裕はないが、これまでの議論との関係で、次の三点を挙げておきたい。

まず、井上が大隈意見書に反発したのは、大隈意見書および福沢の主張する政党内閣制が、井上らの混交政体論的発想とは真逆の構想だったからである。井上らは、これまで権力を多元化し均衡させることで自由と権利を保護しようと腐心してきた。だが井上にとって、内閣による立法と行政の結合を強調した、英国憲政論の著者バジョットを参照する政党内閣制は、立法権と行政権を一体化して「男をして女たらしめ、女をして男たらしむること」以外なし得ざるものはない専制の危険を孕んでいた。もちろん井上は、政権交代という時間軸を導入することで、専制を防止することは知っていた。だが政党すら存在しない、当時の日本の現状で、節度ある二大政党制の成立など複雑な条件を前提とする、円滑な政権交代の可能性を、俄に信じることはできなかったのである。

次に、他方で井上自身も憲法構想の破綻に直面していた。井上は、従来、混合政体論的発想の下で専ら君権の専制から国民の私権を擁護する観点から憲法を構想してきた。しかし明治一〇年代、明治政府の中心だった大久保利通の暗殺を契機に政府内の権力関係が流動化し、他方で自由民権運動の隆盛によって官民軋轢の度合いが増大すると、民の「専制」という可能性が現実味を帯びてきた。しかも大隈意見書は、それを国家機構として制度化する可能性を示唆した。井上は動揺せずにはいられなかった。井上は、従来充分には視野に入っていなかった民の脅威をも考慮して、改めて憲法構想の再構築に迫られたのである。ドイツ学への接近もその文脈の中で考えることができよう。

最後に、加藤弘之は明治一四年自らの初期の著作を絶版とし、従来の立場とは一線を画した。しかし井上は、加藤と同じ道を歩まなかった。民の「専制」の問題を含めて、改めて憲法構想を再検討する際にも、実際に憲法を起草する際にも、権力を分割することの緊張関係を意識しつつ、混合政体論的発想の下で、私権すなわち人身の自由を中心とする、国民の自由と権利の擁護こそが憲法の要諦であるという原則にこだわり続けたのである。それは、井上の開国経験の深さを物語っていよう。

さらに詳しく知るための参考文献

大久保健晴『近代日本の政治構想とオランダ　増補新装版』（東京大学出版会、二〇二二、初版は二〇一〇）……当時のオランダの政治状況ならびに西欧の知的文脈の中で、西周と津田真道のオランダ留学の内容と意義をフィッセリング講義の原典にあたって浮き彫りにした画期的研究。小野梓についての論説も示唆に富む。

宮村治雄『開国経験の思想史』（東京大学出版会、一九九六）……中江兆民を中心に、近代日本の若き知識人たちが西洋政治思想に遭遇して、知的変貌を遂げていくさまを「開国経験」とよび、精密にその軌跡を探求する名著。とくに「自由」について深く考えさせられる。

河野有理『偽史の政治学　新日本政治思想史』（白水社、二〇一七）……いわゆる「福沢史観」の呪縛から明治思想史を解放し、より自由で多様な思想史の可能性を教えてくれる。その文脈における加藤弘之についての論考も新鮮である。

木野主計『井上毅研究』（続群書類従完成会、一九九五）……著者は、國學院大學で長年井上毅の資料編纂に携わってきた人物で、井上の修学履歴など書誌的な貴重な研究が含まれている。また早くから『治罪法備攷』の思想的重要性について指摘していた。

伊藤博文『憲法義解』（岩波文庫、二〇一九）……旧版にルビを加え、読みやすくなった。巻末に、憲法構想をめぐる井上毅と伊東巳代治との確執を描いた坂本の「解説」がある。

第2講　**教育勅語**

山口輝臣

†なぜ一八九〇年一〇月に出されたのか

戦前日本の教育と言えば、すぐさま教育勅語を思い浮かべる方も多いだろう。公式には「教育に関する勅語」と呼ばれるこの勅語は、大日本帝国憲法が施行された一八九〇（明治二三）年に発せられ、日本国憲法の施行された翌年の一九四八（昭和二三）年に、衆参両院で排除ないし失効確認が決議された。教育勅語は、大日本帝国憲法と生死をほぼともにしたわけであり、戦前イコール教育勅語という理解も、あながち誤りとは言えまい。

ただ、そうした理解からすると、容易には飲み込みがたい事実もある。新たな教育勅語を発しようと試みた文部大臣がいたことなどは、そのひとつであろう。

試みた文相は西園寺公望。かれの秘書官を務めた竹越与三郎（たけこしよさぶろう）――徳富蘇峰の民友社を代表する史論家として鳴らした人物でもある――は、西園寺の意図について次のように述べている。

いまや社会の状態は一変した。「道徳の本旨は古今によつて変りはないが、道徳の形式は時代によりて変化せねばならぬから、新社会に処すべき新道徳を起こさねばならぬ」(竹越与三郎『陶庵公』叢文閣、一九三〇)。

この話が正確にいつのものなのかは、史料上の制約もあって特定できていない。しかし竹越の証言に加え、西園寺が残した文書のなかに、この時の草案と思わしきものがあることなどから、西園寺が実際に計画していたことは間違いない(小股憲明『明治期における不敬事件の研究』思文閣出版、二〇一〇)。西園寺が文相だったのは、一八九四年一〇月〜九六年九月と九八年一月〜四月。ということは、発布から数年にして、教育勅語はそれだけではもはや十分な役割を果たせていないと、管轄官庁のトップが見做していたことになる。このように、少なくともある時期まで、教育勅語には、かなり短期的な効果も求められていた。そうであるなら、そもそも教育勅語の制定にあたっても、同様な期待はなかったのだろうか?

本講では、教育勅語はなぜ一八九〇年一〇月に発せられたのかという問いを軸に、時間の幅をあえて短く設定し、主として明治憲法の公布(一八八九年二月)からその実施(一八九〇年一一月)までの時期を扱う。それにより、この時期における道徳・教育・宗教・自治・憲法などの連関の様子を浮かび上がらせてみたい。

†憲法実施と教育勅語

教育勅語は、一八九〇年一〇月三〇日に明治天皇が内閣総理大臣と文部大臣に勅語を授けた旨と、それを受けて文部省が発した訓令を、翌日の『官報』に掲載するという地味な形で、世に出た。勅語を受け取った山県有朋首相と芳川顕正(よしかわあきまさ)文相には、それぞれに制定過程を振り返った記録がある(国民精神文化研究所編第二巻、一九三九)。細部に違いはあるが、この年の二月に開かれた地方長官会議がきっかけだったとする点は一緒である。

地方長官会議は、内務大臣が各府県の知事を招集し、東京で開催された。山県は兼任していた内相として、芳川はそのもとで内務次官として、二月の会議に携わった。会議では各種の建議などが審議されたが、そのなかに「徳育涵養の義に付建議」があった。この建議は、現行の教育を、知育に偏り、徳育を蔑ろにしていると批判した上で、「我国固有の倫理の教」によって徳育の主義を定めることで「我国固有の元気」を維持できる、という内容だった。府県知事一同は、これをもって文部省に押しかけ、世間の耳目を集めた。

ところが知事による一連の行動は、会議に先立ってなされた山県内相の演説に呼応した面が強かった。その演説は、前年一二月に各府県知事宛に発した訓令の内容を、それ以後の状況を踏まえ、さらに具体化したものだった。一二月の訓令は、「憲法の実施は方(まさ)に近きに在り」とはじまり、それにともなって地方でも政論――ここでは、政治的党派もしくは政治家の主張という意味――が沸騰し、人心が激昂していると指摘、適切な対処をとるよう求めていた（山中永之佑監修『近代日本地方自治立法資料集成〔明治中期編〕』第二巻、弘文堂、一九九四）。訓令に従い府県知事たちは努力したが、府県レベルではいかんともしがたいものとして、中央での対応を求めたもののひとつが徳育の涵養であり、それが教育勅語を生み出した。

要するに、憲法の実施が教育勅語を生み出すという回路があった。少なくとも、教育勅語の制定にあたり責任ある地位にあった山県と芳川の認識は、そうであった。

†どうして自治が必要なのか

憲法の実施はなぜ教育勅語を生み出したのか？　山県内相の演説をもとに考えてみよう。まず、この演説は、教育勅語についてのものでない。それどころか、憲法を直接の対象としたものでもない。市制・町村制を施行するにあたっての注意事項を述べたものである。

一八八八年四月に公布され、翌年四月から順次施行されていった市制・町村制は、山県の演説によれば「自治の制」であり、これを新たに導入するのは、市町村を「完全なる自治の団体」にし、「自治の精神」を発達させるためであるとする。ところが、その実施が必ずしもうまく行っていないと、内相は指摘する。「政治党派」による対立が市町村を舞台に繰り広げられ、「政論紛擾の巷」となっていると見えたからである。これは「地方事務と中央政治を混淆し」た誤りで、中央の政界に波瀾が生じても市町村はそれによっても動揺しないのがあるべき姿であり、そうなるよう、市制・町村制の実施に十分力を尽くされたい、と指示する。

政党勢力の浸透を防ぐことで、地方を藩閥政府の地盤にしようとした山県の構想を示すものとして、ここまでは、専門家には周知の話である。大事なのはここからだ。

では、どうしてそんな苦労をしてまで「自治の制」を導入しなくてはならぬのか？　それは、「自治の精神」により、「人民をして市町村の公務に練熟し、漸く国事に任ずるの実力を養成せしめば、以て立憲政治の根本を全くし国家の基礎を鞏固ならしむるに至る」。「自治の制」は「立憲政治」の根本として不可欠であり、それ故に実現せねばならなかったのだ。

しかし、それだけで立憲政治がうまく行くとは考えていなかった。地方を中央の政界から切り離そうとする一方で、地方の「公務」に習熟することで「国事」を任ずるとの階梯を想定し、それが立憲政治を支えるとする以上、地方と中央とを切断できないことは織り込み済みだった。しかも中央が「政論紛擾の巷」であることは、認めて（諦めて？）いる。立憲政治に「自治の制」は不可欠であり、それなくして立憲政治はあり得ないが、だからといって、「自治の制」を敷けばそれで立憲政治が実現できると、夢想していたわけでもなかった。

†なぜ立憲政治なのか

このあと、紆余曲折を経ながらも、立憲政治が定着していったことを我々は知っている。そのせいか、当時の内閣がその実施にあたって細心の注意を払っていたことなど忘れがちだ。しかし実際のかれらは驚くほど心配性だった。

その理由は明快で、どこにも先例がなかったからである。日本国も属しているとかれらが考えていたさまざまなカテゴリー——東洋、アジア、半開など——のなかに、立憲政治を成功させた国はひとつもなかった。しかもそれを打破しようとしたオスマン帝国では、一八七六年公布の憲法が、一年余りで効力停止に追い込まれていた。成功例のない世界に足を踏み入れようというのだから、慎重になっても不思議はない。山県は演説で「新政を創始する」と表現している。立憲政治の開始は、新たな政治を創り始めることと考えられていた。

しかしここで再び疑問が湧く。どうしてそんな苦労をしてまで立憲政治をはじめなくてはならないのか？　この点についても、山県は説明している。

それは臣民の徳義を善美にし、幸福を増進するためである。そして、憲法によって自由の程度を高くし、ゆくゆくは「開明国」と並ぶ地位へと進むためである。臣民の徳義・幸福・自由を高め、それによって国の格を上昇させる——そのための立憲政治なのであり、もし実施の過程で誤れば、「開明国」どころの話でなく、失敗はけっして許されない。

自由ならまだしも、立憲政治が徳義や幸福のためにあるとは、いまとなっては大仰な感じもするが、かれらはそう信じていた。憲法実施と「徳」を涵養する行為とが繋がり教育勅語を生み出す背景には、こうした考えが広く分けもたれていたことがあった。

ただ、さらなる疑問も浮かぶ。「開明国」になるという目的だけなら、必ずしも立憲政治でなくとも構わないのではないか？　二一世紀を生きている我々からすれば、いわゆる開発主義のように、立憲政治などそこそこにして経済発展を優先する考え方が——良い悪いとか、好き嫌いとは別に——あり得ること、あったこと、そしていまもあることを知っている。それどころか、この時期の日本はまさにそうだったと考えている人もいるだろう。

山県の見解は違った。「開明国」には、臣民の徳義・幸福・自由を高めてはじめてなり得るのであり、そのことも考え合わせると、立憲政治しか道はない。立憲政治は良き統治を可能にする望ましい政治体制であって、「開明国」になるという国家目標の達成に適合しているだけではなく、それを実現すること自体に価値があるものだった。

†立憲政治と「異説」

では、そうした立憲政治の根幹はなにか？　この答えが興味深い。

何れの所を問はず、利害の同じからざる所は、随て各種の異説を出すことあるは、勢の免れざる所とす。既に然り。則ち他人の意見と雖も、勉めて相認容し、互に相調和するにあらざれば、其の紛争遂に底止する所なからんとす。憲法制度は異説を調和するに適当の方便にして、暴力悖乱は啻に異説の根帯を断つこと能はざるのみならず、之をして益々甚しからしめんとす。

利害の異なる者が存在するという現実が必然的に生み出す「異説」を「調和」させる機能こそ、「憲法制度」の根幹だとする。それがすぐれているから、立憲政治を採用するのだ。

この演説で立憲政治とか憲法制度とか言われているものは、国家の仕組み全般にわたる。ただこの時期の人びとには、その中核に議会があるとの共通認識があった。それは、民撰議院設立建白書の提出にはじまる自由民権運動と政府との複雑な交錯の歴史に規定された面が大きい。大日本帝国憲法の全七章七六条のうち、第三章帝国議会がもっとも多い二二条を占めていること、議会開会をもって憲法の施行としたことなどは、その延長上にあった。

ところが、議会は、「異説」を調和するより前に、まずは「異説」を可視化してしまう。議会がなければ、政府内でどんな意見対立があっても、外からその様子を知ることは不可能に近い。つまり「異説」は見えない。ところが公開された議会が法律案などを審議するようになると、原案とそれに対する意見の開陳を通じ、「異説」やその背後にある利害の対立が誰の目にも見えるようになる。だが、そのような形で「異説」を議会のなかに取り込み、ルールを共有し議論をして「調和」を導き出すことこそ、立憲政治の妙味である——はずだった。

ところが、それが機能し得るような状態にいまはないというのが、山県率いる内務省の危惧するところだった。憲法実施＝議会開会を視野に、政治運動が活性化し、百花繚乱の「異説」が展開されることで、人心の激昂をもたらしており、なかには、「暴力」・「悖乱」（道に外れた行い）によって「異説」を断とうとする動きまであると見たからである。

これは荒唐無稽な見方ではない。憲法発布日であった一八八九年二月一一日には森有礼（ありのり）文相が、そして同じ年の一〇月一八日には大隈重信外相がテロリズムに遭っていた。山県は、一〇名しかいない閣員のうち二名をテロで失っていた。「異説」への忍耐を欠き、暴力に訴える現実は確かにあり、立憲政治を運営するための前提が成り立っていないとの不安を感じさせた。しかし一方で、そうした現実は、「異説」を調和する立憲政治がないためだとの考え方もあり得た。そのため、ここから導かれてくる指針は、立憲政治など要らない、ではなく、なんとしても立憲政治を成功しなくてはならない、となってくる。「之を要するに予は我国人民の一般に政治上の自由を享用するは平静着実に在るべきことを知り、憲法制度は人民の親和協同の精神に倚るにあらざれば、之を安全に実行すること能はざるを信ず」。

「異説」の存在は不可避であり、それを「調和」するための立憲政治なのだが、そのためには「異説」の持ち主を立憲政治のなかに包摂しなくてはならず、それには「親和協同の精神」に頼むほかない。だが、それをどう醸成するのか――そうした課題が存在していたのである。もうおわかりだろう。その課題を解決するための手段のひとつが教育勅語であった。

†立憲政治と「人心の帰一」

山県の演説は、地方の民情に通じているとの自負を有し、普通教育の現場に不満を抱いていた府県知事たちに響いた。それへの彼らの反応が「徳育涵養の義に付建議」であった。

これを受けた山県内閣では、「箴言」（教訓となる言葉）を編むこととし、榎本武揚文相にその作業を命じたが、進展のないうちに文相は芳川顕正に交代。芳川文相は、はじめ中村正直（敬宇）に委嘱し、原案を得た。中村は、明六社の一員として、あるいは『西国立志編』『自由之理』などの翻訳で知られる教育者であり、この頃は女子高等師範学校（お茶の水女子大学の前身）の校長や元老院議官を務めていた。しかし井上毅法制局長官が中村案をきびしく批判したことから、以後は井上毅が起案の中心となり、明治天皇の側近の儒者である元田永孚がそれに手を加える形で、教育勅語は作られた。言い換えると、クリスチャンの教育者で、かつて天皇の受洗を望んだこともある中村と、明治政府の教育政策を一貫して批判し、教育勅語起草の背後では、神祇官を復興し祭政一致を取り戻す運動をしていた元田とを相手にしながら、憲法の起草者でもある井上毅が主導することにより、教育勅語は作られた。

起草に関わったのが三名で、それぞれが異なる背景を持ち、それらが文面に反映されていることから、教育勅語はさまざまな読み方が可能である。たとえば、勅語に登場する言葉の系譜をたどっていけば、そこにどんな思想が流れ込み、それがどう変容してここに至ったのかを明らかにすることができる。しかし先に見た経緯や発布の目的を勘案すると、そうした読み方は、制定者たちの意図とはズレている。

教育勅語は、「親和協同の精神」を醸成すべく、まかり間違ってもそれがさらなる「異説」を生み、暴力をもたらしたりしないよう作られた。比喩的に言えば、中村正直と元田永孚という敵対的とも思える二人のあいだですら合意できるような内容だけを、掲げたのである。

教育勅語を起草する過程で、学説に入り込まぬようにとの原則が確認されていたのは、まさにそのためだった。そしてもうひとつ、「勅語には敬天尊神等之語を避けざるべからず。何となれば此等の語は忽ち宗旨上之争端を引起すの種子となるべし」（井上毅）と、宗教の争いを起こしかねない言葉を排するというのも、そのための心構えだった。

ここで宗教が登場するのは、井上毅ら憲法起草者たちの立憲政治像と関わる。伊藤博文枢密院議長は、枢密院での明治憲法制定会議（一八八八年六月一八日）でこう演説した。

> 今憲法を制定せらるゝに方ては先づ我国の機軸を求め、我国の機軸は何なりやと云ふことを確定せざるべからず。……抑々欧洲に於ては憲法政治の萌芽せること千余年、独り人民の此制度に習熟せるのみならず、又た宗教なる者ありて之が機軸を為し、深く人心に浸潤して人心此に帰一せり。然るに我国に在ては宗教なる者其力微弱にして一も国家の機軸たるべきものなし。仏教は一たび隆盛の勢を張り上下の人心を繋きたるも今日に至ては已に衰替に傾きたり。神道は祖宗の遺訓に基き之を祖述すとは雖、宗教として人心を帰向せしむるの力に乏し。我国に在て機軸とすべきは独り皇室あるのみ。

欧州ではキリスト教が人心を帰一させ、立憲政治を支えていると、伊藤たちは見ていた。立憲政治とは、単に政治制度を移植すれば実現できるといったものでなく、それを支える社会基盤を必要とするという見方である。オスマン帝国における失敗やそれに対する欧州での論評なども踏まえてのものだろう。ところが、日本ではそのキリスト教の役割を担える宗教がない。だから皇室を機軸とするのだ、と。天皇の言葉である勅語という形で徳を説く教育勅語は、まさにその実践にほかならなかった。

†常識的な、あまりに常識的な

立憲政治を支えられないどころか、多元的に存在しているため、争いの種になりかねない宗教――たとえ仮にそうだとしても、それ抜きの道徳など、あり得るのだろうか？

実は同じような課題に直面していた国が、当時の世界ではおそらく一つだけ、あった。

第三共和政下のフランスは、教育政策において、義務と無償に並んでライシテ（laïcité＝世俗）の原則を掲げ、道徳教育の世俗化を進めていた。井上毅はもともとフランス語を学んでいた上に、フランスの哲学者フイエの著書を中江兆民が訳した『理学沿革史』や、兆民が著した『理学鉤玄（りがくこうげん）』などを読んでいたと考えられている（稲田一九七一）。ライシテについて、それなりの知識を持った上で、井上毅は教育勅語の起草に関わったものと見られる。

もっとも、井上毅が参照できた時期のフランスの道徳教育は、道徳の規律から宗教的要素を除去することに終始して、それに代わる新たなものが用意できておらず、本来の道徳的要素まで失うものだ、と二〇世紀初頭に社会学者のデュルケムから批判されるようなものだった（エミール・デュルケム『道徳教育論』麻生誠・山村健訳、講談社学術文庫、二〇一〇）。もう少し具体的に言えば、カトリックを排する一方、人は道徳に関する基礎概念を持っていることを前提に、大多数の人びとが道徳と考える平均的意識を一般化した内容を教育しているに過ぎなかった（世界

教育史研究会編『道徳教育史Ⅰ』講談社、一九七六)。

ほぼ同じことが、教育勅語にも言える。それは同時代の大多数の日本人が共有していると起草者たちが見做し、それを守ることが立憲政治を支えることになると考えた徳目が列挙されたものだった。起草者たちは、府県知事たちと同じく、維新後における道徳の退廃を嘆きつつ、それでも完全に廃れたとすることもなく、そのことを頼りに、その標準的なあり様を強化することで、立憲政治下に相応しい国民の徳を養成しようとした。それ故、その内容が、時代や場所によってそう変わりがあるとは考えておらず、「之を古今に通して謬(あやま)らず之を中外に施して悖(もと)らず」、すなわち古今内外を問わず正しい道であると、言い切ったのである。

もちろんライシテを原則として掲げるフランスと、面倒を避けようと宗教的要素を排除した日本とでは、覚悟のほどが違う。また宗教とそうでないものとの境界にも違いがある。宗教かどうか「異説」があるような要素の力を借りたいとの誘惑は、日本の方が強かったろう。ただこの時期に、国家主導で世俗道徳を構成しようとすれば、その時代の「常識」に依拠するほか手がなかった点は、東西でさほど変わりはなかった。教育勅語は、当時の人びとのほとんどにとって、ごく常識的な内容が並んだものだった。

内村鑑三のいわゆる一高不敬事件(一八九一年)は、その点でも重要である。第一高等中学校の教員として、内村は儀式の際に教育勅語への敬礼を求められ、その時に躊躇したことを「不敬」と指弾され、依願退職を余儀なくされた。そんな内村も、勅語の内容にはとくに異議を唱えていない。その意味で、教育勅語の文面は、井上らの意図した通り、包摂度の高い仕上がりにはなっていた。だがそれでも教育勅語は、「不敬」として排除される者を生み出した。勅語を受けた文部省が、道府県と直轄学校にその謄本を配布し、謄本を奉読する会を持つよう訓令し、一高におけるその実施に際しこの事件は起きた。

「今日之立憲政体之主義に従へは、君主は臣民之良心之自由に干渉せず」という理由から、教育勅語は、政治上の勅語と誤解されぬよう、国務大臣の副署がない「社会上の君主の著作公告」（井上毅）という体裁が採られた。だがそれを少しでも有効にしようと、身体性をともなう儀礼に組み込んだことで、元来の意図からすれば、あってはならない事態が発生した。

国が規範を提示し、それに効果をもたせることの難しさを教えるとともに、立憲政治のために立憲政治の手続きを逸脱することは許されるのかという問いを喚起するものでもある。

†政治と徳

ここまで、教育勅語を主として立憲政治との関わりで検討してきた。道徳を高唱する勅語と立憲政治との連関を示すわかりやすい痕跡が、勅語の「常に国憲を重じ国法に遵ひ」という部分である。最初の中村正直案にはこれに類する言葉はなく、芳川顕正が発案し、井上毅がそれ

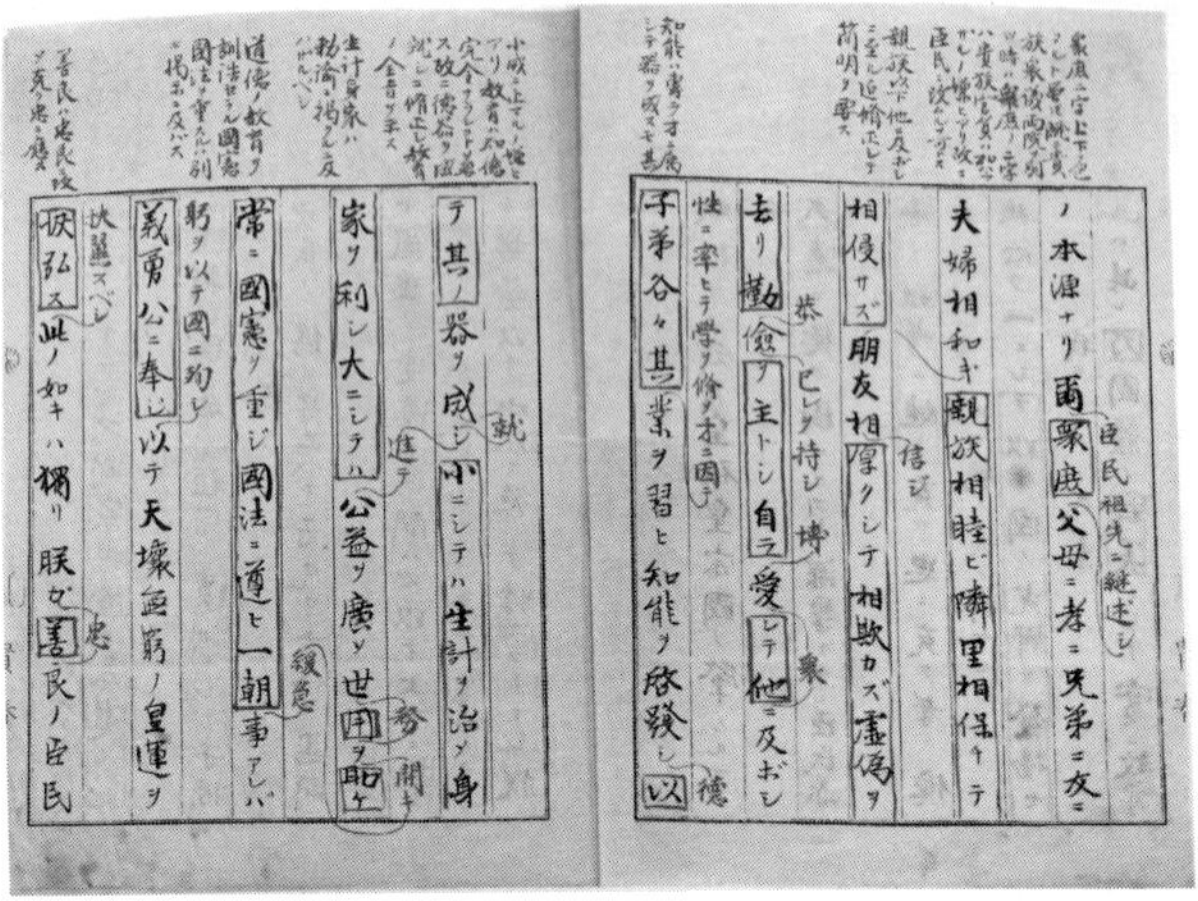

井上毅による教育勅語案に対し、元田永孚が修正した箇所。「常ニ国憲ヲ重ジ国法ニ遵ヒ一朝」までを朱で囲うことで、その部分を抹消し、上段に「道徳ノ教育ヲ訓誥（くんこう）セラル、国憲国法ヲ重スルハ別ニ掲示ニ及バス」と、その理由を記している（国立国会図書館憲政資料室蔵「芳川顕正関係文書」）。

に賛同して挿入したようだ。元田永孚は、道徳の教育についての勅語にこの一節は要らないと削除したが、井上が復活させ、そのまま発布された（稲田一九七一）。芳川と井上にとってみれば、立憲政治の実現のために勅語はあり、この一節を削ることはあり得なかった。一八九〇年一〇月に教育勅語が作られた理由を端的に示す箇所である。

立憲政治の導入にあたって道徳に助けを借りた明治の人びとを見て、いかにも昔の話だと感じる人もいるだろう。だが本当にそうだろうか？　政治家の道義的責任を問う声は、いまもしばしば上がる。これはどのような根拠によるものなのか？

政治において実は不可欠かもしれない徳という要素の存在とその扱いの難しさを教えてくれる点で、教育勅語はいまもまた、戦前期とは違った役割を、果たせるのかもしれない。

さらに詳しく知るための参考文献

稲田正次『教育勅語成立過程の研究』（講談社、一九七一）／海後宗臣『教育勅語成立史研究』（東京書籍、一九八一）……成立過程についての研究はこれ以外にもあるが、まずはこの二冊だろう。いずれも堂々たる大著で、読むだけで並大抵の仕事ではないが、その甲斐はある。これらに引用された史料に当たりたければ、国民精神文化研究所編・刊『教育勅語渙発関係資料集』全三巻（一九三八〜三九）が便利。復刻版もある。本講でも、これに掲載されているものについては注記を略した。

＊これらに比べると、成立以降の時期については、まだ決定版といったものはないようだが、概要を知りたければ、こちら。

副田義也『教育勅語の社会史――ナショナリズムの創出と挫折』（有信堂高文社、一九九七）……せっかくなので、教育勅語がどう解釈されていたのか、自らの目で確認してみてはいかがだろう。国立国会図書館デジタルコレクションで「教育勅語」と入れて検索すれば、山ほど出てくる。おもしろそうなものを拾い読みするだけで、思わぬ発見があるかもしれない。

第3講

超然主義

佐々木 隆

†超然主義のテキスト

受験参考書の重要単語集にゴシック文字で載るほど有名な「超然主義」だが、歴代藩閥内閣の施政方針演説や政府答弁で公式に表明されたことは一度もない。衆議院においても貴族院においても議員が超然主義について質疑を行うこともなかった。ちなみに第一回帝国議会の衆議院本会議で山県有朋首相の施政方針演説が行われたのは開会一五日後の一八九〇(明治二三)年一二月六日のことで、この日、有名な「主権線・利益線演説」が行われているが、超然主義に触れる発言はない(主権線・利益線演説に関する議員の質問は当日も翌日以降もなかった)。政府の方針は多少の出入りはあっても一貫している、政府と議会は帝国の発展という大目標において一致すると信ずるという大意の言及がある程度である。この結果、以後において政府が超然主義について放棄や取り消しを言明することもなかった。

黒田清隆

黒田清隆首相のいわゆる「超然主義演説（超然演説）」が行われたのは一八八九年二月一二日、帝国憲法発布翌日の地方長官祝宴の席上のことだが、この演説は藩閥内では政府の公式見解と理解されていた。一八九二年初頭の第一回伊藤新党問題の際、黒田は盟友・松方正義首相に宛てた書翰の中で、

さる廿二年二月十二日鹿鳴館に於て地方長官并に陸海軍将校に憲法御発布云々、不偏不党超然政党以外に立との事、苟も首相之位置を忝ふし、内実は書取にて各位に、併せて演説仕置き、仮令如何之時勢に立至候とも国家之為め食言すること万々出来不申、小生歴史に於てをや、黒田清隆一己人に非らず止まらす、篤と御推察可被下候。

と述べている（国立国会図書館憲政資料室所蔵「松方正義文書」）。当日、出席者に超然演説を書き起こした書類が配布されており、超然演説が祝賀会での単なるテーブル・スピーチではなく政府の公式見解と位置づけられていたことが知られる。

この書類と思しきものが、国立国会図書館憲政資料室所蔵「牧野伸顕文書」の書類の部に収められており、実際に公文書として扱われていたことが確認できる（ちなみに牧野は当時、首相秘書官）。これこそが超然演説の正文であるが（内閣罫紙に墨書。案文説もある）、従来巷間に流布しているテキストとはいくらか異なっている。流布テキストは指原安三輯『明治政史』（吉野作造編『明治文化全集』第三巻、日本評論社、一九二九）に引用されたものの再引用が踏襲されてきた。

> 然るに政治上の意見は人々其所説を異にし其説の合同する者投して一の団結をなし、政党なる者の社会に存立するは情勢の免れさる所なりと雖、政府は常に一定の政策を取り、超然政党の外に立ち至正至中の道に居らさる可らす。各員宜く意を此に留め常に不偏不党の心を以て人民に臨み、其間に固執するところなく、以て広く衆思を集めて国家隆盛の治を助けんことを勉むへきなり。

「牧野文書」と『明治政史』に大きな相違はないが、『政史』が「一定の方向」とするところが「牧野文書」では「一定の政策」となっており、幾分か具体性が増している。

†超然主義の本質

一方、黒田と並ぶ藩閥の指導者・伊藤博文枢密院議長も二月一五日、府県会議長招待宴で次のように演説している（前掲『明治政史』）。

> 苟も帝国議会の議長たるものは自己の撰挙せられたる一部の臣民を代表するにあらすして（略）汎（あまね）く全国の利害得失を洞察し、専ら自己の良心を以て判断するの覚悟なかるへからず。然りと雖も互に其意見を異にするに至ては勢ひ党派を生ずべし。蓋（けだし）議会又は一社会に於て党派の興起するは免れ難しと雖、一政府の党派は甚だ不可なり。

伊藤演説は黒田演説と共通点が多く、政党のくだりのように表現が酷似している部分もある。演説の日時も近接しており、恐らく二人の間では入念な擦り合わせが行われたものであろう。超然演説は黒田演説単体で考えるのではなく、伊藤演説と併せて総合的に理解評価する必要がある。伊藤は衆議院議員は地域の代表者ではなく全国的或は全国民的な見地に立って行動しなければならないとしているが、これはすぐれて現代的な課題でもある。このことは後に政府系会派を「与党」としてどこまで容認できるかという藩閥にとって重要な問題となってくる。

畢竟党派は民間に在ては止むを得ざる結果なりと雖も是を以て政府にまで及ぼすは難事なりと思考せさるを得す。（略）蓋党派の利を説くもの少なからすと雖も、既に一国の基軸定り政治をして公議の府に拠らしむるには充分の力を養成するを要す。（略）凡そ一国の利害得失は政府のなす所に関係するもの多し。而して政府の常に為すへきことは国内を同一視して偏頗なきに在り。

これらを総合すると、次のようになるだろう。

①日本の不羈独立を達成するための近代化路線の正当性
②そのための藩閥の政権担当の正当性と連続性の主張
③不羈独立・近代化路線を担保する公正な政治運営
④公正な政治運営のための党派性の排除

②はこれまで藩閥が現実に政権を独占し続けて来たという事実と表裏一体だが、明治政府が江戸幕府から政権を奪ったように藩閥政権の永続を保証するものではない。東南アジアや中南

米・アフリカの国々のように〈○○党は唯一の革命政党である〉などと革命政権の恒久政権を憲法で定めたり、「制度的革命党」を名乗ったりしているわけでもない。一応、天皇による信任が正当性（正統性）の源泉とされるが、常に勝者または強者の正統性を保証して来た朝廷・皇室の既往の歴史を思えばこれとて絶対ではない。現に隈板内閣時代、藩閥首脳は明治帝が隈板政権に味方するのではないかという悪夢に悩まされた（黒田はこれを明治帝の「御迷信」と呼んで恐れた）。翻って考えれば、そもそも藩閥首脳が藩閥政権の永続を望んでいたか自体も疑問だ。明治二〇年代以降進められた文武官採用試験の導入は藩閥の先細りをそれこそ保証するものだった。山口県人や鹿児島県人が日本の人口の多数派ではない以上、薩長が時間の経過とともにいずれ少数に陥るのは明らかだったのである。『藩閥之将来』（博文館、一八九九）を書いた外山正一のように郷党子弟の育英によって藩閥の永続は可能と見る向きもないではなかったが、所詮は邯鄲の夢だった。伊藤が一国の基軸が定まる日に言及しているように藩閥自身が明治政府を不羈独立を達成するまでの臨時革命政権と位置づけていたのであろう。

伊藤博文

③の不羈独立・近代化路線については立憲政治開始当時においては公然と異を唱える者はいなかった。維新当初にはこれに反抗して士族反乱を起こす者もいたが、悉く鎮圧された。政府内では旧公議政体／公武合体派が散発的に抵抗を続けたが、一八七五年秋の政変で島津久光が下野したのを最後に後を絶った。以後、問題となったのは近代化の是非ではなく、その速度と主体だった。

④の党派性の排除については藩閥政権が論理的拠り所とする〈政党は全国的／全国民的利害を代表していない〉という主張の妥当性が藩閥自身の問題として反射して来た。薩長は実力〈武力〉で江戸幕府を打倒したという歴史的事実によって日本を治めているのであり、いわゆる〈玉〉としての天皇に追認されているのであった。一種の革命政権である藩閥政府は江戸幕府から見れば簒奪者なのであり、彼らこそ党派そのものと見ることも可能だった。藩閥による政党への党派性批判は自分自身に還ってくる危険性を帯びていた。

†議会の中の超然主義

もっとも政党の党派性への批判は衆議院議員の間にも存在していた。初期議会期には藩閥政府に好意的な〈温和派〉の無所属議員は衆議院定数の三分の一程度の議席を占めており、彼らの間では民党系政党への反情は根強かった。いわば議会内の超然主義とでも称すべき存在だが、その弱点は党派性を排するが故に自ら政党たり得ないことであった。強力な結束力を持つ政党となれば自由党と伍することも可能だが、党派性を拒むことを存在意義とする自己規定の否定にも通じかねなかった。しかし党派性の否定に徹すればアトム化した無所属議員の烏合の衆となりかねず（事実、そうしたケースが多く見受けられた）、大きな力を発揮することは難しかった。

温和派議員の政派は「党」を名乗ることは稀で「会」や「倶楽部」を名乗ることがほとんどだったが、政治的理念を表す語彙を冠することすら少なく、「大成会」「協同倶楽部」のように実際上仲間であること以外には何も謳っていない名前が少なくなかった。我々は同盟倶楽部、同志会、庚申倶楽部、昭和会のように年号、干支、集会所名などを会派名に含むものなど多くの類例を憲政史上に見出すことができる。

これはひとり帝国憲法の下だけの現象ではない。現代でも地方議会では中央の上部団体の主要政党の党名を名乗らず県政与党が〈県政会〉〈県政クラブ〉などと名乗る事例が多々見受けられる。「地方自治には中央の党派対立を持ち込むべきでない」「地方自治に党派は不要」というのが大義名分だが、これなども議会内の超然主義の流れを汲むものであろう。同様に知事選挙や市町村長選挙でも〈県民党〉などをスローガンに多党相乗りやオール与党のケースが頻繁に見受けられる。与党のうまみから漏れたくない安易な心理もさることながら、超然主義的な論理はここでも息づいているのである。

ちなみに初期議会期には衆議院では政党名を公称できず、自由党が弥生俱楽部、改進党が議員集会所などを公式名称としていた。党名を公称できるようになったのは一八九八年一二月開会の第一三回議会からである。

貴族院では政党化が進んだ後も政党名を公称することはなく研究会、茶話会などあくまで政策研究団体・親睦団体扱いだった。

†超然主義の実態的運用

藩閥政府による政党排除の論理とされる超然主義だがその実態的な運用はいかなるものだったのだろうか？

最初におさえておきたいことは超然演説を行った黒田首相当人がこの時期、それと並行して「功臣網羅」の名の下に主要政党の党首・指導者の入閣交渉を水面下で進めていたことである。

黒田はすでに自治党を準備中だった井上馨(かおる)を農商務大臣として閣内に取り込んでいたが、保守党の谷干城(かんじょう)〔たてき〕、旧自由党（解党中）の板垣退助、改進党の大隈重信、さらには当時政界を席巻しつつあった大同団結運動の後藤象二郎らに触手を延ばしていた。このうち谷・板垣・後藤らへの工作は土佐人脈の線で重層的に展開しており、これらが実現していれば主要な党派は網羅でき、翌年末に予定されている第一回帝国議会開会を安定裡に迎えるはずだった。実際に入閣したのは大隈・後藤の二人だが、板垣は黒田との提携が破談に終わったことを悔やんでおり、愛国公党設立趣意書（前掲『明治政史』）の中でその経緯を明かしている。

黒田の構想が実現した場合、超然演説との整合性はどのように位置づけられるのであろうか？　それは主要政党を網羅した政権を作れば党派性の問題はクリアできるということである。伊藤演説にあるように「一政府の党派は甚だ不可」であるが、「功臣網羅」が実現すれば党派性の問題は概ね解消し、全党排除の必要はなくなる。

しかしながら、全党参加にも大きな問題がある。それは複数与党間の折り合いの問題である。第三次内閣の組織に当たって伊藤は自由党の板垣と進歩党の大隈に入閣を求め大連立を企てたが、二人とも内相の座を求めて譲らず、提携そのものが破談に終わった。総選挙を控えて必要なのは強大な内政権限と情報機能を持つ内務省であり、「伴食大臣」の座などに用はないのである。具体的な政策対立が絡めばことは一層面倒になる。板垣は先の趣意書の中で黒田構想を破綻させたのは大隈条約改正問題だと述べている。曰く、

> 窃（ひそか）に望を当時の内閣に属する所ありしも、外交の為に失敗し其望に違ふたるは実に遺憾に堪へさる所なり。

条約改正の是非をめぐる紛糾は複雑な対立を次々と誘発し、黒田政権を退陣させただけでなく全党参加の総与党体制を烏有に帰せしめた。

さて全党排除型の超然主義を貫こうとすれば藩閥政権は一つの隘路に突き当たる。それは特定の与党を持つことができなくなるということだ。超然主義の根幹にある〈政府は特定の政党を特別扱いしない〉という大原則に反するからだ。全党参加型の超然主義が選択肢として許容できたのは特定政党を優遇せず主要政党を等し並みに扱うものだったためだ。当時アメリカにいた陸奥宗光は伊藤演説について井上馨宛の書翰の中で「政党なる者は何れの党派を問はず一切内閣と関係を有する能はず」とするならば「学理的の見解は兎も角も実際は如何して衆党派に離れて国会の多数を得べきか」との問題を提起している（国立国会図書館憲政資料室所蔵「井上馨関係文書」）。全党参加型の超然主義はその一つの解答だが、使い勝手が宜しくない。物理学の三体問題が厳密解を得られないように参加党派が増えれば適切解が得にくくなるのである。政府自らが与党を持てば楽だが、特定政党の待遇不可の大原則に触れてしまう。

そこで浮上したのが国家的／全国民的利害を理解する穏健な有産・有識層の国民（良民）を組織した政党なら与党としても超然主義の原則に照らして許容し得るという「良民政党論」である。しかし、これとても良民政党の党首が首相たり得るかという難題を抱えている。

一八九八年初夏の伊藤新党問題〈第二回〉の際、原則論にこだわる山県有朋も自由党・進歩党の大合同が目睫の間に迫っている現在、「勤王党」を組織して与党とすることは致し方ないとまで折り合った。しかし山県は「勤王党」の党首が首相となることは絶対に不可として譲らず、伊藤新党計画は挫折した。伊藤は地租増徴を実現するため政府系議員と地価修正を容認する自由党議員を糾合しようとしていたのだが、実現性には疑問があった。仮に着手できたとしても多数を得られたかどうか分からない。

ちなみにこのとき、黒田は伊藤新党に一旦は賛同し、伊藤とともに全国を行脚して党員を集めるつもりだと言明したという。伊藤は一八九二年の第一回新党計画の際も政府系会派の大成会や政府系無所属議員を糾合しようとしたことがある。伊藤は良民政党にこだわりを持っており、一九〇〇年には憲政党(旧自由党)と旧国民協会、無所属議員を基礎に立憲政友会を組織し、総裁となった。このとき実業家、学者、官僚ら、有産・有識層にも参加が働きかけられており、良民政党を目指していたことが窺われる。現役官僚は官吏服務規律のため入党できなかったが、伊藤は支部とは別に集会及政社法の適用をうけない倶楽部組織を併設しこちらに取り込もうとした(渡辺国武の献策による)。現代の官僚も入党できないが、「党友」や「〇〇会議」の構成員の形で抜け道を得ている。

党名については党でも会でもPolitical Partyに変わりはないという伊東巳代治の冷評を振り切って「立憲政友会」としている。「模範政党」を掲げる良民政党として政友会を発足させた伊藤だが、党派性の脱却については最後までこだわっていたのである。
良民政党の問題点はもう一つある。それは何をもって「良民」とみなすかという点だ。結局のところ、自派の支持者が「良民」なのであり弁別するのは自分に他ならないという恣意性の問題、代弁性の問題から逃げられない。良民政党もつまるところ党派の一変種かも知れないのである。

実際、第二次護憲運動を経て二大政党システムが成立したかに見えた大正後期には早くも「党弊」が問題化している。現代の政党が一部の既成有力者の代弁者であり全国民的利益を反映していないとみた近衛文麿は〈国民再組織〉を志し、「新体制運動」を開始した。政党ではなく、国民全体を網羅組織化する〈運動体〉と位置づけたが、様々な勢力がなだれ込み、錯雑した情況をまとめ切れず理念倒れに終わった。これなどは超然主義の理念を別の形で具体化しようとしたものと言えるが、「第四幕府」「新体制アカ論」「昭和の摂関政」などの非難を浴びた。一国一党の「党国主義」は日本の国情に合わないのである。

ところで党派性の排除は公正性の確保のためであり特定党派の排除・排撃を意味しない。第二回総選挙の際に行われた選挙干渉は特定党派の抑圧や擁護を目的として行われたので超然主義に反するのである。第一次松方内閣末期に入閣を求められた井上馨は一五項目の条件を掲げたが（伊東巳代治起案）、その中には「内閣の方針は愈々大中至正を取り何れの党派にも偏倚せさる事」とあり（国立図会図書館憲政資料室所蔵「伊東巳代治関係文書」）、選挙干渉地方官やこれに寛容な松方政権・内務省首脳が超然主義を逸脱していると見なしていたことが分かる。このとき内務省が進めていた温和派再編への助成措置はまさしく行政の公正性・中立性を損なうものに他ならなかった。その点、後に第二次桂内閣が掲げた「一視同仁」のスローガンは超然主義の本義に沿うものであった。

†超然主義の由来

藩閥が超然主義を掲げる一方、その運用に苦心したのは帝国憲法の条文間に未整理な矛盾が存在するためだった。すなわち六四条は「国家の歳出歳入は毎年予算を以て帝国議会の協賛を経へし」と予算議定主義を掲げる一方、六七条は「憲法上の大権に基つける既定の歳出及法律の結果に由り又は法律上政府の義務に属する歳出は政府の同意なくして帝国議会之を廃除し又は削減することを得す」と例外条項を定める。前者はフランス法、後者はドイツ法に由来するものというが、井上毅によると後者はドイツ法とはいってもドイツ帝国内の一部の領邦国家の憲法にあるだけだという。制憲作業の過程で十分な整理決着が為されず、憲法実施・国会開設に至ってしまったのである。

このことは初期議会期に深刻な憲法論争を引き起こしたが、予算・国家経営に関わるだけに始末が悪く、安定的な国家運営を確保するため条文外の憲法補則とでも呼ぶべき超然主義を必要とすることになった。ただし超然主義は政府の公式見解として表明されたことは一度もなく、伊藤が編んだ『帝国憲法義解』（国家学会、一八八九）にも言及はなかった。公式表明がない以上、否定や撤回の必要もなく、桂が政友会との抱合に踏み切るときも組閣政綱で「党派の異同に由て苟も合はす苟も拒ます。其の己と見を同うするものは喜て之と与にするも、苟も国家の公を忘れて私に投」する者に対しては解散連発を厭わない旨を触れる程度で済んだ。

最後に触れておきたいのは超然主義と一君万民思想の親和性である。政治運営から党派性を排除する超然主義は天皇の下での平等をモットーとする一君万民思想と相似形を成す。超然主義を進めた元勲・元老は現実の政治運営に中立性・神聖性の見地から関与しづらい天皇に代位して統合を創り出す立場にあったから党派性の排除に神経を研ぎ澄まさねばならぬのは宿命でもあった。超然主義は独裁のためのイデオロギーではなく、これを奉じた藩閥政権も「開発独裁」などとはほど遠い存在だったのである。

さらに詳しく知るための参考文献

坂野潤治『明治憲法体制の確立――富国強兵と民力休養』（東京大学出版会、一九七一）……民党の地租軽減・地価修正を軸とする政費節減・民力休養路線が藩閥政府の打ち出した積極主義の前に破綻してゆく様を活写し通説化した名著。経済決定論の匂いをまとい、超然主義の内実にはあまり踏み込んでいない。

伊藤隆・福地惇「藩閥政府と民党」(『岩波講座日本歴史15　近代2』岩波書店、一九七六)……標題内容の様々な側面に触れており示唆的な言及が多い。選挙干渉が超然主義に反することを初めて指摘した。

佐々木隆『藩閥政府と立憲政治』(吉川弘文館、一九九二)……超然主義の実態と様々な類型について初めて描写した。超然主義は一種の時限的な要素を持つ概念であることを述べている。

佐々木隆『日本の歴史21　明治人の力量』(講談社、二〇〇二/講談社学術文庫、二〇一〇)……不羈独立路線を支える超然主義の実相を新資料・新事実を駆使して説き明かす。前出『藩閥政府と立憲政治』とともに既刊書、既成論文に頼らず史実を一つ一つ解明しながら書き進めているのが特長である。

第4講

民力休養

飯塚一幸

†「民力休養」の淵源

「民力休養」は「政費節減」とともに、初期議会において藩閥政府と激しい攻防を繰り広げた民党のスローガンとして知られているが、その政治的言説としての生命力は極めて長い。

地租軽減、言論・集会・結社の自由、条約改正という初期議会の争点が、大同団結運動、三大事件建白運動のなかで形成されていったことは、すでに通説であろう。「政費節減・民力休養」という語も、三大事件建白運動の過程でその形を整えていった。

一八八七（明治二〇）年一〇月、高知県人民が元老院に「建言書」（栗原亮一起草）を提出し、租税徴収の軽減、言論集会の自由、外交失策の挽回を求めた。三大事件建白運動の始まりである。そこには、「今ニ及ンテ租税徴収ヲ軽減セサル乎、民力茲ニ疲レ国用茲ニ竭クルニ至ラン」との文言が見られる。一一月に入ると、愛媛県の有友正親ら九名が元老院に出した「建白書」

に、「大ニ地租ヲ減シ民人休養ノ道ヲ求メン」と記され、「民人休養」の語が現れた。愛媛県の浅井記博ら三八名による元老院への建白書には、「大ニ政費ヲ節減シ諸税ヲ軽減ス可シ」と述べられ、政費節減と租税軽減が組み合わされる。また、愛媛県の白石栄次郎ら一八四名が元老院議長大木喬任に宛てた「三大事件ニ付建白」になると、「官吏ノ数ヲ減シ俸給ノ額ヲ削」って「地租及ヒ商業税物品税ヲ減シ民人休養ノ道ヲ求」めると主張し、政費節減（行政整理）と民人休養（地租軽減）を結びつける論理が成立する。そして、一二月に片岡健吉らが「各地建白惣代」として元老院へ提出しようとした建白書の草案において、「租税ヲ軽減シテ民力ノ休養ヲ図ル」となり、「民力休養」の語が登場する。

注意すべきは、同時期に高知県の旧帝政党員池知春水らが県庁に提出した「条約改正ニ付建白」でも、「今日ニ在テ租税ヲ減シ民力ヲ休養シ以テ国本ヲ培養スルハ実ニ急中ノ急」と述べられていることである。この建白書では、「民力ヲ休養セント欲セハ無用ノ費ヲ節減セスンバ亦之ヲ行フコト得ヘカラサルナリ、蓋シ無用ノ費トハ何ソヤ、官吏ノ夥多ナル土木ノ頻繁ナルト驕奢ノ過度ナルト是ナリ」とも記されていた（色川大吉・我部政男監修『明治建白書集成第八巻』、筑摩書房、一九九九）。「政費節減・民力休養」という言説は、民権派のみでなく吏党系にも広がっていたのである。

†第一議会の攻防

一八八九年三月、大同団結運動の指導者であった後藤象二郎（しょうじろう）が黒田清隆内閣に逓信大臣として入閣した。これを機に大同団結運動は分裂し、五月になると後藤の行動を容認する河野広中（こうのひろなか）らは大同倶楽部を組織し、後藤を批判する大井憲太郎らは大同協和会を結成（後に再興自由党）した。さらに、翌年五月五日には板垣退助ら土佐派を中心に愛国公党が成立したが、これら三党派はいずれも「地租軽減」と「政費節減」を運動目標に掲げた。一八九〇年七月一日に第一回総選挙が行われ、その結果をうけて九月一五日に大同倶楽部・再興自由党・愛国公党に九州同志会などを加えて発足した立憲自由党も、「政費節減」と「地租軽減」を「党議」に入れた。立憲改進党も同様の方針を掲げたため、自由民権運動の流れをくむ民党は、第一議会を前に「政費節減・民力休養」で足並みを揃えることになった。

こうして民党は「政費節減・民力休養」を掲げて議会に臨んだが、だからといって藩閥政府が進める「富国強兵」政策に対抗して軍縮をめざしたわけではない。とはいえ、地租率〇・五%の引き下げと地価の不均衡を是正する地価修正を実施するには財源を確保しなければならなかった。そのためには、大日本帝国憲法第六七条で「憲法上ノ大権ニ基ツケル既定ノ歳出」（文武官の俸給や軍事費など）については、政府の同意なくして廃除や削減ができないと規定されていた費目に切り込まざるを得ず、陸海軍人の俸給の減額にまで踏み込んだ（坂野一九七一）。
衆議院予算委員会による削減額は約九二〇万円にまで膨らみ、官制改革を伴う内容が含まれていた。当初山県有朋内閣には、第一議会の成功のために、地方税であった営業税の国税移管を財源として地租軽減に応じる考えもあった（佐々木隆『藩閥政府と立憲政治』吉川弘文館、一九九二）。しかし、政府との妥協を拒む衆議院の強硬姿勢に業を煮やした山県内閣は妥協策を放棄し、閣内には衆議院解散論さえ浮上した。

事態打開のきっかけとなったのが、衆議院本会議に天野若円が提出した緊急動議である。六七条に規定する歳出について廃除削減する際は、衆議院で確定議となる前に政府の同意を求めるべしというものであったが、これに板垣退助に近い植木枝盛・片岡健吉ら自由党代議士の一部が賛成して可決された。いわゆる「土佐派の裏切り」である。板垣・植木らは、条約改正への悪影響を懸念し、立憲政治の運用能力を世界に示すねらいから第一議会の成功を優先したのである。動議可決後、政府と衆議院との交渉が行われたが、「政費節減・民力休養」は「吏党」も含む幅広い合意となっており、削減額は六三一万円になったとはいえ、なお巨額であった。こうして一八九一年度予算は三月二日の衆議院本会議で可決されたものの、地租軽減の法律案は貴族院で審議未了となり、削減分は歳入剰余金となった。

†「民力休養」から条約改正へ

一八九二年八月八日、第二次伊藤博文内閣が成立した。黒田清隆・山県有朋・井上馨（かおる）・大山巌（いわお）を閣内に取り込んで、「元勲内閣」と称された強力内閣であった。伊藤内閣は、「吏党」の国民協会も含めて、すべての政党政派から距離を置く超然主義の立場を鮮明にした。伊藤内閣が最初に臨んだ第四議会は、民党が海軍軍拡の必要性を認めつつも、海軍改革が行われていない現状では反対するとして、甲鉄艦などの軍艦製造費を全額削除したため、民党との全面対決となった。追い詰められた政府は、一八九三年二月一〇日、①軍艦建造のために内廷費から毎年三〇万円を六年間下付し、その間文武官の俸給を一割納付させて軍艦建造費に充てる、②内閣に行財政整理の実施を命じるとともに、衆議院には海軍拡張への協力を求める、という「和協の詔勅」により事態を乗り切った。これを転換点として、政界の争点は「政費節減・民力休養」から条約改正問題へと移る。

「和協の詔勅」は、藩閥政府と政党との関係が変化するきっかけともなった。自由党内に、立憲改進党との「民党連合」を脱し陸奥宗光（むつむねみつ）外務大臣が進める条約改正に協力することで政権参入を果たすとの思惑から、伊藤内閣に秋波を送る動きが露骨となり、伊藤内閣もそれを利用すべく反応したのである。自由党の「民党連合」離脱へ向けた動きの起点となるのが、一八九三年一月七日に行われた星亨の演説「吾人の意志」であった。

星はこの演説で、自由民権運動における自由党と立憲改進党の活動の違いを想起させつつ、自分は「改進党が嫌ひである」と繰り返した。また星は、「民党と謂ふ字は、如何にも訳の分らない字と思ふ。党と謂ふ字は、同じ意志を以て、同じことを行ふと云ふものでなければならん。然るに自由党と改進党とは、各々意思も違へば、運動も違う」と述べ、自由党と立憲改進党を「民党」と括ることにも異議を唱えた（自由党『党報』第二八号、一八九三年一月一〇日）。星の演説は「民党連合」に対する決別宣言であり、「民力休養」から条約改正への争点の移行は「民党連合」の解体へと帰結した。

†地租増徴継続問題

第一次大隈重信内閣の崩壊後、旧自由党系の憲政党幹部板垣・星・片岡らは、山県内閣との提携交渉において、緊迫する東アジア情勢を念頭に地租増徴を受け入れる意思を表明した。しかし憲政党の代議士たちは、衆議院で地租条例改正案が否決されて解散となった場合、増徴に賛成した議員は地主を中心とする有権者の批判を浴び落選するのではないかと怖れた。この様子を見てとった星は、山県内閣と交渉して、地租を地価の二・五％から四％に引き上げる政府原案を三・三％に抑え、増租期間を五年に限ると修正させた。自由党以来の懸案であった監獄費を地方税支弁から国庫支弁に移管させ、代議士の歳費を年八〇〇円から二〇〇〇円とする措置も認めさせた。さらに星は、地租増徴に賛成する憲政党と国民協会では過半数に足りないことから、旧進歩党系の憲政本党議員への利権の供与と買収に手をつけた。星の強引な政界工作は功を奏し、地租条例改正案は一八九八年一一月無事に両院を通過して、日清戦争後の最大の政治的争点であった軍拡財源をめぐる争いに決着がついた。

その五年の増租期限が近付いた一九〇二年一二月、桂太郎内閣は第一七議会に海軍第三期拡張計画を盛り込んだ一九〇三年度予算案を提出し、財源として地租増徴の継続をめざした。旧自由党系の憲政党を母体とする立憲政友会は、桂内閣による行政整理が不十分なので、地租増徴継続とそれを財源とした第三期海軍拡張計画に反対する方針で一致した。憲政本党も、対露強硬論者を多く抱えていたものの、海軍拡張は行政整理による財源で実施し地租増徴は継続しないとして政友会に足並みを揃えた。

さらに両党の連携は進み、一二月三日には伊藤博文と大隈重信の会談が実現した。結局、両党の連携の下に地租増徴継続案が衆議院委員会で否決されると、桂内閣は衆議院を解散した（伊藤之雄『立憲国家と日露戦争――外交と内政一八九八〜一九〇五』木鐸社、二〇〇〇）。その総選挙中の一九〇三年二月に、憲政本党の領袖犬養毅（つよし）が同郷の岡山県選出の多額納税者議員野﨑武吉郎に送った書簡には、「今日の時弊は行政其統一を失し、各省皆徒（いたずら）に其事務の膨張を競ふて相排して政費を貪り、冗員庁に満ちて政務却つて挙らざるにあり（中略）行政此の如く財政此の如く両政の整理乃ち成らば、豈に海軍拡張に財源なきを憂へざるのみならん、国民の負担之とともに軽減し、所謂民力の休養又庶幾すべき也」（野崎家塩業歴史館蔵『野崎家史料』）とある。行政整理（「政費節減」）による海軍拡張と「民力休養」の実現という、初期議会における「政費節減・民力休養」論の再現であった。

三月一日に行われた総選挙では議席に大きな変化がなかった。この結果、地租増徴継続案は撤回となり、第三期海軍拡張費は一割程を行政整理でまかなったほかは、電話・鉄道事業の繰延と外債で捻出することになった。このような第一七議会前後の政友会・憲政本党の動向は、①地租増徴を継続せず地租率を三・三％から二・五％に戻すという「民力休養」、②地租増徴継続ではなく行政整理などにより第三期海軍拡張費を捻出するという「富国強兵」の容認、③桂内閣に対抗する政友会・憲政本党の「民党連合」の形成と括ることができるだろう。

†地方政界での「民力休養」論

この時期の「民力休養」論は地方政界にも及んだ。大規模な軍拡による財政的制約のために、日清戦争後に進展した社会資本整備のうち、主に国家財政の負担で行われたのは、鉄道や電信・電話の整備、航路の拡張に限られた。河川、道路・橋梁、農業用水路、教育などの費用は主として地方財政が担った。府県歳出総額は一八九五年度から一九〇〇年度のわずか五年間で二・一倍に増加し、地方財政が停滞的であった日清戦前とはまったく異なる様相を呈する。様々な地方利益要求が噴出し、公共事業の実現を図る積極主義が地方政界にも広がった（有泉一九八〇）。

ところが、日清戦後恐慌が発生すると状況が変わった。たとえば京都府では、一八九五年度から一九〇一年度にかけて土木費と教育費を中心に歳出決算額が三・一倍にまで膨らんだが、恐慌が京都の経済界に及び甚大な打撃を与えると、府政界で多数を握る政友会京都支部は地方財政の抑制へと動いた。一九〇二年一一月二五日に行われた支部総会では、「吾京都府下に於ける地方費（府県税市町村税）は年々膨張の一方に傾けり、之れが為めに幾多の地方の事業進歩を促し得たりと雖も、更に民力の之れが負担に堪へ難き情状あるを洞見すれば、今に及んで切実に緩急を察し大に地方費緊粛の方針を取る」（『京都日出新聞』一九〇二年一一月二五日）と決議した。府財政の抑制を政友会批判の目玉に据えようとした憲政本党の思惑ははずれ、地方でも両党の政策的差異は急速に縮小していく（飯塚二〇一七）。

日清戦後における地方財政の膨張は、憲政本党が優勢であった岡山県でも見られた。岡山県の場合、一八九七年度から一九〇二年度にかけて、国税は一・五倍であるのに対し、県税は二・一倍、市町村税は一・九倍に増え、その主因は土木費と教育費の増加であった。この結果、

『山陽新報』主筆の有森新吉は、国民が「国費の負担よりも地方経費の負担に堪えずとの嘆声を発」するに至ったと述べるなど、「政費節減・民力休養」論を展開して岡山県政を掌握する憲政本党を批判した。こうした声は憲政本党員からもあがり、一九〇三年度の岡山県財政は事業縮小へと転じる。同年六月には「民費節約会」という団体が組織され、社会主義者も加わった。さらに、日露戦争後になると「民力休養」論に立つ地域政党鶴鳴(かくめい)会が結成され、県会の多数を掌握した(久野二〇二二)。

この時期、「民力休養」論は地方にも波及し、地方政界の再編をもたらすほどの影響力を持つまでになる。

†日露戦争後の「民力休養」論

本来であれば地租増徴は一九〇三年度で終わり、〇四年度から地租率は二・五%に復旧するはずであった。ところが、日露戦争の勃発により四月一日に非常特別税法が公布され、地租は地価の四・三%に増徴された。さらに一九〇五年一月一日に非常特別税法が改正され、平和克復の翌年までとの条件付きで五・五%へと引き上げられた。その期限を迎えた一九〇六年三月二日には再び同法が改正され、期限を区切った文言が削除されて、地租率五・五%がいったん恒久税化した。

北沢楽天画「増税にあえぐ庶民」(『東京パック』4巻15号、1908年5月20日、さいたま市立漫画会館蔵)

日露戦争に際しては、所得税・営業税・砂糖消費税も増徴され、織物消費税・通行税が新たに設けられるとともに塩専売制が実施された。これらは戦費として発行した内外債の償還と軍拡による深刻な財政難のために、地租と同じく非常特別税法の再改正により日露戦争後も継続された。さらに西園寺公望(きんもち)内閣は、一九〇七年末に召集された第二四議会に酒税・砂糖消費税の増徴と石油消費税の新設案を提出し、貴衆両院で可決された。ところが、各地で増税・新税反対、塩専売・通行税・織物消費税の三税廃止、営業税の軽減を求める運動が活発化し、憲政本党も同調した。地租軽減を内容とする「民力休養」論から都市商工業者などの利害に基づく「「民衆」の民力休養論への転換」（坂野一九七一）が始まったのである。運動の中心は商業会議所で、廃減税のために軍拡の抑制にまで踏み込んでいるところに特徴があった（松尾尊兊『大正デモクラシー』岩波書店、一九七四）。

その後一九〇八年七月に第二次桂太郎内閣が成立すると、憲政本党は、桂内閣に近い大同倶楽部なども含めた非政友諸派で新党組織を目論む「大合同論」を唱える改革派と、民党主義の色濃い又新会などとの統合を望む「小合同論」に立つ非改革派に分かれて対立した。ところが一九〇九年秋、米価が前年の八割ほどに下落すると地租軽減要求が高まり、地主層の期待に応え地租軽減を図ろうとする憲政本党と、桂内閣の意向を受けできるだけ軽減幅を抑えようとする大同倶楽部との間に亀裂が生じ、「大合同論」は行き詰まった（坂野潤治『大正政変――一九〇〇年体制の崩壊』ミネルヴァ書房、一九八二）。

一方、地租軽減の実現をめざす政友会内の「硬派」は、原敬と並ぶ最高幹部の松田正久を押し立てて運動を強めた。初期議会以来の「民力休養」論が改めて姿を現し、たとえば一九一〇年一月一八日に開かれた政友会全国院外者大会では、「吾人同志は我党が第廿六議会に於て国民負担の均衡を量らんが為に先づ地租一歩以上を軽減し、以て民力休養の実を挙げん事を期す」との決議を行っている（『東京朝日新聞』同年一月二〇日）。ただ、積極主義を標榜してきた政友会の幹部は慎重で、一月一九日の大会で採択した「宣言書」では地租軽減を「国力涵養」のためと位置づけた（『立憲政友会史』第三巻、立憲政友会史出版局、一九二五）。原敬は地租率〇・五％減を方針とし、一％減を求める「硬派」との間で紛糾した。結局政友会は桂内閣との妥協に動き、二月八日に桂首相、寺内正毅陸相、原、松田が会合して、地租率を〇・八％引き下げ地価の五・五％から四・七％とすることでまとまった。

†「民力休養」論の変容

政友会「硬派」の活動は、同時期に進んでいた憲政本党非改革派と又新会の「小合同」論とも連動していた。憲政本党非改革派からみると、政友会「硬派」を媒介とする政憲提携により、「小合同」の動きに政友会を組み込み、形を変えた「民党連合」の実現を狙ったと言ってよい。この中で、又新会は都市部を基盤としており、その中心的スローガンは三税廃止であった。ところが、憲政本党非改革派は二つの「民力休養」論の間で揺れ動きつつも、政友会「硬派」との連携を強めるために、減税財源で競合する三税廃止よりも地租軽減を優先した。そこで又新会は、地租軽減と三税廃止を同時に実行するという曖昧な立場を取らざるを得なくなる（伊藤二〇二一）。

地租軽減を掲げる「民力休養」論は、結局「小合同」論による立憲国民党の結成で落ち着いたものの、「民党連合」を想起させるだけの威力を発揮した。ただし、これが政界の焦点となった最後の機会となる。一方、商工業者の新たな「民力休養」論は、三税廃止の実現には至らず営業税減税に止まり、その影響力はまだ限られていた。ところが、それからわずか三年後の都市民衆に支えられた憲政擁護運動と桂新党＝立憲同志会の成立を経て状況は一変する。一九一四（大正三）年一月一〇日の『東京朝日新聞』において渋沢栄一は、「余は主義として一般国民の幸福と国富の発展に重大なる関係ある営業税、穀物税、消費税の如きを先づ大に軽減し若くは廃止せん事を主張す」と語った。その上で渋沢は、「涸渇せる民力の休養を後にして軍備の拡張を前に為すは本末を顛倒すること甚だし」と断じた。大正政変後に成立した山本権兵衛内閣が議会に提出したのも、所得税と営業税の減税案であった。三大事件建白運動以来の地租軽減を内容とし「民党連合」論と深く結びついた「民力休養」論は後景に退き、軍拡財源との競合をも厭わず、都市商工業者などの利害に基づく廃減税を求める「民力休養」論へと主役の座を譲ったのである。

さらに詳しく知るための参考文献

坂野潤治『明治憲法体制の確立――富国強兵と民力休養』（東京大学出版会、一九七一）……副題にあるように、本書の意図の一つは「富国強兵と民力休養という政策対立を軸として、藩閥政府と政党との、政権をめぐる対立と妥協の過程を説明しなお」す点にあった。本書の分析対象外ではあるが、立憲政友会成立以降の「民力休養」論についても示唆に富む指摘が多い。なお、前田亮介「「制度」と「友敵」――坂野潤治『明治憲法体制の確立』の歴史叙述」（『日本史研究』七〇八号、二〇二一年八月）を併読すると理解が深まるだろう。

有泉貞夫『明治政治史の基礎過程――地方政治状況史論』（吉川弘文館、一九八〇）……山梨県を事例に、地方利益の生成・膨張・多様化がいかに地方政治状況を形成し中央政治にも影響を及ぼしていくのか、克明に明らかにした労作。地方利益誘導＝積極主義と表裏の関係にある「民力休養」論を考察する際にも不可欠の一書である。

石井裕晶『制度変革の政治経済過程――戦前期日本における営業税廃税運動の研究』（早稲田大学出版部、二〇一四）……日清戦争後の営業税の国税化から大正期にかけての営業税廃減税や三税廃止を求める商工業者の運動について、予算をめぐる政治過程のなかに位置づけながら系統的に明らかにした。特に、日露戦争後を扱った第三章と第四章は本講との関係が深い。

飯塚一幸『明治期の地方制度と名望家』（吉川弘文館、二〇一七）……行政単位として創出された府県が、人々の共通利害を有する切実な公共空間へと変貌していく過程を、地方制度と地方政治の両面から描き出した。とりわけ、藩閥政府による地方名望家の取り込み策として始まった地方利益誘導が、日清戦後に政党による地方的基盤の育成手段へと帰結していく経緯と要因を検討した第二部第二章・第三章は、地方政界と「民力休養」論の関係を考える上で格好の素材である。

伊藤陽平『日清・日露戦後経営と議会政治――官民調和構想の相克』（吉川弘文館、二〇二一）……「官民調和体制」という枠組みに立脚しつつ、これまで等閑視されてきた吏党や政友会「非幹部派」に視点を据えて、日清・日露戦後の政界再編を描いた。なかでも、第二六議会での地租軽減問題と政界再編構想との関係を論じた第二部第三章が、「民力休養」論を考える上で参考になる。

久野洋『近代日本政治と犬養毅――一八九〇～一九一五』(吉川弘文館、二〇二二)……初期議会から第一次世界大戦にかけて、一時期を除き衆議院第二党の領袖であり続けた犬養毅を通して、複数政党制の形成を論じた。積極主義路線に対抗する「民力休養」路線を分析軸として、犬養が地盤とした岡山県政界の変遷と彼の政治思想の展開を追跡している。

コラム1　実業家

山口輝臣

　実業家と聞くと、渋沢栄一（一八四〇～一九三一）を思い出す人も多いだろう。生前から、実業家の伝記を集めた本の先頭を飾るなど（坪谷善四郎編『実業家百傑伝』第一巻、東京堂書房、一八九二）、実業界の第一人者と見做されていただけでなく、最晩年には自身の生涯を、「日本実業界の発展興隆、並に実業家の地位の向上」に努めてきたと振り返るなど（『渋沢栄一伝記資料』第一巻、岩波書店、一九四四。以下、渋沢の引用はデジタル版『渋沢栄一伝記資料』により、注記を略す）、自らそう任じてもいた。

　ところが渋沢が、「実業と云ふ文字は甚だ怪しからぬ文字である、是は二十三年頃から生れて来た文字で」と述べたことがある。一八九六（明治二九）年の発言だから、実業とは、その数年前に生れた文字だと言っていることになる。本当だろうか？

　実業という文字は、仏教の経典にある。「じつごう」と読み、確実に苦楽・善悪の果をもたらす（実）、身・口・意による行為（業）を意味する。ただこれに言及したものを除くと、一九世紀前半まで、日本のみならずほかの漢字圏でも、実業という言葉はほぼ見られない。ところが、明治日本において、それとは別の実業が登場する。

福沢諭吉は『学問のすゝめ』の一六編（一八七六）で、「実業とは心に思うところを外に顕わし、外物に接して処置を施すことなり」として、「議論」と対比する。いまなら実行といった言葉を使いそうなところだが、一方でどこか実業（じつごう）を引きずっているようでもある。この福沢のように、実を尊んだ人びとにより、議論や学問などと対比する形で、実業という熟語が、実務などと互換的なものとして、明治日本において自然と生まれたものと考えられる。実業はいわゆる和製漢語のひとつである。

明治政府が実業に関して、主としてそれと学問との接点である実業教育の場で政策を展開していったのは、こう見ると、当然の成り行きに思える。職業教育機関を文部省が統一的に法制化していくなか、それらを農業学校・工業学校・商業学校などにまとめて「実業学校」の名のもとに包摂し、国庫補助を行い（一八九四年）、実業学校令を発布していった（一八九九年）。農工商を軸とし、職業と言い換え可能な実業である。

実業を項目に取り上げた大槻文彦の『言海』（一八八九〜九一）が、「農、工、商など、実地に行ふ事業（なりわい）（学問理論の業などに対す）」としているのは、以上の軌跡を見事に凝縮したものと言えよう。そしてこうした実業を前提としての実業家であったため、農を含むどころか、就業人口などからして、むしろ農が中心だった。篠原信康『実業家必携』（五明堂、一八九〇）なる本には、ほぼ農林水産業用の情報しか載っていない。

ところが、帝国議会開設（一八九〇年）が近づくと、このようなものとは少し違った実業への見方が、提示されはじめる。政治家に対する実業家というものである。一八八八年に中江兆民は、実業家とはここ五、六年に生じた新語で、学者などに対し「農工商実際の事務を主とする」者だとした上で、あえて実業家に政治へ目を向けるよう求めた（「実業家と政治家」『中江兆民全集』第一一巻、岩波書店、一九八四）。

福沢諭吉立案の『実業論』（博文館、一八九三）も似た枠組で論じる。ただその際の実業が「商工」に限られている点は、兆民と異なる。これは、尚武に対して「尚商」に与し、国を富ますには「商工」によるほかはないとする福沢と『時事新報』の年来の主張であるとともに（「尚商立国論」一八九〇）、企業勃興を経て、農の上層というべき地主と「商工」との利害対立が明確になってきたこととも関係していよう。

この『実業論』について「老生の見解と少しも違はぬ」と渋沢栄一は言う（一八九三年）。冒頭で引いた渋沢の演説は、それを受けてなされたもので、そこには続けてこうある。「所謂実業の範囲・定義を……申せば、渋沢は斯う考へる、即ち正経なる殖産的の業」。立国を支える商工からなる実業を、さらに道徳的に――正経とは正しい道のこと――限定することで、あるべき実業を再定義する。こうした作業を経ることではじめて渋沢は、自らを、実業を任とする実業家であると主張できるようになっていく。ただ、まだ一八九八年には、「吾々は世に所謂実業家即ち商工業に従事する者でございますから」と、少し躊躇(ためら)いを残していた。しかしやがて雲行きが変わる。一八九七年に雑誌『実業之日本』が発刊され、その刊行元が、一九〇二年にアンドリュー・カーネギーの *The Empire of Business* を『実業の帝国』と訳して出版すると、これが一大ブームを巻き起こし、実業家は注目を浴び、憧れの存在になっていく。もはや躊躇う必要は消え、渋沢も胸を張って実業家として自己主張するようになる。

ただこうして実業家の存在感が高まると、かえってそれを嫌悪する人びとも現れる。夏目漱石は一九〇五年に連載をはじめた『吾輩は猫である』の苦沙弥先生に、「僕は実業家は学校時代から大嫌だ。金さえ取れれば何でもする、昔で云えば素町人(すちようにん)だからな」と言わせ、中学教師が実業家に抱く感情を巧みに表現している。

実業家という言葉の出現と、それによって実業家になっていった人びととそうでない人びとの態度のなかに、社会における実業家の位相の変化を読み取ることができる。

第5講
平民主義

梶田明宏

†徳富蘇峰が「唱道」した「平民主義」

明治二〇年代初頭は、日本の言論思想史上、画期となる時期であった。一八九〇（明治二三）年の国会開設が迫り、政論が活発になる中で、実際の政治運動とは一線を画し、雑誌・新聞を拠点とする、新しい言論思想活動の担い手たちが登場した。その先駆けとなったのが徳富蘇峰（本名猪一郎。一八六三～一九五七）である。

蘇峰は、明治一九年刊行の『将来之日本』、二〇年創刊の雑誌『国民之友』の成功で中央論壇の寵児となり、「平民主義」は蘇峰および蘇峰を取巻く民友社グループの思想の看板であった。蘇峰に遅れること約一年、志賀重昂・三宅雪嶺・杉浦重剛らは政教社を組織し、「国粋保存主義」を掲げる雑誌『日本人』を発行した。さらに二二年、新聞『日本』を創刊し、社長兼主筆として活動した陸羯南は「国民主義」を掲げた。「～主義」と看板を掲げて思想をアピールする時代が始まったといえよう。

「平民主義」という言葉は、必ずしも蘇峰が発明した言葉ではないが、当時の蘇峰が著作の中で連呼した言葉である。後に蘇峰の主要著作を収録した『蘇峰文選』(民友社、一九一五)に『将来之日本』が採録された際、蘇峰の側近である編者(草野茂松・並木仙太郎)は、蘇峰が「平民主義唱道の急先鋒」であったと解説に書いた。「蘇峰といえば平民主義」というイメージは当時から根強いものがあった。今日でも多くの研究書・概説書において、「蘇峰は、「平民主義」を唱道し、明治中期の社会において、輝かしい思想的指導者としての役割を担った」(坂本二〇〇七)というように書かれ、疑いなく受け入れられている。

そのことは間違いではない。しかし、「平民主義」とはどのような思想なのかを確認しようと、蘇峰の著作を手にする人は戸惑うであろう。なぜなら、「平民主義」という言葉は、蘇峰の著作の中では、その意味が自明であるかのように、説明もなく繰り返されるばかりで、「平民主義」とは何かという、明確な定義や説明が見当たらないからである。

たとえば、同時代の言論人で何かと蘇峰と比較される志賀重昂が、『日本人』第三号(一八八八年四月)で『『日本人』が懐抱する処の旨義(しぎ)を告白す」、第四号(同年五月)で「日本前途の国是は「国粋保存旨義」に撰定せざる可からず」との論説を掲載し、最初に、自身の「国粋保存主義」の意味するところを説明しようとしたのとは対照的である。

また、蘇峰は後に『蘇峰自伝』(中央公論社、一九三五)の中で、自身の言論思想活動の軌跡を叙述しているが、明治二〇年代初頭に「平民主義」を唱えたとは、はっきりと書いていない。唯一、『国民之友』創刊当時のこととして、「当時予の立場は平民的急進主義とでも云ふべきもの」という一節が見られる程度である。

たしかに当時の蘇峰の著作には「平民主義」という言葉が頻出し、「平民主義」をキーワードとする蘇峰の著作は、当時の日本社会に大きな思想的インパクトを与えた。けれども、このように見てくると、明治二〇年代の蘇峰の思想全体を安易に「平民主義」という言葉で括ってしまうことには、慎重であるべきかもしれない。だからであろう、最近の歴史教科書では、当時の蘇峰の思想を「平民的欧化主義」とするものが多い。

いずれにしても、当時においても、現代においても、徳富蘇峰といえば平民主義、平民主義といえば蘇峰という通念がある以上、その思想全体を〈平民主義〉という言葉で括っても差し支えないかもしれないが、あらためて、蘇峰が個々の文脈の中で、「平民主義」という言葉をどのような意味で用いているのか、確認する必要があろう。

†国家戦略としての「平民主義」――『将来之日本』

「平民主義」とともに蘇峰の名を全国に高めた最初の著作は、一八八六年に出版された『将来之日本』である。郷里熊本で民権私塾の大江義塾を経営しつつ、自らの勉学の研鑽を重ねていた蘇峰は、「当時有する総ての思想、一切の知識、凡有る学問を傾倒し尽さんと企て」、「予一個の見識」を打ち立てて執筆したという（前掲『蘇峰自伝』）。田口卯吉の経済雑誌社から出版され、たちまち版を重ねた。蘇峰はその成功を踏台に東京に進出して民友社を設立、翌年二月には総合雑誌『国民之友』を創刊し、これも大成功を収めた。さらに、議会開設の一八九〇年には『国民新聞』を創刊した。

『将来之日本』はタイトルの通り、日本の将来をいかにすべきかという、国家戦略を論じたものである。

蘇峰はまず、国家社会の基盤原理として「武備機関」と「生産機関」の二主義があるとする。「武備機関」すなわち軍事優先社会においては、政権は少数人が専有する貴族社会となり、社会の結合は強迫的であり、軍隊組織の精神によって社会が組織される。これに対し、「生産機関」すなわち生産型社会においては、政権は多数人民に分配され、社会の結合は自由で経済世界の法則による。両者は相容れない原理だが、その優劣は相対的なもので、その社会が置かれた境遇によって、どちらを採用すべきかが決まる。日本の将来を考えるには、世界の境遇、日本社会の大勢、日本の特別の境遇、日本の現今の形勢についてそれぞれどのような状況にあるかを検討しなければならないとする。

これらについて、蘇峰は詳細な考察を加え、「世界ノ境遇ハ実ニ生産的ノ境遇」であること、「天下ノ大勢ハ実ニ平民主義ノ大勢」であること、日本の情勢も同様で、維新の改革は、武備機関・貴族社会はもはや維持できないことを証明していることなどを論じる。そして、結論として、日本は生産国に進むはずであり、その必然により平民社会になるはずである、ならば、一歩進んで、積極的に生産的な社会、平民的な社会たらしめることが、日本将来の発展の道ではないか。「即ち我邦をして平和主義を採り以て商業国たらしめ平民国たらしむる」ことが、「国家将来の大経綸」であるとする。

「武備機関」と「生産機関」の区別は、「軍事型社会」から「産業型社会」の進化を説いたハーバート・スペンサーの社会進化論に依拠したものであるが、前者から後者への移行を「大勢」とするのは、頼山陽の影響もあろう。平和主義を採用し商業国たらしめよとするのは、リチャード・コブデン、ジョン・ブライトらのマンチェスター学派の理論に拠ったものである。このほか、依拠した思想として、蘇峰はミルの功利説、横井

『将来之日本』初版表紙（国立国会図書館蔵）

小楠の世界平和思想なども挙げている。

当時の日本の最大課題はいうまでもなく、西洋列強の圧倒的なパワーに対し、いかに独立を保ち対峙していくか。それは政府当局者にとっても在野の論者にとっても同じあった。西洋列強の圧倒的な軍事力は、武備機関の発達を示すものではないか、という問いに対して蘇峰は、「第十九世紀の世界は富能く兵を支配する世界」である、なぜなら産業革命以後の世界は、「兵ハ富ニ依テ維持スル事ヲ得ルモ富ハ兵ニ依テ維持スルコトヲ得サレハナリ」という。強大な兵備を維持するには生産力の裏付けが必要であり、その意味で生産主義が勝利しつつあると考えた。

当時の日本は生産力も軍事力も貧弱だ。その中で軍事増強を優先すれば、生産力の発展は阻害される。軍事力を増強するにしても、まずは平和主義を採用して、生産力の発展を優先すべきだ。そして、生産力を高めるためには、社会を生産機関に適した平民社会に進めていかなければならない、というのが『将来之日本』のなかでの「平民主義」の意味するところであった。「平民主義」はデモクラシーの訳語であったが、蘇峰は以上のように、さまざま政治学説を根拠に精緻に議論を組み立て、斬新な思想として築き上げた。ただし、「生産機関」と「武備機関」、「平民社会」と「貴族社会」という二律背反的分類、生産社会・平民社会への移行を必然とする楽観的な進歩史観は、単純すぎるのではないか、当時の国際情勢における平和主義の採用は、果して現実に当てはまるのかなど、その構造的問題を指摘されることが多い。おそらく、その問題にいち早く気付いた一人は、『将来之日本』の再版に序文を寄せた中江兆民で、その著『三酔人経綸問答』（一八八七）は『将来之日本』のパロディといわれる。すなわち、登場する洋学紳士は生産主義を、東洋豪傑は武備主義を象徴し、兆民と思われる南海先生の発言は、蘇峰の考えに対する兆民の感想を要約したものとされる（米原二〇〇三）。

†「平民社会」をいかに実現するか

徳富蘇峰（1887年頃）

蘇峰は、雑誌『国民之友』の創刊に続いて、『新日本之青年』（一八八七）を集成社より刊行した。一八八五年に自費出版していた『第十九世紀日本ノ青年及其教育』の冒頭に「新日本之青年」と題する論説を加えたものである。明治維新前後に生まれ、西洋の思想・学問に触れた当時の青年（蘇峰も当時二〇代半ばであった）にこそ、平民社会を担う資格と責任があると訴えたことから、蘇峰の言論は、青年層を中心に大きな影響を与えた。地方では、『常総之青年』『上毛之青年』など、『国民之友』の表紙や構成などの影響を受けた雑誌も登場した（木村直恵『〈青年〉の誕生』新曜社、一九九八）。

『将来之日本』では、「英国ホド其秩序善ク平民主義ノ進歩シタルモノハアラズ」と述べられることから、平民的社会として、英国流の社会や政治体制を一つの理想モデルとしていたであろうことは推測できる。英国の強大な軍事力はその生産型社会によって支えられ、その生産型社会を支えるものは、英国流の「平民社会」であると考えた。英国社会は蘇峰にとって、平民主義の実物教育であった。けれども、注意すべきは、平民主義によって実現されるべき日本の平民社会について、必ずしも目に見える具体像を提示していないことである。たとえば「新日本之青年」では、「平民社会ハ自営自活ノ社会」であり、「平民社会ノ人間ハ皆ナ責任的ノ動物ナルコトヲ自覚スルモノ」であるという。また、「平民社会ニハ平民社会ノ道徳」があり、平民社会に入るには平民道徳を取り入れることが必要であるとする。さらに「泰西ノ文明ヲ我邦ニ扶植セント欲スル」ならば必ずその「真面目ヲ看破」しなければならないとして、「若シ卿ノ一歩ヲ転シテ泰西ノ自活社会ニ入ラハ、願クハ卿ノ二歩ヲ転シテ泰西ノ道徳社会ニ入レ。若シ物質的ノ文明ヲ望マハ、更ニ眼ヲ挙テ精神的ノ文明ヲ望メ」と青年に呼びかける。

このように、蘇峰のめざす「平民社会」はあくまでも西欧で実現されている社会であるが、「平民主義」は西欧的平民社会の具体的な姿を提示して、それを目標として進む運動というより、西欧的平民社会の背景にある精神文明をも身につけることによって実現するという、道徳運動としての側面を強く持っていた。維新以後、日本は西洋文明を積極的に取り入れてきたが、それは物質文明の皮相に留まっており、教育も西洋の学問は偏知主義、功利主義の傾向が強く、またその反動としての復古主義、儒教主義も根強いものがあった。蘇峰はそうした傾向に強い危機感を持ち、精神文明も含めた全面的な欧化を主張したのであった。

一方で『将来之日本』の中では、日本における平民主義の大勢が維新の原動力の一つであったことが説かれた。ならば、日本的な平民主義の流れを善導すべきではないか、という考えもあろう。しかし、蘇峰はそのような立場はとらなかった。それは、蘇峰の西欧文明への傾倒も理由であろうが、それ以上に、日本を西欧列強と対峙可能な生産型国家にするには、精神面においても西欧的な平民社会にするしかないという信念でもあったろう。

また蘇峰は、平民社会の担い手は「自営自活」の活動を営み「責任的ノ動物ナルコトヲ自覚スルモノ」であるとして、英国の country gentleman に相当する「田舎紳士」、すなわち当時の日本における豪農層を挙げ、これに加え農工商民が近い将来中等階級に進化することを期待した（「隠密なる政治上の変遷」一八八八）。

†「平民主義」の政治的展開と挫折

「予は本来政治が好きであり、政治が予の生命であつた」という蘇峰は、大臣や議員になるつもりもなく、名誉心・功名心もなかったが、「世の中を予の是なりと思ふ方に導かんとする志は、若しこれを野心と云ふならば、その野心は燃ゆるが如くあつた」という（前掲『蘇峰自伝』）。上京して『国民之友』を創刊した頃より、蘇峰は自身が所有する言論を武器に、在朝・在野の政治家と積極的な交流を持ち、実際の政治的活動にも深く関わるようになった。

蘇峰はまず、鹿鳴館に象徴される政府の欧化政策を、皮相的・貴族的であるとして批判した。ついで、政府の欧化政策に対する在野の批判が高まると（いわゆる「三大事件建白運動」）、その中に、欧化そのものに否定的な勢力があるとして、これを「保守的反動」として攻撃した。議会開設を前にして、さまざまな政治勢力の活動が活発になり、大同団結運動など政治勢力結集の動きも顕著となるなか、蘇峰は、「進歩・欧化」対「保守・復古」という対立軸での政治勢力の離合を試み、一八九〇年の第一回衆議院総選挙の直後、旧自由党系諸派、立憲改進党などを「進歩党」として大合同させる試みを提唱し、自らも裏面で深く関わった。

この試みは失敗したが、初期議会では、自由党・立憲改進党が「民党連合」として超然主義を標榜する政府と対峙した。生産主義の優位を唱え、平和主義をとるべしとする平民主義は、民党の掲げる「民力休養・政費節減」のスローガンを理論的に支えるものであったし、蘇峰もまた、『将来之日本』で展開した「富」が「武」に勝利しつつあるという論理をもって民党連合を支持し、藩閥政府を攻撃した。

また蘇峰は、政府にも伊藤博文や陸奥宗光など欧化主義者で政党との連携に理解ある進歩勢力と、これに反対する山県有朋・品川弥二郎など保守武断の勢力があると考えていた。そして、民党連合が政府を徹底的に追い詰めることにより、政府部内を進歩と保守に分裂させ、その結果として、政府の進歩派と在野の進歩派である民党連合とが提携することが可能になり、議会に基礎を置く英国流の責任内閣を実現させるという構想を持っていた。この構想は、民党連合が分裂し、蘇峰自身は自由党と敵対関係となり、伊藤内閣と自由党とが提携することで挫折した。

このように蘇峰自身が現実の政治に関わり、また社会情勢が変化する中で、蘇峰が主張する「平民主義」からは、西欧精神文明を全面的に受容すべしという主張は次第に後退していった。期待した青年層は保守化、俗物化し、中等階級として平民社会を担うべき豪農層も堕落し、もはや平民主義の担い手とは期待できないように蘇峰には思えた（米原二〇〇三）。

また、蘇峰の平和主義は、必ずしも目的ではなく、国家富強のための手段であったため、日清戦争では真っ先に主戦論に転じた。また武備機関に対する生産機関優位の考えも、日清戦争の前後より、軍備と経済の併行推進が国家発展につながると考えるようになった。

そうした思想の変化は、日本の社会全体の思潮が変化する中で、何も問題にされなかった。しかし日清戦争後、蘇峰は、第二次松方内閣の内務省勅任参事官に就任したことにより、世間の囂々(ごうごう)たる非難をあびることとなった。松方内閣は進歩党との連立内閣で、進歩党の首領、大隈重信は外相に就任した。蘇峰はその実現に進歩党の同志とともに深く関わった。ところが、成立後一年をまたず、地租増徴をめぐって閣内対立を生じ、進歩党は内閣と絶縁し、大隈ら進歩党関係者は閣外に去った。しかし、蘇峰はあくまでも内閣に留まったことから、藩閥の軍門に降った変節漢として批判を受けたのである。蘇峰自身、節を曲げたつもりはなかったが、政治対立構造が、初期議会当時に近い形に戻ったとき、多くの人には、かつては平民主義を唱え藩閥打破を叫んだ蘇峰の姿が想起され、藩閥政治家に寄り添い御用新聞記者となった今の姿と、鮮やかに対比されたのであろう。

†「平民主義」へのこだわり

その後も、蘇峰は「平民主義」という言葉には、強いこだわりを持っていた。蘇峰は、社会の民衆化、大衆化、あるいは平等化という意味でのデモクラシーの潮流が、自分の好む方向かどうかは別として、無視できない強い潮流として一貫して存在することを注意深く見守り、それを「平民主義」として訴え続けた。

すでに明治二〇年代には、英国の罷工同盟の運動に着目し、弱者の結合が力を発揮する時代になってきており、労働者階級が平民主義の担い手になりつつあることを指摘していた（「平民的運動の新現象」一八九〇／「平民主義第二着の勝利」一八九一）。

日露戦争前後より、蘇峰は「帝国主義」「皇室中心主義」を標榜し始めるが、それに劣らず「平民主義」も強く唱えていた。「我帝国に於ては平民主義は日一日より其勢力を伸長しつゝある。されば今後の政界に於て其経綸を行はんと欲するものは……自ら平民主義の代表者となり、統率者となり、平民社会の心と彼等の活力とを提げて以て国運の発達を計るべきより外に道はない」（「平民主義と今後の政治」一九〇八）とし、これらのスローガンをまとめて「内に平民主義を行ひ、外に帝国主義を行ひ、而して皇室中心主義を以て、両者を一貫、統制する也」（『大正の青年と帝国の前途』民友社、一九一六）と訴えた。

一九一三（大正二）年の大正政変では、桂内閣を支持した蘇峰の国民新聞社が民衆の焼き討ちにあった。いわば、自身の唱える「平民主義」によって苦境に立たされた形となった。それでも、その直後に出版した『時務一家言』（民友社、一九一三）の中では、「平民主義の旺盛」と題し、「看過す可らさるは、日一日と平民主義の旺盛に赴きつゝある事是れ也。此の趨勢を好むにせよ、好まさるにせよ、事実は事実として、之れを当面に看取せさるを得す」と述べた。

いかなる為政者も平民主義の流れに逆らうことができず、これを善導するしかない、大正政変は「此平民主義の社会の中心に鬱勃たるに際し、佗の野心家か巧に之を濫用したるのみ」と主張するのである。

また、このような「平民主義」の主張から、普通選挙が必至であると見抜き、早くからその実現を熱心に主張したのが、蘇峰であった（有山輝雄『徳富蘇峰と国民新聞』吉川弘文館、一九九二）。普選運動が最高潮に達した一九二四年、自ら草した「国民新聞綱領」には、第一項の皇室中心主義の捧持に続き、第二項に「万世一系の皇室を翼戴して、国民相互の間に平民主義の徹底を期する事」、第四項に「普通選挙即行の事」と記された（徳富蘇峰記念塩崎財団所蔵）。

このように、蘇峰は生涯を通じて「平民主義」という言葉を著作の中で使い続けた。そこには初期の頃のような思想としての深みや体系性は見られないが、自身のアイデンティティに関わるこだわりと愛着があったことは認めてよいであろう。

さらに詳しく知るための参考文献

徳富猪一郎『蘇峰自伝』（中央公論社、一九三五）……徳富蘇峰の思想と活動を知るための必読書。自伝文学の名著でもある。国立国会図書館のホームページにてインターネット閲覧ができる。

米原謙『徳富蘇峰――日本ナショナリズムの軌跡』（中公新書、二〇〇三）……徳富蘇峰に関する評伝、研究書は数多くあるが、本書は蘇峰の思想と行動がもっとも的確にバランスよくまとめられている。

ケネス・B・パイル／松本三之介監訳・五十嵐暁郎訳『欧化と国粋――明治新世代と日本のかたち』（みすず書房、二〇一三／講談社学術文庫、二〇一三）……『新世代の国家像』（社会思想社、一九八六）の改題復刊。明治中期の思想史研究の名著で、徳富蘇峰の平民主義についても、興味深い指摘が多い。

坂本多加雄『市場・道徳・秩序』（創文社、一九九一。ちくま学芸文庫、二〇〇七）……第二章「青年期徳富蘇峰における道徳と経済」に本稿で述べた平民主義の道徳的側面について詳しく論じられている。

徳富蘇峰『将来之日本』『新日本之青年』……徳富蘇峰の思想に関する研究は数多くあるが、「平民主義」とは何かを知るには、やはり原書に触れることがのぞましい。この両書は、国立国会図書館のホームページで閲覧が可能であり、復刻版もオンデマンド版で入手することができる（平凡社リプリント日本近代文学、二〇一七）。原本に忠実な翻刻版としては、植手通有編『徳富蘇峰集』（明治文学全集34。筑摩書房、一九七四）に『将来之日本』『新日本之青年』が、神島二郎編集・解説『徳富蘇峰集』（近代日本思想大系8。筑摩書房、一九七八）に『新日本之青年』が収録されている。このほか『将来之日本』の最近の翻刻として、『徳富蘇峰　将来の日本　吉田松陰』（中央公論新社〔中公クラシックス〕、二〇一五）や、Kindle版『将来の日本』（中央公論社『日本の名著40徳富蘇峰・山路愛山』を底本とした青空文庫版。二〇一五）があり、現代人に読みやすいよう、漢字、仮名遣いなどが現代風に改められている。

第6講　国民主義

小林和幸

†国民主義の政論グループ「国民論派」

陸羯南（くがかつなん）（名は実（みのる）、羯南は号）は論説で、「国民主義（国民旨義（しぎ））」を標榜する政論グループを「国民論派」と称している。陸は、明治の立憲政治開始をひかえ、それまでの自由論派（自由党）、改進論派（改進党）、帝政論派（帝政党）などの並列時代から、新たな政論として国民的政治を実現するため「国民主義」の国民論派が生じたとする（陸羯南『近時政論考』、西田長寿（たけとし）・植手通有編『陸羯南全集』全一〇巻、みすず書房、一九六八〜八五）。

国民主義は、陸羯南が一八八八（明治二一）年六月九日に発表した『東京電報』社説での言及が最初と思われる。そこでは、「「国民主義」とは英語の所謂（いわゆる）「ナショナリチー」を主張する思想を指す。……原来「ナショナリチー」とは国民（ネーション）なるものを基として他国民に対する独立特殊の性格を包括（ほうかつ）したるものなれば、暫（しばら）く之（これ）を国民主義と訳せり」（『陸羯南全集』第一巻）と説明する通り、ナショナリティーの訳語として用いられた。

ナショナリティー、ナショナリズムは、今日では、民族主義や国家主義とも訳される。民族主義との言葉は、他民族に対する自民族といった対比で語られる場合が多く対外関係を主とする印象を与え、国家主義は「個人主義」と対立する観念として語られることが多い。一方、国民主義との訳語は、対外関係のみならず国内的諸問題を含んだ思想であることを表すことも、また国家のみならず個人を尊重しようとする場合にも適した訳語であり、陸の使う「国民主義」もそうした意味合いが強い。

陸の国民主義については、かつて丸山真男が「無邪気で健康な」あるいは「進歩性と健康性」を持った思想と運動であったと述べた（丸山一九四七）。丸山は、羯南の思想を「後進民族の近代化運動が外国勢力に対する国民的独立と内における国民的自由の確立という二重の課題を負うことによつて、デモクラシーとナショナリズムの結合を必然ならしめる歴史的論理を正確に把握していた」（同）との評価を与えている。丸山の理解は、松尾尊兊（たかよし）に受け継がれ、陸の思想を大正デモクラシー思想の源流と位置づけたこと（福家崇洋「松尾尊兊と大正デモクラシー研究」『人文学報』一一七号、二〇二一）などに見られるように、戦後の民主主義への期待と相まって、明治期の思想状況に関する魅力的な理解となり、そうした文脈での研究が多くなる。

近年には、有山輝雄や松田宏一郎らによって、陸の新聞記者・政論記者としての側面からの研究が深化し、再検討が進んでいる。特に松田は、陸の論説の背景にあったブルンチュリらの西洋思想家の影響を丹念に跡づけ、丸山の言う「進歩性や健康性」といった表現の実証性を厳しく問う研究を提示した。

†国民主義の前提

さて、「国民論派」は新しい政論として、政治グループの結成を意図するものであった。本講では、そうした政治勢力としての思想傾向と政治活動の実際を確認していきたい。

前述したとおり、「国民主義」は一八八八年六月に最初に言及されたが、それより二カ月ほど前の『東京電報』創刊は、政治勢力結集の最初の動きであったと言える。この『東京電報』は、陸軍中将の谷干城（たにかんじょう）（たてき）らが出資して発刊したものである。共同出資者は、三浦梧楼、浅野長勲（あさのながこと）らで、さらに乾坤社（けんこんしゃ）の杉浦重剛（すぎうらじゅうごう）、高橋健三（たかはしけんぞう）、宮崎道正（みちまさ）らの協力を得た。『東京電報』創刊は、出資者の谷の政治活動が、反映された。まずは、ここに至る谷の主張を見ておきたい。

陸羯南

谷は、第一次伊藤博文内閣の農商務大臣であったが、欧米巡遊後、伊藤内閣の井上馨（かおる）外相が進めていた条約改正交渉に反対して、一八八七年七月、農商務相を辞任した。

谷が、条約改正反対に際して提出した意見書には、多岐にわたる政府批判が記されていた。そこでは、情実の政治を改革することを主張し、天皇は政府の独占物とすべきでなく、天皇と政論とはまったく異なるものとすべきであること、内閣は天皇と「立法官」に責任を負い連帯責任とすべきこと、朝令暮改を改め主義を一定し、ドイツ一辺倒の欧化政策による軽佻を戒め国家独立を維持すること、外交は依頼主義を改め内政を改革し外国には信義を表し威厳を正しくすること、官吏に責任観念を持たせ冗員（無駄な人員）を淘汰し官吏試験法を実施して情実の弊を避けること、郡長を民選として責任と権限を与え地方自治を奨励すること、警察を改革して秘密探偵などは廃すること、政費を省き勤倹につとめ民力を休養すること、立憲政体を準備するにあたり新聞、集会等の規則を緩和して自由を与えることなどの主張があった。

こうした主張は、儒教的教養を背景に欧米巡遊による西洋文明の現状認識を経て形成されたものであった。なお、この条約改正への反対運動は、しばしば反「欧化主義」の運動と目されるが、谷の主張の場合は、「欧化主義」が官庁などの洋風建物や「鹿鳴館（ろくめいかん）」外交に象徴される「皮相」な西洋化のみで、西洋社会発展の源となっている「真正の立憲政体」とは遠いことを問題視するものであり、「真正の開化」（建築や服装などといった表面的な西洋化ではない政治面などを含む本質的な西洋化）を求めるものであったことは、留意する必要がある（小林二〇一二）。

一方、谷のこうした主張に触発された自由民権運動家たちは、谷との連携を求め、自由党系の民権家を中心に、各地で外交刷新・地租軽減・言論集会の自由をもとめる三大事件建白書の提出が行われた。それ以後、民権家のみならず守旧的な勢力もそれに加わり、後藤象二郎(しょうじろう)を中心に大同団結運動が展開された。

谷は、この時は現役の軍人であったことから政治活動の中心となることを避けていたが、自らの言論機関を求めており、陸の『東京電報』に、条約改正反対運動を展開した同志とともに出資したのであった。一八八八年四月九日創刊号の社説の主張は、保守、改進、自由から一定の距離を置いて国民の福利と国家の生存を考えるというものであった。

†『日本』の発刊

『東京電報』は、部数が伸びず、再編する必要が生じた。一八八八年末、谷や浅野が出資者となり、福富孝季(ふくとみたかすえ)、杉浦重剛、高橋健三、古荘嘉門(ふるしょうかもん)、陸らが協議し、『日本(にほん)』新聞発刊が決まった。広告文は、谷や浅野も協議して作成している。そこでは、国民の「自立」をうたい、欧化主義により失われた「国民精神」を回復、発揚するとしている。一方で、西洋文明の「善美」も認め、その「権利自由及平等の説」や「哲学道義の理」を重視すると述べ、「狭隘(きょうあい)なる攘夷論」ではなく「博愛」の「国民精神」を回復するとする。また、『日本』は「外部に向て国民精神を発揚すると同時に内部に向ては『国民団結』の鞏固を勉む」と述べ、「皇室と社会利益の基礎たる平民」との緊密をはかり、貴賤貧富や都鄙の間の隔絶や国民内の権利及幸福の偏りを無くすことを望むとした（「日本」広告、『東京日日新聞』一八八九年一月三〇日）。一八八九年二月一一日に創刊号が発刊された。

同じ頃、陸は、「国民旨義及び東北人士」（『時論』一八八八年一二月一〇日号）という記事を書いているが、そこで「国民旨義」は、「外に対しては国民精神、内に対しては国民一致」を求めるとする。その趣旨は、『日本』の広告文と同一で、対外政策として国権維持を主張し、国内政治では国民の権利擁護を主張するものであった。この記事でも「人情博愛義侠の心」を重視しており、この公共政策として公平の追及や弱者救済を求める志向は、「国民主義」の政治実践において特徴的なものであった。

†大隈重信外相による条約改正反対運動

さて、「国民主義」が標榜されて以後、大きな政治運動となったのが、黒田清隆内閣の大隈重信外相による条約改正交渉への反対であった。この問題に、「国民主義」のグループは国権維持のための国民運動を起こそうとした。

谷干城の日記（島内登志衛編『谷干城遺稿』靖献社、一九一二所収）によると大隈の条約改正交渉の内容が明らかになった後、一八八九年六月二一日、谷干城は、杉浦重剛から条約改正が問題であり、外務省の小村寿太郎が心配している旨を聞いている。七月に入ると、谷を中心に杉浦、高橋、福富、陸らが新条約に対する意見を断固反対と定めた。谷は、井上毅や寺島宗則、福沢諭吉に改正反対への同意を求めるなど、政治活動を開始する。また、陸は『日本』新聞の社説で賛成派の『報知新聞』との論争を展開し、反対派の各団体は連合を結成して、演説会などで輿論の喚起をおこなった。

†政治結社結成の試み

八月二二日、谷は、浅野長勲や三浦梧楼、前述した日本新聞社・乾坤社関係者らを併せて、日本倶楽部の結成を決める。同日谷は陸軍現役将官の辞表を提出し、八月二六日に予備役となった。政治活動の自由を得ての結成であった。日本倶楽部設立は当面、非政社団体として改正反対運動の拠点とし、その後は国民主義の「政党」とする含みが谷にはあった。

この後、大隈条約改正への反対運動が高揚するなか、条約改正を論議した一〇月一八日の御前会議の帰途、大隈は玄洋社員に襲われる。条約改正は中止となった。

目標は達成されたが、一致する目的を失った条約改正反対派の連合には路線の違いが際立つ。条約改正反対派の連合は解消し、また日本倶楽部も解散の方向となった。解散後、運動の中心であった谷と三浦、浅野の間で「政治上の倶楽部設立のこと」（谷干城日記、一一月二八日条）が話し合われ、国民主義の政治組織化も試みられた。谷は、三浦梧楼や浅野長勲、杉浦、陸羯南や高橋健三、中村弥六、柴四朗らとともに「各地の国民主義者」（谷干城日記、一二月二五日条）を糾合しようとした。しかし、政党化は、柴四朗や安部井磐根らの東北派が反対であり、まとまらなかった（三浦梧楼『観樹将軍回顧録』政教社、一九二五／『古島一雄清談』毎日新聞社、一九五一）。また、一八九〇年三月頃、『日本』から杉浦重剛ら乾坤社関係者が退社した。一方で、陸は、旧知の品川弥二郎からの支援を受け経営の安定をはかっている。

それでも陸は、政治勢力の結集を考えていた。第一回総選挙後に陸が品川弥二郎に送った書翰には、衆議院議員当選者の「交信会」二五名位と杉浦ら中立議員六・七名を中心とする連合結成の計画を語っている（『品川弥二郎関係文書』一八九〇年七月九日付、同月一三日付）。交信会は、谷、三浦、浅野を中心に熊本紫溟会、福岡玄洋社、佐賀同成会、長崎鶴鳴会、広島政友会、土佐高陽会などが、陸らの日本新聞社に会合して結成したもので、既存の政党の腐敗を排斥し、地方同主義者と在京本部との通信を図る倶楽部として設立されたものである（『読売新聞』一八九〇年六月一三日）。

政治結社としては、議会開設直前にも後藤象二郎系であった旧大同倶楽部派や九州の国権派、自由党の一部をゆるやかに糾合しようという「国民自由党」結成の企てもあったが、やはり連合がうまくいかず、小会派ができたのみで大勢とならなかった。

一方、陸が前年に『日本』に連載し、一八九一年六月に刊行した『近時政論考』は、帝国議会開設にあわせて「国民主義」の政治理念を広めようとするものであった。ここで、新しい政論として、立憲政治下の「国民論派（国民主義）」について説明している（『陸羯南全集』第一巻）。

その説明では、「自由主義は個人の賦能を発達して国民実力の進歩を図るに必要なり。平等主義は国家の安寧を保持して国民多数の志望を充すに必要なり。故に国民論派は此の二原則を政事上の重要なる条件と見做す」として、自由主義と平等主義を重視しながら、「専制の要素は国家の綜収及び活動に必要なり。故に国民論派は天皇の大権を固くせんことを期す」と、国家の統合のための天皇大権を認め、「共和の要素は権力の濫用を防ぐに必要なり。故に国民論派は内閣の責任を明にせんことを期す」として、権力の濫用を防ぐために共和の要素（国民の政治参加）と内閣の責任を明らかにすることを重視し、「貴族主義は国家の秩序を保つに必要なり。故に国民論派は華族及貴族院の存立に異議を抱かず」として、華族および貴族院の存在を認め、「平民主義は権利の享有を遍くするに必要なり。故に国民論派は衆議院の完全なる機制及選挙権の拡張を期す」として、平民主義をとって衆議院の権威確立や選挙権の拡張を主張すると述べている。

国民的政治を実現するため、相矛盾する傾向の政治思想の好ましい部分を取り入れ、均衡のとれた政治運営を目指したものと思われる。あわせて、藩閥政府や既存の政党と一線を画し、そうした勢力から独立した立場であることも含意する。また、包括的な政治志向を表明し、幅広い政治勢力の結集を意図する面もあろう。

なお、こうした包括的な政治志向は、研究対象として取り扱う際に、研究者が注目する観点により肯定的にも否定的にも評価されることになる要因であったと思われる。

†国民論派の政治連携と議会開幕

以下、このような多様な主張を包含する国民論派が、議会開設後、連携して行った政治活動を概観しておく。その連携には、陸が「国民主義」の代表とする（『近時政論考』）谷干城を中心に貴族院では曾我祐準（そがすけのり）や近衛篤麿（このえあつまろ）らが中核を担った。衆議院では、時に応じて連携はさまざまであるが、『日本』を支援した品川弥二郎による国民協会結成後はそこに期待している。また、陸と同郷の探検家笹森儀助（ささもりぎすけ）の調査報告なども重視するものであった。

第一回帝国議会では、民党（自由党や改進党）と一定の距離を取っている。衆議院の民党は、「民力休養」を主張し、地租を二分五厘から二分に削減するための財源を得ようとして、次年度予算から一割以上の巨額を削減しようとする。これは山県有朋内閣との厳しい対立となったが、予算から強引に地租の削減額を確保しようとするものであり、そもそも無理な部分もあった。この点を、貴族院で谷干城が指摘している。谷は、政費節減は賛成であるが、「其手段方法を講ぜずしてから直ちに政費を節減すると云ふはなし得られぬ」(『第一回帝国議会貴族院議事速記録』一八九一年三月五日)と述べている。官制の改革は第二議会を期して充分調査を行った上でなすべきとの考えであった。陸羯南も『日本』の社説で、「予算減削論」(一八九一年一月一三日)と題して議会が予算減額で官制改革に立ち入ることの不可を述べている。

また、条約改正問題にも一貫して関与する姿勢を見せている。第一議会で、谷は、「海関税に関し政府に建議案」を、日本銀行総裁などを務めた富田鉄之助とともに提出して、海関税(輸入税)を増やすことが国内産業を育成する上で「最大必要の事件」と述べた(『第一回帝国議会貴族院議事速記録』一八九〇年一二月一九日)。谷は、かねてから条約改正問題について、議会開設後に輿論をもって交渉を行うべきであると述べていた。議会での議決によって明示される国民輿論の支持という後ろ盾を得れば、外国に依頼的でない強硬な態度で、条約改正に臨めるというものである。建議案は多数をもって可決された。この建議提出の二日後、陸羯南も、『日本』新聞で、谷の建議案を擁護する論陣を張っている。税権回復の建議を歓迎しつつ、それが外交問題よりも経済問題であって、国家経済上の必要から発したものである以上国家経済の現況についてさらに議会で討議すべしと主張した(『日本』一八九〇年一二月二一日)。

†政治的自由の実現

谷の貴族院での主張は、陸の『日本』で輿論喚起の報道によって支持されるが、それは、議会開設前からの主張であった政治的自由の確保などでも見られる。「保安条例」の廃止や「新聞紙条例」の新聞発行禁停止条項の撤廃に関する政治運動である。これらは、衆議院で可決しても貴族院において審議未了などで握りつぶされてきたが、第四議会に至り貴族院での審議にかけられた。谷は、保安条例は、国民の裁判を受ける権利を保障した憲法二四条や、法律に依らずして逮捕監禁審問処罰を受けないとした憲法二三条に違反しており、無効、消滅すべき法令であり、衆議院の主張は至当であると主張した（『第四回帝国議会貴族院議事速記録』一八九二年一二月二一日）。同様に新聞紙条例についても、谷は、「憲法の精神」に背き「憲法に対する徳義上の責任」から発行禁停止条項の廃止は当然であると論じている（同、一八九三年一月九日）。

陸は、貴族院の挙動が新聞紙条例の改正に応じない形勢にあることを見て、「貴族院独不思君国歟（ひとりくんこくをおもわざるか）」との社説で、「現行新聞紙条例の憲法の精神と相容（あいい）れざるは公論之（これ）を認む」として、貴族院のそうした形勢を批判して、谷の主張を支援している（『日本』一八九三年一月九日）。しかし、この時は、保安条例廃止も新聞紙条例の改正も貴族院で否決されている。

その後も、谷は、貴族院での同志である曾我祐準や近衛篤麿とはかり、こうした政治的自由の主張をつづけ、たびたび発行禁停止処分を受けた陸の『日本』でもその主張を支援した。そうした運動を経て、日清戦後、新聞紙条例改正（行政権による禁停止を廃止）が第二次松方正義内閣（松隈内閣）の第一〇議会で両院を通過可決した（一八九七年三月公布）。この松方内閣は、大隈重信が外相として入閣し、陸の盟友高橋健三が内閣書記官長に就任して、言論自由の達成をはかったのである。貴衆両院は、政府案をさらに進める修正を行った上で可決した。また、保安条例廃止が第三次伊藤内閣の第一二議会でようやく実現した（一八九八年六月公布）。

†条約励行・責任内閣

第五・六議会で、第二次伊藤博文内閣との対立となった条約励行問題も国権維持の政治課題であった。第五議会を前に、陸は『日本』で条約問題での政府追及を開始している（「対外問題の実相」一八九三年九月二九日・三〇日）。その主張は、現行条約を厳正に施行（条約励行）して我国の主権を守り、国権の回復をはかれとするものであった。陸の回想では、大阪朝日新聞の主筆であった高橋健三と、鎌倉において外国人が条約文を無視して内地に雑居する様子を見て、条約改正の手段は条約励行あるのみとして、ともに条約励行を鼓吹することを語り合ったとしている（川那辺貞太郎編『自恃言行録　高橋健三君伝』川那辺貞太郎、一八九九）。

衆議院では、伊藤内閣と対立した勢力が条約励行建議案を提出した。吏党の系譜を引く国民協会は、この建議案提出の原動力となった。一八九三年一二月一九日、政府は衆議院に対し一〇日間の停会を命じた。停会中、政府批判で同調した衆議院の「硬六派」(国民協会、改進党、同盟倶楽部、政務調査会、同志倶楽部、東洋自由党)が結成されて、伊藤内閣とそれを支持する自由党との対立となった。一二月二九日、議会再開後に、条約励行建議案が議事日程に登ると、陸奥宗光外相は、建議案は「開国主義」の国是に反すると述べ、演説が終わるや一四日間の停会が告げられ、翌日衆議院は解散された。

翌年三月一日の総選挙後には、新聞雑誌記者の連合も生まれた。『日本』『二六新報』『報知新聞』『中央新聞』『読売新聞』『毎日新聞』『国民之友』などの諸新聞は、前議会の解散の非をあげ、条約励行、自主的外交、責任内閣を求める運動を開始し、それが全国規模に膨らんでいった。この運動には、貴族院では谷干城や曾我祐準の懇話会や近衛篤麿の三曜会も参加し、次の第六議会でも、伊藤内閣と鋭く対峙している。第六議会も解散されると、谷らは従来の主張の延長上に「自主的外交」「責任内閣」があるとして、政治勢力の結集の実現を期待して支援した。しかし、日英通商航海条約の締結により条約改正の一部が達成され、日清戦争の勃発による挙国一致もあって、伊藤内閣との対抗は一旦終息する。

†日清戦後経営批判と増税・軍備拡張への反対

日清戦争で日本は勝利するが、その後の三国干渉により遼東半島の返還を受け入れた。伊藤内閣は、国民のロシアに対する敵意の増大を背景に戦後経営として、軍備増強やそのための増税を課題とした。これに対して、谷らは、国際間の軋轢を生む領土取得よりも経済的海外進出を重視して国際協調を主張していた。貴族院では、谷や曾我の懇話会、近衛篤麿の三曜会所属議員は、軍備拡張が過剰であるとの反対論を展開して、戦後経営を掲げる伊藤博文内閣を圧迫した。谷は、第九議会予算委員会において、衆議院を通過した予算案について国力を度外視した軍備拡張であると反対して、政府予算案の撤回、再提案を求めた。

陸も谷らと同じ立場であった。伊藤内閣の後継となった松隈内閣の成立後、前伊藤内閣の戦後経営が軍備拡張に偏ったことや、諸政党も賛同する現状を批判し、外交、内政を整理、振作することの重要性を主張している（『日本』一八九六年一〇月七〜一〇日）。

谷や曾我、陸は、以後も一貫して地租増徴などの増税案に反対を続けたが、第二次山県有朋内閣は、憲政党と提携して増税をはかった。『日本』は、この山県内閣による増税にも反対のキャンペーンを展開した。谷も『日本』に「財政難」と題する論説を掲載した。戦後経営の名の下に、商工業者や政党の一部が「国家、国家」と叫んで農民に負担を押しつけようとすることを批判して、「夫れ国家は万民の集合体なり、万民を涸渇せしめて国家独り、安寧なるの理あらんや」と述べている（『日本』一八九八年一二月五日）。

†沖縄県民の救済・足尾鉱毒事件

また、「国民主義」は、陸が博愛主義と述べるように、公平の追及や弱者救済の主張を持つものであった。そうした活動の例として、沖縄県の人頭税廃止や足尾鉱毒被害民救済の運動をあげておきたい。前者は、陸と懇意の探検家笹森儀助の実地調査に基づく報告がもとになり、貴族院で曾我祐準や谷干城が政府を追及して、沖縄県民の救済を政府に求め、『日本』は、一八九三年一一月二四日に沖縄県宮古島からの救済の投書を掲載するなど運動を支援している（山下重一『琉球・沖縄史研究序説』御茶の水書房、一九九九／小林二〇一七）。

後者では田中正造（しょうぞう）の運動を支援して、谷干城が貴族院で被害民救済のため複数回の演説を行っている。これらの政治活動を、言論面で「日本」が支援し、輿論喚起を行っている。これは、衆議院の同調者や宗教家、国民各層とも連携する運動でもあった。

救済を早くから主張したのは、陸の『日本』であり、ついで島田三郎の『毎日』などが加わる。『日本』では、陸が「国家的社会主義」と題する一連の論説を発表し（一八九七年三月二三〜二九日）、「国家的社会主義は弱者貧民寡婦（かふ）孤児の類を保護して他の富強者と並存（へいぞん）せしむるを旨とす」と述べ、鉱毒事件の救済を主張している（二九日）。また福本日南（ふくもとにちなん）が「足尾銅山鉱毒事件」と題して、前政府（伊藤内閣）の冷淡を改め、現政府（松方内閣）の善処を求めている（『日本』三月五日）。
　鉱毒救済のため、谷はみずから、第二次松方正義内閣の榎本武揚農商務相、続いて樺山資紀内相の被害地訪問を要請する。榎本農商務相は、谷らに被害地救済を約束し、法制局長官神鞭知常を委員長とする足尾銅山鉱毒調査会（第一次）を設置した。しかし、榎本はまもなく辞任する。被害地視察によって深くその責を感じてのことだという（『明治天皇紀』第九）。後任は大隈重信外相の兼任となった。谷は早速、新任の大隈農商務相に対し被害地の救済を訴えた。大隈は、救済に積極的であった。谷は、松方首相にも、鉱毒の被害状況を踏まえ、貧者を救済して公平の処置を下すのが、国家の仕事であるとして、救済の大英断を求めた。それ以後も、谷は、被災民に対する国家の救済について関与しつづけた。

　以上のように、「国民主義」のもとに、国民精神の発揚、国民一致のため国民の権利擁護さらに博愛主義的な政治活動が展開された（小林二〇一一）。

　しかし、日露戦争に向かうなかで、戦争を回避しようとする谷干城と、開戦論を説く近衛篤麿の間で、陸は政治路線の選択を迫られる。陸は「支那保全」を主張する近衛に近づいていくが、政論としての「国民主義」は、この時期に大きな転機を迎えたと言えるであろう。

さらに詳しく知るための参考文献

丸山眞男「陸羯南──人と思想」(初出『中央公論』一九四七年二月号／『丸山眞男集』第三巻、岩波書店、一九九五所収)……陸の「国民主義」を積極的に評価して注目された。丸山の研究以降、陸に関する多数の論文が発表されているが、以下、近年の代表的な成果をあげておく。

本田逸夫『国民・自由・憲政──陸羯南の政治思想』(木鐸社、一九九四)……陸の自由主義的な側面に注目する陸思想の総合的研究。

朴羊信『陸羯南──政治認識と対外論』(岩波書店、二〇〇八)……公益を追及するナショナリズムと対外論などを論じている。

有山輝雄『陸羯南』(吉川弘文館、人物叢書、二〇〇七)……「独立新聞」の記者としての陸を明治日本の政治状況と合わせて、過不足なく描きだしている。

松田宏一郎『陸羯南』(ミネルヴァ書房、ミネルヴァ日本評伝選、二〇〇八)……「政論」記者としての陸が、新聞経営を担いつつ、社説の執筆ではフランス語能力を活かして外国文献を駆使して政治状況を評論するなど、政論を主導しようとする新しい陸の実像を示した。

中野目徹『三宅雪嶺』(吉川弘文館、人物叢書、二〇一九)……陸と言論活動の多くをともにし、政教社を設立して雑誌『日本人』などを舞台に政治批判を展開した生涯を、新出史料を駆使して論ずる。

小林和幸『「国民主義」の時代──明治日本を支えた人々』(角川選書、二〇一七)……陸や谷干城、曾我祐準ら、藩閥政府に対峙するとともに、政党の利己的な行動を匡正しようとする政治勢力として「国民主義」が担ってきた役割を検証している。同『谷干城──憂国の明治人』(中公新書、二〇一一)は、谷の陸軍軍人としての側面のみならず、貴族院議員としての国民重視の政治活動を解き明かした。

コラム2 新聞と雑誌

中野目 徹

江戸時代後期に見られた瓦版や雑書（ざっしょ）、幕府開成所や外国方で回覧されていたという翻訳新聞などの例はあるものの、欧米の newspaper と magazine を意識した新聞と雑誌は、明治維新期に開成所頭取を務めた柳河春三（しゅんさん）（一八三二〜七〇）の周辺で誕生したといえよう。日刊新聞の嚆矢は一八七一年一月二八日（旧暦明治三年一二月八日）に第一号を発刊した『横浜毎日新聞』とされ、一方、ある程度継続して刊行された雑誌となると、『明六雑誌』ということになろう（一八七四年三月から一年半以上、四三号まで続いた。山室信一・中野目徹校注『明六雑誌』全三巻、岩波文庫、一九九九〜二〇〇九）。もっとも、一八七二年に創刊された『新聞雑誌』というのは、『東京曙新聞』に継受されるため新聞に分類されているが、当初の判型や内容を見るとむしろ雑誌にちかい。これには長州藩出身の木戸孝允も参画したが、明治初年代の新聞や雑誌の創立者や記者には幕臣や佐幕藩出身者が多いとされる（西田長寿（たけとし）『明治時代の新聞と雑誌』至文堂、一九六六）。

その後、明治一〇年代にかけて新聞は社説がある大新聞（おおしんぶん）と、それがない小新聞（こしんぶん）の二系統、雑誌も政論を掲載するもの（新聞紙条例の規制を受けた）と学会誌や業界誌のようなものの二系統に分かれて、それぞれ発達した。そうした動向は、一八八七年ころを境界として最初の構造変化を起こしたように思われる。

新聞では福沢諭吉の『時事新報』（一八八二）を先駆として、陸羯南の『日本』（八九）、徳富蘇峰の『国民新聞』（九〇）などは、特定の政党の機関紙からは脱却した独立新聞と呼ばれ、黒岩涙香の『万朝報』（九二）や秋山定輔の『二六新報』（九三）など、商業新聞としての性格を重視するものも現れた。大阪で発行されていた『朝日新聞』が、八八年東京に進出し『東京朝日新聞』となった。しかし、当時の新聞は毎日の発行部数が一万部内外であり、その後日清戦争と日露戦争で部数を伸ばすとはいえ、明治の末年まで一〇万部を大きく超えることはなかった点には注意を要するところである（山本武利『近代日本の新聞読者層』法政大学出版局、一九八一）。

雑誌も、『明六雑誌』のような粗末な装丁（小判の和紙数枚をこよりで仮綴じ）のものから、蘇峰創刊の『国民之友』（八七）や翌年志賀重昂・三宅雪嶺ほか創刊の『日本人』となると、政治・経済から文学・宗教まで、のちの総合雑誌のような体裁で刊行されるものも現れ、前者は一万部を超える発行部数を誇った（中野目『政教社の研究』思文閣出版、一九九三／同『徳富蘇峰』山川出版社、二〇二三）。とりわけ一八九五年の日清戦争中に博文館から創刊された『太陽』は、多彩な執筆陣による豊富な内容に加え、充実したグラビアページなど、それまでの雑誌のイメージを一新するもので、発行部数は間もなく一〇万部に達して、明治・大正期を代表する雑誌となった（鈴木貞美編『雑誌『太陽』と国民文化の形成』思文閣出版、二〇〇一）。

この時期の新聞と雑誌を考えるうえで注目せざるをえない人物が、そのいずれでも大きな足跡を残した徳富蘇峰（一八六三〜一九五七）であろう。彼は、郷里熊本から上京したのが一八八六年一二月、二カ月後には雑誌『国民之友』を創刊してたちまち大成功を収めた。雑誌は比較的小さな資本で創刊できたのである。彼の主唱した「平民主義」は当時の青年たちから熱狂的な支持を集め、その状況は後に永井柳太郎によって「放火犯人の中最も危険なる人」と言わしめるものであった。じっさい、蘇峰によって心に「改革」の火を点じられて「奮励」し、やがて「新しい社会」の担い手として成功を手に入れた青年は全国で枚挙にいとまない（前掲中野目『徳富蘇峰』）。

そのような蘇峰が「宿志」としていたのが、新聞の創刊であった。『国民之友』で大きな利益を上げた蘇峰は、一八九〇年二月一日をもって『国民新聞』を創刊した。三宅雪嶺（一八六〇〜一九四五）を主筆とし同じ日に初号を出した『江湖新聞』が半年ともたずに廃刊されたのと比較して、蘇峰の新聞記者としての才覚は尋常ならざるものがあったといえよう（以後の雪嶺は雑誌記者として生きる道を選ぶ。中野目『三宅雪嶺』吉川弘文館、二〇一九）。蘇峰は、第二次松方内閣に対する態度で「変節」を非難され、『国民之友』を廃刊した九八年までの八年間、日本を代表する新聞と雑誌の代表と主筆記者を務めたのであった。さらに、明治・大正期をとおして、国民新聞社を株式会社組織とせずに維持したことは、この時代の独立新聞の性格を如実に示すものといえよう（有山輝雄『徳富蘇峰と国民新聞』吉川弘文館、一九九二）。

明治中後期を通して、新聞も雑誌もそれぞれ独自の発展を遂げたが、いずれも一〇万部には達しないメディアとして存在したのであり（今日いうマスコミとは異質なものと意識した方がよい）、徳富蘇峰と三宅雪嶺に代表されるように、それぞれを得意とする記者が登場し、そうした傾向は続く大正期以降にも持続して、新聞は一日一〇〇万部を超えるマス・メディアに成長し、雑誌は『中央公論』や『改造』にみるようなオピニオン・リーダーとして存在感を高めていく一方で、週刊誌（『サンデー毎日』『週刊朝日』等）や大衆向け雑誌（『キング』等）も創刊され多様化が進んだ。

第7講 国粋主義

中川未来

†グローバル化とナショナリズム

ヒトやモノ、資本、情報の地球規模での移動・流通は、二〇世紀末から飛躍的に発達した情報・通信技術によって加速し、政治や経済、文化が国家領域を越えてこれまで以上に緊密に結びつき、影響し合うようになった。他方で、国境を越えた分業の進展によっても（かつて期待されたように）国民国家の枠組みは弱まることはなく、集合的アイデンティティとしてのナショナリズムはむしろ強まる傾向にさえある。

「国粋主義」という言葉が生まれた一九世紀末は、このようなグローバル化状況の出発点にあたる。その原動力はヴィクトリアン・インターネットとも評される電信網であり（トム・スタンデージ『ヴィクトリア朝時代のインターネット』NTT出版、二〇一一）、加えて蒸気船による大洋間定期航路、大陸間横断鉄道、国際運河といったインフラの整備によりヒトやモノ、資本、情報の移動・流通が進むことで、人びとは有史以来初めて「丸くて小さな地球」を実感するようになった（園田英弘『世界一周の誕生』文春新書、二〇〇三）。

産業革命に起因する情報・通信技術の発達を「耳目の区域を広くするの方便」（「士人処世論」『時事新報』一八八五年一〇月二九日）と捉えた福沢諭吉が、いち早くnationalityに着目し「国体」の語を当てた（『文明論之概略』一八七五）ことは決して偶然ではない。急速に一体化が進む世界にあって「私たち」の固有性はどこにあり、それはいかなる価値を有するのか。一八八八（明治二一）年に結成された思想集団・政教社の志賀重昂（一八六三～一九二七）が、nationalityの訳語として造り出した言語象徴である「国粋」は、『日本人』という機関誌（同年創刊）の名付けとともに、彼らにとって核心となる問いの在処を指し示している。

ただし、志賀や三宅雪嶺（一八六〇～一九四五）ら政教社同人が、「国粋」について共通の定義を持っていたわけではない。国粋主義は精緻な理論体系ではなく、大学教育を通じ西洋近代の学知を受容した「学士」の集団たる政教社のメンバーが、地理学や哲学といった各々の専門を武器に、グローバル化の進展と国民国家形成という列島社会内外の時代状況と切り結ぶなかで鍛えていった行動指針という意味合いが強い。

とはいえ、論を進めるにあたり最大公約数となる定義は必要だろう。志賀によれば、「国粋」とは「西洋の開化を日本に輸入」する際にフィルターとなる価値基準である（「日本前途の国是は

「国粋保存旨義」に撰定せざるべからず」『日本人』一八八八年五月三日)。ならば、どこにいかなる価値を見出していくのか。その方向性をめぐっては美術的の観念(志賀)や帝室(菊池熊太郎)、仏教(辰巳小次郎)など同人間で多様な見解が示された。

本講では、星雲状の思想集団・政教社が旗幟に掲げた国粋主義をグローバル化とナショナリズムという視点から検討すべく二つの軸を設定する。一つは対外認識である。ナショナリズムの基礎は自他の差別にあり、自己像の構築は他者像を造型する営みと表裏の関係にあるからである。いま一つは地域社会である。思想の着地点から運動の社会的影響を見定め、そこで捉え返されていく思想の姿を捉えたいからである。

†対外認識と実業構想

国粋主義の主張を対外認識の面で代表するのは、三宅雪嶺が『真善美日本人』(一八九一)巻頭に掲げた「自国のために力を尽くすは世界のために力を尽くすなり。民種の特色を発揚するは人類の化育を裨補するなり。護国と博愛となんぞ撞着することあらん」というマニフェストである。「国民主義」を掲げ新聞『日本』を主宰した陸羯南(一八五七~一九〇七)も、各国民がそれぞれ「特性」を「保持発揚」するならば「即ち世界の文明進歩に向ひて其の天賦の任務を尽す」ことになると説く(「国政の要義(二)」『日本』一八八九年一二月一日)。「国粋」の維持発達が

「人類」文明を導くとの発想は、国家を世界的有機体の一機関とするオーガニックな世界観とともに、国粋主義の対外認識の基軸をなしていた。

国粋主義の対外認識には、西欧を中心とする単系的文明発展論に対する多系的なそれへの萌芽が含まれると指摘される（松沢弘陽『近代日本の形成と西洋経験』岩波書店、一九九三）。確かにそこからは、「我々亜細亜人と雖、世界の歴史に関係の無いことはない」（那珂通世「東洋地理歴史講義」『大日本教育会雑誌』一八九五年二月一日）と「東洋史」構築の動きが芽生え、オセアニアやアジアといった地域を「生民団体の区画」「国家より大なる一種の大団体」として捉え、汎ナショナリズム――たとえば「亜細亜旨義」――の存在を想定する志賀重昂らの議論も生まれた（「亜細亜旨義とは何んぞ」『亜細亜』一八九二年二月一日）。

このような視点はどのように形成されたのか。志賀に即せば、一八八七年に丸善商社書店より出版され彼の出世作となった『南洋時事』誕生の契機をなした南洋巡航という経験が重要となる。前年に海軍の遠洋練習航海に便乗しオセアニアを歴訪した志賀の目的は、殖産興業の可能性を探るための市場調査にあり、同書の主題は「国旗の性命を永遠に保維する」ことを物質的に担保すべく、殖産興業をいかに実現するかという点にあった。

帰国後の志賀は、「日本の生産力を増加し、国民個々の財本を添殖せんとする」こと＝殖産興業を、「日本国民の思想をして独立せしむること」＝「国粋保存旨義」と一体不可分のものとして構想することになる(「日本製産略(緒論)」『日本人』一八八八年七月一八日)。志賀の南洋経験は、国粋主義という思想課題を醸成する培地となったのである。

†環太平洋地域のナショナリズム

さらにオーストラリアで志賀重昂は、汎ナショナリズムを構想する際の参照枠として豪州連邦運動を見出した。彼は一八八六年四月五日にシドニーで政治家ヘンリー・パークスの演説を傍聴している。そもそも蒸気船が太平洋に進出する際、決定的に重要なのは給炭・給水港の確保であった。そのため一八八〇年代以降、列強の南太平洋進出と勢力範囲の分割が加速する。そのなかでオーストラリアでは、フランスによるニューヘブリディーズ諸島併合の動きを域内諸植民地共通の危機として認識し、連邦結成を目指す運動が生まれた。「一つの国民、一つの運命」を唱えたパークスはその代表的なリーダーであった。

志賀は豪州連邦運動の背後に、殖産興業で蓄積された富力という「有形上の実力」と、独特の「山水」「風土」が醸し出す「無形上一種特種なる国粋」の存在を認めている(「濠洲列国の合従独立せんとする一大傾向」『日本人』一八八九年二月三日)。彼は「特種なる国粋」が形成されつつある(と観察された)オセアニアの現状に「日本の独立」という思想課題を重ね合わせ、ヨーロッパやアメリカとは異なる新たな文明発展の可能性を展望したのである。このように国粋主義の形成と汎ナショナリズムへの展開は、列強の太平洋進出に刺激された豪州連邦運動への注目からも導出されたのであり、政教社の思想運動は一九世紀末の環太平洋地域で発現したナショナリズム運動の一環としても位置づけられる。

†グローバル化と地域振興

「国粋」維持が、国民各個の経済力向上に支えられた国力の拡充を与件とするならば、その達成方策が問題となる。一八八〇年代末から九〇年代の日本社会では、鉄道や船舶、道路、郵便、電信といったインフラの整備が進展し、日本列島全体を包み込み、世界の交通網と接続するコミュニケーション市場が成立した（石井寛治『情報・通信の社会史』有斐閣、一九九四）。このような環境下で国民統一と通商立国を説き一世を風靡（ふうび）した論客が稲垣満次郎（いながきまんじろう）（一八六一～一九〇八）であった。

稲垣は、スエズ運河（一八六九年完成）や当時計画中であったニカラグア運河といった国際運河、またアメリカ横断鉄道（一八六九年完成）、カナダ太平洋鉄道（一八八七年完成）、シベリア鉄道（一八九一年着工）などの大陸横断鉄道により、太平洋を舞台とする世界大のコミュニケーション市場が成立しつつあると捉えた。彼はグローバル化の動向――「鉄道大洋提携の時期（レールウエー・オーシアニック・エイジ）」――を的確に理解していたのであり、ゆえに太平洋を中心とする世界交通網の「括り目」に位

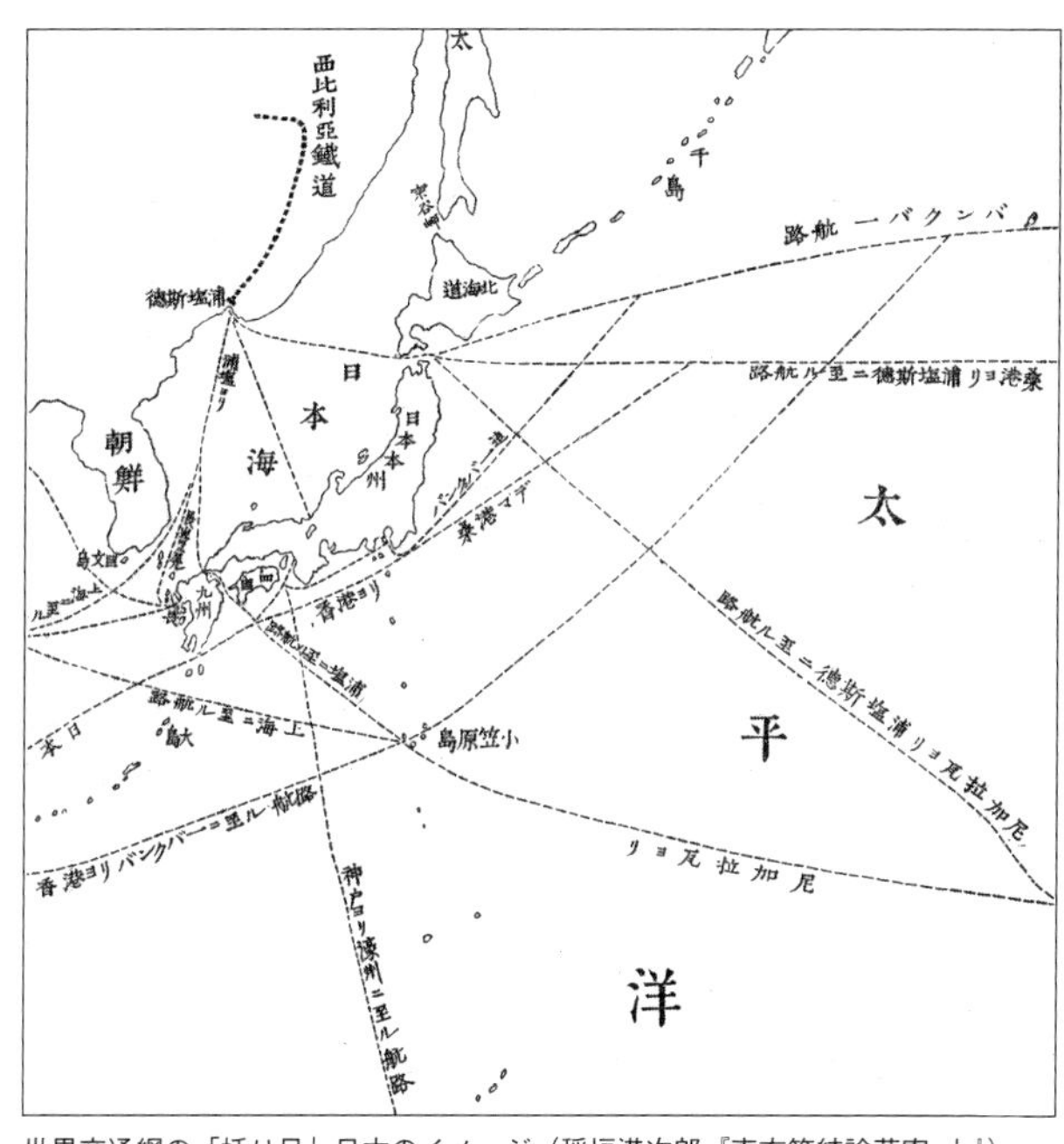

世界交通網の「括り目」日本のイメージ（稲垣満次郎『東方策結論草案 上』）

置する日本こそが、その地理的特性により世界市場を掌握すべき資格と可能性を有すると目された（『東方策結論草案上』哲学書院、一八九二）。

さらに、「エコノミカル、ユニチー」economical unityとともに「ナショナルフイリング」national feelingの形成に果たす文化の役割に着目した稲垣は、国際競争力を高めるためにも日本固有の文化を保全する必要があると考えた（「東西貴族の比較及ひ其教育論」『華族同方会報告』一八九一年八月六日）。彼の問題意識は、

「国粋保存」のため殖産興業による国民各個の経済力向上を重視した政教社のそれと重なる。実際に稲垣は、志賀重昂や三宅雪嶺、陸羯南ら政教社・日本新聞社の人脈を基礎として一八九一年に結成された対外問題研究団体・東邦協会の幹部となり、彼らと活動を共にした。

地域社会の経済力向上を国民統一と富国達成の捷径と捉え、地域と国家、世界を結びつけるために必要な港湾や鉄道、道路といったインフラの整備を求めた稲垣の主張は、実業家・生産者層に受容された。とりわけ近代化に伴い顕著となりつつあった地域格差＝「裏日本」化（阿部恒久『「裏日本」はいかにつくられたか』日本経済評論社、一九九七）への対応を模索していた日本海沿岸地域にあって、シベリア鉄道を軍事的脅威ではなく商機――ヨーロッパ市場への窓口として捉えた彼の議論は、各地で叢生しつつあった特産品輸出や港湾整備による地域振興の動きを後押しする格好の論理となった。

†対外硬という表象

しかし、稲垣満次郎に触発されグローバル化への対応を目指した各地の試みは、彼の想定を越えていた。京都織物会社（京都市）では動力織機による絹織物の大量生産が開始されたが、「我が固有の製法即ち特色の芸術」ゆえに欧米市場での競争力を有すると考える稲垣はこれに反対し、「器械的ならずして手指の運用」を提案している（『東方策結論草案 上』）。

また京都府宮津町（現宮津市）をはじめとする日本海沿岸の港湾所在地では、稲垣のシベリア鉄道利用論を契機として、ロシア沿海州や朝鮮への貿易港として政府の認定を受けるべく、地域間で「港場開放の競争」（成田鉄四郎「湖海浪游記（一）」『東奥日報』一八九四年六月二三日）が惹起された。稲垣は、私利に基づく国民間・地域間の対立は国家の体力を奪い国民統一を阻害すると考えていたが、皮肉なことに彼の議論が普及することで、地域経済と地域振興をめぐる競合が現出し、加速されたのである。

さらに、稲垣の影響を受けロシア沿海州や朝鮮との交易を試みた宮津の実業家・生産者層は、中国商との競争を経験することで、「軟弱主義は我政府の対外政策なるか、余輩は自家の利益を減縮して迄自家の平和を希望せざるなり」（「朝鮮の防穀令」『宮津之新潮』一八九三年一二月二五日）と、政府の対外政策・態度を批判するようになった。稲垣は「将来支那を取ることも出来ざるべく又南洋を取ることも出来ざるべし」（「豪州連邦之起源歴史及将来」『国家学会雑誌』一八九三年四月一五日）と見ていた。だからこそ通商立国を説いたはずの彼の議論は、地域社会で日清開戦を志向する心性を育くむという結果も生んだ。

一八九三年から翌年にかけて条約改正が政治問題化する。第二次伊藤博文内閣や自由党の対外政策・態度に対する批判意識は、「対外硬」というナショナルな表象を軸に立憲改進党、国民協会をはじめとする諸勢力の横断的結集を図る運動――対外硬運動を下支えした。政教社でも志賀重昂は、運動の主要アクターとして活発な動きを見せた全国雑誌記者同盟の代表として活動し、また陸羯南は現行条約を厳格に運用することで外国人に不利益を自覚させ、対等条約を実現するという現行条約励行論を提唱し、運動の結集軸を提供した。その過程で千島艦事件(一八九二年)が政治争点化する経緯は、対外硬運動が列島社会各地で共振しつつ進展したことを示している。

†対外硬運動の裾野

フランスで建造された軍艦千島は、回航中の一八九二年一一月三〇日に愛媛県松山市堀江沖で横浜・香港航路のイギリス船ラベンナ(P&O社)と衝突、沈没し乗員七四人が死亡した。事故責任をめぐる論点の一つは瀬戸内海の法的帰属であった。事故海域を領海として裁判の管轄権を主張した日本政府と、そこを公海として当時のグローバル・スタンダードたる英国海上法の適用を求めたP&O社の主張が衝突し、上海の英国裁判所は後者を認めた。

対外硬派は強く反発した。領域概念はナショナリズムの構成要素であり、「領海権の把握と失墜とは直ちに以て国の独立に関する」からである。事件を政府の「対外軟」に起因する「外権内侵」の一例と見た対外硬派は、一八九三年に「帝国を挙げて英国の主権の下に屈従せしめたるもの」と内閣を弾劾する上奏案を衆議院に提出、そのため政府は議会を一〇日間の停会とし、一二月三〇日には衆議院を解散した（「千島艦事件の英廷公判」「内海主権論」「千島艦事件上奏案」『日本』一八九三年一一月六日、七日、一二月二一日）。

論点は他にも存在した。陸羯南は、事故直後まずは事実の報道に徹した他紙に先駆けて、①ラベンナが遭難者の救出に消極的で、②かつ事故早々に現場海域を離脱したと主張し、事故を「国民的感情」に関わる事件として取り上げた（「軍気説（下）」『日本』一八九二年一二月一一日）。羯南の判断材料となった情報①②の出所はどこにあったのか。

東京・大阪で発行され全国に流通した中央紙が地方の情報を得る際に活用したのは、特定地域で流通する地域紙の報道であった。一二月初めより『日本』は、「千島艦沈没の事に付吾人が最も知らんと欲する所のものは其当時の実況なり」との関心に応えるべく松山市で発行された『海南新聞』『愛媛新報』の記事転載を始めていた（「沈没の実況」一八九二年一二月五日）。『日本』は両紙を利用することで、和気郡堀江村（現松山市）の開業医永井雅郎や同村長門屋履徳ら住民の救援活動、また松山中の人力車が堀江村や三津浜町（同上）に集中した挿話など、確かにローカルではあるが現場を彷彿させる生き生きとした光景の実況が可能となった。

大切なのは、転載記事には地域紙それ自体の視点が含まれていたことである。『海南新聞』は、事故の発生直後より「レベーナ号か救助に頗冷淡なりしに相違なし」「英船は遁け帰りしなり」といった見出しを掲げ、ラベンナは千島乗員の救助に消極的で日本側の調査にも非協力的との議論を展開していた。また愛媛新報社の御手洗忠孝は、早くも一二月六日に松山市の新栄座で二五〇〇人を集め開催された「民党連合大演説会」に登壇し、「内に剛に外に柔」な第二次伊藤内閣、そして「狡猾なる赤髭奴」の態度を批判している（「千島艦沈没彙報」「民党政談大演説会」『海南新聞』一八九二年一二月四日、一二月八日）。

つまりラベンナの道義的責任をいち早く政府批判へと結びつけた『海南新聞』『愛媛新報』の議論こそが、『日本』の論調を規定したと言える。羯南は地域紙から事故の「実況」に関する情報を抽出する過程で、「国民的精神」――ナショナリズムの喚起という目的に適合的な素材として千島艦事件を造型する端緒を摑んだのである。

†「田舎青年」の意識形態

千島艦事件をナショナルな文脈に位置づけようとした地域紙の編集判断は、そのような言説を需要する読者層の存在を前提としている。国粋主義の主張はどのような形で彼ら・彼女らへと届いていたのだろうか。大阪府島下郡春日村（現茨木市）で農業を営む松本房治郎（一八六八～一九一二）の日記（個人蔵）を見てみよう。

一八九一年八月二〇日、房治郎は同村出身の西村長太郎（当時第三高等中学校学生）から創刊後間もない『亜細亜』（発行停止中の『日本人』の身代わり雑誌）約二カ月分を借りている。「小説雑誌類」を「好物ノ第一」とする知識欲旺盛な房治郎は、近隣より借用した新聞雑誌から興味を惹く記事を筆写し、蒟蒻版で個人雑誌『雑居園』を作成していた。同誌は彼が主宰する学習サークル共楽会で回覧され、周囲に「素読」されることもあった。

房治郎が書き抜き『雑居園』に転載した『亜細亜』の記事は、大津事件（同年五月一一日）を報じたフランスの新聞挿絵で日本が「支那」風に描写されたことを批判し、「日本固と是れ万古の帝国なり、而して彼等の我を見る斯くの如し、宜しく深く慮りて計つ処なくんばあるべからず」と主張するものであった（「L'ATTENTAT D'OTSU.」一八九一年七月一三日）。問題は、①西洋の目に映る日本像がオリエンタリズムの視線のもとで個性を剝奪されている点、そして②日本が（あろうことか）「支那」と同一視されている点にあった。

まさに①は西洋、②は中国という「忘れ得ぬ他者」と自己との関係を問う論点である。他者と峻別された自己像を確立し、その認知を要求した『亜細亜』の主張が、都市部以外の青年層にも受容され、さらには「素読」＝読み聞かせを介することで新聞雑誌の読者層を包み込むオーラルなコミュニケーション圏においても流通していたことが垣間見える。

『日本』の熱心な読者であった山本瀧之助（一八七三〜一九三一）が、房治郎のように「田舎に住める、学校の肩書きなき、卒業証書なき青年」（『田舎青年』一八九六）を帝国日本の継承者と位置づけたのは日清戦後である。もちろん「田舎青年」の存在は山本だけが感知したのではな

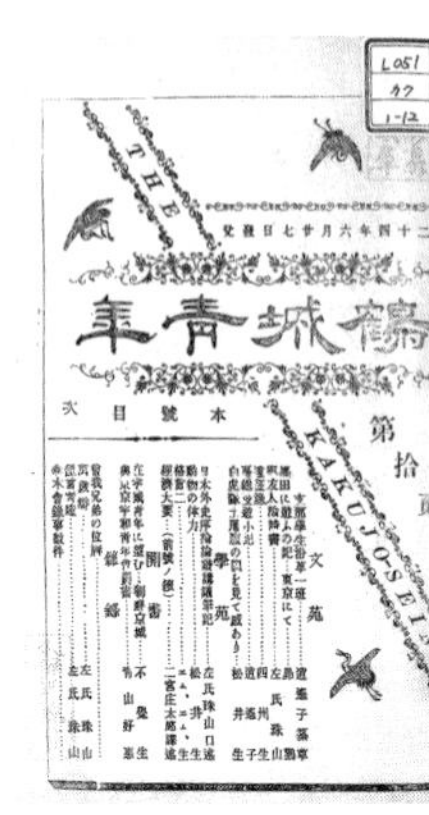

宇和島青年会の機関誌『鶴城青年』（宇和島市立図書館蔵）

い。宇和島県笹町（現愛媛県宇和島市）に没落士族の三男として生まれ、長じて朝鮮で活動した青山好恵（一八七二〜一八九六）ら宇和島青年会に集った青年層は、自らを「都ノ青年」と対比して「田舎青年」――「才学並ひ秀てたるの青年にして、資の給せさるか為に空しく怨を呑んで南海の僻隅に蟄居したる者」（「芝明倫館長に呈す」「本会紀事」『鶴城青年』一八九一年四月二五日、九二年八月六日）と位置づけていた。

海港を擁する宇和島で朝鮮貿易による地域振興を目指した青年層は、稲垣満次郎の議論の受容者でもあった（「東方策」『鶴城青年』一八九一年一〇月一〇日）。マイノリティの利害実現要求は、しばしばナショナリズムの形を取って表出される（阿部恒久『近代日本地方政党史論』芙蓉書房出版、一九九六）。国粋主義の対外認識は、とりわけ社会的マイノリティと自認する「田舎青年」の間に広く浸透し、積極的に捉え返されたのである。

†日清戦後の国粋主義

「西洋の開化を日本に輸入」する際の価値基準たる「国粋」をめぐって構想された国粋主義の

背後には、西洋主導のグローバル化状況下におけるマイノリティという自覚が存在した。対外認識の面では多系的発展論の萌芽が見られたように、文化的多様性を積極的に承認することで「国粋」を保持しようとする知的姿勢こそが国粋主義の特徴でもあった。しかし日清戦勝を経て文明化への自負が強まると、そのような姿勢は変化していく。

政教社で「東洋文明」の維持発達を説いた内藤湖南（一八六六～一九三四）は、台湾領有を積極的に肯定した。植民を通じた日本独自の「文明」の伝播による台湾の文明化は「東洋」の実力向上に貢献するからである（「台湾政治の大目的」『台湾日報』一八九七年八月五～一五日）。また瀬戸内海の塩業者を中心とする大日本塩業同盟会は、「東洋の新文明国」日本が苛斂な中国塩政を改革し中国文化を啓発するなどと、国粋主義のアジア論に依拠しつつ武力を背景とする食塩輸出を正当化しようとした（鷹取田一郎『食塩政略』一八九五）。

「国粋」は国民国家形成期の日本社会で初めて生まれた自覚的なナショナリズム運動を体現する言語象徴であった。それはグローバル化する近代に直面したアジア諸地域にも共通する切実な問いに根ざしていたからこそ、「発明東亜学術以保存亜粋」（「横浜清議報叙例」『清議報』一八九八年一二月二三日）を掲げた梁啓超の事例のように中国への思想連鎖も生まれた。一方で対外認識の側面から見るならば、日清戦後の国粋主義は中国や朝鮮、台湾の民衆と対峙するにあたり他者のアイデンティティへの想像力を必ずしも展開することができず、むしろ植民地主義を誘発する結果を生んだのである。
一八九九年に思想集団としての政教社は事実上解体し、国粋主義を掲げた運動は未完のプロジェクトに終わった。言語象徴としての「国粋」の意味は、大日本国粋会（一九一九〔大正八〕年結成）といった用例に示される方向へと転換していく。そのような傾向は、他者と直接向き合い自己を更新しようとする知的姿勢が失われつつあった日清戦後には、すでに兆していたと言えよう。

さらに詳しく知るための参考文献

中野目徹『三宅雪嶺』（吉川弘文館、人物叢書、二〇一九）……雪嶺研究は、『政教社の研究』（思文閣出版、一九九三）で国粋主義研究のステージを幾段も上昇させた筆者のライフワーク。指を屈すれば、一世を領導した思想家・ジャーナリストで、国民国家形成期から一九四五年まで、近代日本社会の転変を貫き言論活動を継続した人物は徳富蘇峰と雪嶺しかいない。人物研究が日本近代史そのものの叙述にそのまま転化しうる希有な例だろう。

久野洋『近代日本政治と犬養毅』（吉川弘文館、二〇二二）……一八九〇年代から第一次世界大戦期の犬養毅を軸に、地方における民力休養路線の展開過程や進歩党の支持基盤を、犬養の地盤である岡山県に密着して描き出す。政治家犬養は国粋主義の思想運動の併走者であった。明示こそされないが、議論の背景にはナショナリズムや「アジア主義」と地域社会との接点を探るという本講と共通する問題意識が伏在している。

松田宏一郎『陸羯南』(ミネルヴァ書房、ミネルヴァ日本評伝選、二〇〇八)……膨大な羯南の著作に政治思想史の立場から切り込むことで、ともすれば「国民主義」に惑わされ(少なくとも本講の筆者には)見えにくかった羯南の議論の構築性を鮮やかに示し、歴史過程の中に定着させた快著。メディア史をバックボーンに羯南の生涯を追った有山輝雄『陸羯南』(吉川弘文館、人物叢書、二〇〇七)と併せ読むと、それぞれの視点と手法の違いを味わうことができる。

三谷博『明治維新とナショナリズム』(山川出版社、一九九七)……特に第一章「「プロト国民国家」の形成」は、日本史学の立場からナショナリズムを定義した野心的な試み。本書が提起した、価値を否定しようとしながら否定しきれない「忘れ得ぬ他者」(近代日本における中国、韓国における日本、ギリシアにおけるオスマン帝国など)という概念は、魅力的で普遍性がある(ように見える)が故に、寄りかかり過ぎないよう自戒している。

山室信一『思想課題としてのアジア――基軸・連鎖・投企』(岩波書店、二〇〇一)……本講でも用いた「思想連鎖」をはじめ、現在「アジア」を歴史的な視点から論じる際に不可欠な諸概念を提起し、それを膨大な史料で裏付け展開した大著。史料を前に考えあぐねた末に辿り着いた論点が、実は本書で既に提起されていたことは多々ある。「学び捨てる」などという態度を許さない、議論の出発点としてなおも欠かせない基本の一冊。

中川未来『明治日本の国粋主義思想とアジア』(吉川弘文館、二〇一六)……本講の登場人物を中心に、思想集団たる東邦協会に集い「国粋主義」と交わった思想家やジャーナリストたちの思想形成を、アジア経験を軸に考察しようと試みた。「思想」と「歴史」の架橋を意識する際に、情報の伝達過程そのものを思想の場と捉え、また思想の着地点から思想運動の社会的影響を見定めるという視点は有効な補助線となるだろう。

第8講 日本主義と個人主義

長尾宗典

†問題の所在

本講では、日清戦争の後から日露戦争の時期にかけて登場した「日本主義」と「個人主義」の問題を取り上げる。

「日本主義」については、「「国粋」「日本精神」「国体ノ精華」などの語で表現される日本の過去の伝統に独自な価値を認め、現代におけるそのさらなる発揚あるいは保存・復活を目指しつつ、その伝統を根本原理として現実の諸問題に対処しようとする主義・主張」という包括的な定義があるが(昆野二〇一三)、時代によって担い手も内容も、あまりに多義的である。

大正期に刊行された橋口西彦編『通俗民衆教育叢書』(一橋閣、一九一九)なる小冊子がある(橋口の詳しい経歴は不詳だが、昭和期に『京城日報』で働く新聞記者だったらしいことが『新聞年鑑』に見える)。この叢書の第一編「日本主義」では冒頭「日本主義の歴史」に触れ、「日本主義」の明治以後の発展を三期に分けて論述している。第一期は、明治二〇年前後における三宅雪嶺、陸羯南、志賀重昂らの国粋保存主義、第二期は木村鷹太郎、竹内楠三に井上哲次郎、高山樗牛が加わって発行した雑誌『日本主義』の時代、そして第三期が現在に連なる大正期の日本主義運動で、岩野泡鳴らが盛んに「日本主義」を唱えている時代というわけだ。三期にはそれぞれ特色があり、第一期は当時の欧化主義に反対するもので政治方面が主であり、第二期は哲学的な方面に進み、現代＝第三期は日本人としての自覚に基づき、政治、宗教、学術、文学その他の方面に活動の範囲を広げていると総括する。ここで注意しておきたいのは二点ある。第一に「日本主義」が歴史的な段階に応じて変化しており、明治期に含まれる第一期と第二期の間にも質的な差が認識されていること、第二に高山樗牛らが唱えた第二期「日本主義」が、政治的な主張としてではなく、哲学的な主張として受けとめられていることである。

　高山樗牛（一八七一～一九〇二）は、日清戦争後に当時若い世代に熱狂的に受け入れられた評論家であったが、肺病により留学を断念し一九〇二（明治三五）年一二月に満三一歳の若さで没した。その高山が闘病中に留学中の友人・姉崎正治（嘲風）に宛てた手紙で、病気になってから「僕の個人主義とでも云ふべきものが一層明瞭になつた」とし「ドーモ日本主義時代の思想が、僕の本然の皮相なる部分の発表に過ぎなかつたことが今から思はれる」（一九〇一年六月六日付姉崎宛書簡『改訂註釈樗牛全集』七巻、博文館、一九三三）と書いている。この「日本主義」と

「個人主義」が絡み合った思想が、当時の知的青年たちの心をとらえたとしたら、両者の関係の解明は、当時の思想状況を解明するヒントとなるのではないか。明治二〇年代を通じて立身出世の階梯が確立し、憲法発布や議会の開設によって近代日本の制度的外形が完成するなかで、多くの青年たちは政治から非政治的な領域へ関心を移していった。以下、高山樗牛の思想を中心として、変化していく時代状況のなかで、「日本主義」と「個人主義」の思想がどのような形をとっていったかを論じてみたい。

†「日本主義」の登場

「日本主義」という言葉はいつ頃から使われているのだろうか。一八八八年に刊行された宮崎湖処子（末兼八百吉）の著作『国民之友及日本人』（集成社）のなかでは、「欧州主義」と「日本主義」を対比させながら用いている。政教社のメンバーであった井上円了も、「日本主義」拡張の方法を模索し、哲学館の創立に関して「日本主義」の大学を建設することを構想していた（中野目徹『明治の青年とナショナリズム』吉川弘文館、二〇一四）。初出の特定は難しいが、「日本主義」は、明治二〇年代に「欧化主義」と「国粋主義」が登場するなかで、「国粋主義」の変奏として使われるようになったと考えられる。先の「日本主義の歴史」における第一期の運動ということになる。しかし、思想史上において「日本主義」という場合、通常想起されるのは第二期の運動、すなわち、大日本協会が雑誌『日本主義』を発行し、高山樗牛が博文館の雑誌『太陽』誌上で、「日本主義」を論じた明治三〇年代初頭の思想である。

ここで、概説書や教科書等で今日でも散見される「日本主義」関係のいくつかの誤解を訂正しておきたい。

第一に、一八九七年五月に高山樗牛が井上哲次郎とともに大日本協会を結成したという説明がある。ところがこれは事実に反している。大日本協会の機関誌『日本主義』第一号の雑報欄は発刊の経緯を伝えるが、そのなかで発起人に名前が挙がっているのは、井上哲次郎、元良勇次郎、湯本武比古、木村鷹太郎、竹内楠三の五名である。高山は大日本協会の発起人ではないのである。そもそも高山は大日本協会結成の直前の四月末まで、第二高等学校の教授として仙台にいた。大日本協会設立準備の話し合いが事前にあったとしても高山が参加することは困難だったと考えられる。また、井上哲次郎も大日本協会への関与は限定的なものだったと思われる。井上の論説は『日本主義』第一号に「教育上に於ける世界主義を難ず」が掲載された後、しばらく誌上に登場しない。なぜなら彼はパリで開催された万国東洋学会出席のため、同年六月から日本を離れてしまったからである。もし井上が本気で運動の中核を担おうとしていたならば、会ができて一カ月での渡欧はやや不自然である。『日本主義』の編集兼発行人は竹内楠三が務め、論説・雑報欄は木村鷹太郎と竹内が分担で執筆していた（後に高橋龍雄が編集に加わり、編集の中心を担うようになる）。大日本協会の運動の中心は、少なくとも最初期においては井上・高山ではなかったといえる。

第二に、高山樗牛が「日本主義」の最初の提唱者であるというのも正確ではない。

高山は一八九七年五月に博文館に入り、雑誌『太陽』の編集に従事することになったが、彼が六月の『太陽』に発表した論説は、「日本主義を賛す」という題名だった。後年、高山が評論集刊行に際して論題を「日本主義」と改題し、没後刊行の『樗牛全集』もそのまま同じタイトルを踏襲しているため、初出誌で確認しない限り、高山の初発の意図は見えてこない。高山は当初から自ら「日本主義」を唱えようとしたのではなく、大日本協会の「日本主義」に賛同するというスタンスで文章を発表していたのである（長尾二〇一六）。思想史研究において、綿密な校訂に基づき全集の本文を作っていく作業ももちろん大切なのだが、時代状況のなかでの思想を論じようとする場合、既存の全集を信頼し過ぎて議論を展開すると思いがけぬ陥穽に陥るおそれがある。

†「日本主義」運動の特徴

大日本協会の雑誌『日本主義』とはどのような雑誌であったのか。同誌第一号の巻頭には、「日本建国ノ精神ヲ発揚ス」という同会の目的とともに、「国祖ヲ崇拝ス」「光明ヲ旨トス」

「生々ヲ尚ブ」「精神ノ円満ナル発達ヲ期ス」「清浄潔白ヲ期ス」「社会的生活ヲ重ンズ」「国民的団結ヲ重ンズ」「武ヲ尚ブ」「世界ノ平和ヲ期ス」「人類的情誼ノ発達ヲ期ス」という一〇カ条の項目が並ぶ。雑誌編集を担当した高橋龍雄によれば、当初、雑誌の題号については「新神道」とする案と「日本主義」とする案があり、会に参加した芳賀矢一らの主張で「日本主義」に定まったとされるが（高橋龍雄「芳賀先生と日本主義」『芳賀先生』國學院大學院友会、一九二七）、実態は不明である。また、『日本主義』の発行元は当初『教育時論』などを手掛ける開発社（湯本武比古が社長）が引き受けていた。発行部数は四〇〇〇部程度といわれ、大日本協会の会員名簿等から類推するに、読者には中等学校の教員や師範学校の関係者が多かったと思われる。

教育関係者を中心に「日本主義」運動が台頭した背景には、第二次伊藤博文内閣で文部大臣を勤めた西園寺公望の教育政策への批判があった。西園寺は、日清戦争後の教育では世界の中の日本を意識しなければならないとの認識を示し、忠孝の徳育に偏った修身教育を批判していた。西園寺の教育指針は「国家主義」に対する「世界主義」として、賛否両論を巻き起こした。一八九六年九月の伊藤博文内閣の退陣によって西園寺も文相の座を降りるが、教育関係者側からの「世界主義」攻撃は止まず、九七年三月には、井上哲次郎が「教育上に於ける世界主義を難ず」講演を行って「世界主義」批判を展開していた。

右の背景を踏まえると、高山が「日本主義」を、「国民的特性に本ける自主独立の精神に拠りて建国当初の抱負を発揮せむことを目的とする所の道徳的原理」（高山「日本主義を賛す」『太陽』三巻一三号）と定義した理由も理解しやすくなる。すなわち、大日本協会の「日本主義」運動は、主として学校教員に向けての雑誌発行や講演会活動を通じて、教育勅語の理念に基づく道徳の基準を提示するとともに、それを日本国民共通の道徳として徹底することを通じて、教育界における世界主義的な言説を批判しようとする倫理運動であった。

高山が『太陽』や『日本主義』上でしきりに「日本主義」について議論を展開するのは一八九七年から九八年半ばにかけてのことである。雑誌『日本主義』全体の言論も、最も活発だった時期は一八九七年と翌年の二年間といってよい。おそらくそれには理由がある。「世界主義」を批判した彼らの危機感は、西園寺文相の退陣後いったん沈静化するが、一八九八年一月に第三次伊藤博文内閣が成立し、西園寺が再び文相に就任したことで再燃する。一八九八年はその後の第一次大隈重信内閣の成立も含めて政変が多く、文部大臣だけでも浜尾新（はまおあらた）、西園寺公望、外山正一（とやままさかず）、尾崎行雄（おざきゆきお）、犬養毅（いぬかいつよし）、樺山資紀（かばやますけのり）と何度も交替した年であった。それだけに雑誌『日本主義』は盛んに教育政策への主張を行なった。しかし第二次山県内閣成立後は、自然と運動が停滞していくようになり、経営難も重なって一九〇一年には廃刊を迎えた。

†国家と個人の関係

大日本協会の「日本主義」の運動は、成功を収めたとは言い難い。その第一の理由として、そもそも会員相互の主張に懸隔があった点が挙げられる。彼らの議論はキリスト教や仏教排撃を主張した点では共通性もあったが、批判者の側から見て「日本主義は定論とする所あらざるならん」と批判される有様だった（無署名（大西祝）「日本主義の項目」『六合雑誌』一九八号、一八九七）。高山ですら、木村鷹太郎『日本主義国教論』の序文で、細かい点で木村の説は自分と見解を異にすると明言している（『日本主義国教論』開発社、一八九八）。また、第二の理由として、世論において個人主義重視の傾向が日本主義の定着を阻んだという点が挙げられる（中西直樹「雑誌『日本主義』とその時代」『仏教史研究』三六号、一九九九）。

この国家と個人の関係は、その後の高山の思想展開を把握する上でも重要なので、少し検討したい。

高山は、一八九八年一月の「国家至上主義に対する吾人の見解」（『太陽』四巻一号）において、国家が至上の権力であり、国家の利益と幸福を図ることが道徳の規準だとしている。なぜなら、個人の人生の幸福は、国家によって円満となることが保証されているからである。ゆえに、彼において「国家は人生寄託の必然形式にして又其唯一形式なり」（「日本主義に対する世評を慨す」

『太陽』三巻一五号）とされるのである。

他方、高山は、個人の幸福を国家が著しく阻害するような事態については明確な考察をしていない。一八九七年刊行の高山・井上哲次郎共編『新編倫理教科書』（金港堂）でも、例外的に戦争時の戦闘が臣民の当然の義務として取り上げられるばかりである。私たちが安全に暮らせるのは国家の恩恵による。国家は「他の凌辱非違に対して吾人の生命財産及び名誉を保護するのみならず、苟も臣民の利益を増し、幸福を進むる者は、勧奨推励することを怠らざるなり」（『新編倫理教科書』巻四）という。この保護は臣民の国法に対する絶対的服従によって成り立つが、立憲政体の下では不当な法に対しては相当の方法によって改良する道も開かれているとする。

国家のために個人の幸福が阻害される事態が想定されていないといっても、高山は竹内楠三のように「国家は個人に対して毫も義務を負ふ者にあらず」（竹内楠三『倫理学』松栄堂、一八九八）と断定することはしなかった。高山が国家と個人の矛盾について明言を避けたのは、「日本主義」の効果的な鼓吹のための方便とする見解もあるが（前掲中西「雑誌『日本主義』とその時代」）、どうであろうか。

一八九九年一月、高山は「日本主義」と「世界主義」を比較するなかで、次のように述べている。

個人を省いて別に国家無きと認むる点に於て両者相同じく、所謂幸福とは意識あり人格ある個人に就いてのみ言い得べしとする点に於ても両者相同じかるべく、又人生究竟の目的を平等円満なる幸福の実現に存すとする点に於ても亦両者恐らくは相同じ（「過去一年の国民思想」『太陽』五巻一号、一八九九）

つまり、高山自身も個人を離れて国家は存在しない点は認めていたのである。幸福が個人においてのみ言い得るという点も、高山の立場が国家のために個人が犠牲となってもよいとは考えていなかったことを示唆する。高山は、この時点において、国家に寄り添うことによってのみ、個人の幸福は十分に実現しうると考えていたのである。

美学者であった高山は以後「日本主義」とは何かを突き詰めるのではなく、文芸批評、美術批評の分野で、国民的性情に基づいた作品解釈を展開しようと試みた。しかし、この試みは結局成功しなかった。たとえば、仏教を外来宗教として「日本主義」から排斥しようとしたところで、日本の伝統を作ってきたはずの美術史上の優れた作品に、仏教の影響を見ないことは不可能だからである。高山は様々な困難と批判に直面するなかで、やがて「日本主義」運動自体から離れていくようになった。

†「個人主義」の登場

一九〇〇年の夏、洋行が内定し雑誌『太陽』編集の任を降りた高山は、その直後に喀血した。洋行も延期となり、療養を余儀なくされた。約半年のブランクを経て翌年一月、論壇復帰作となる「文明批評家としての文学者」(『太陽』七巻一号)が発表された。同論文では、「個人」の生の抑圧に抗したニーチェを、偉大な「文明批評家」の仕事として高く賞賛した。この頃より、高山は明白に、「個人主義」の立場を改めて擁護するようになっていった。

その後も病は癒えず、ついに洋行を断念した高山は、皮肉にも国家に自己の幸福を託すことができなかったことになる。内省の期間を経て、再び批評家として立とうとしたとき、高山の目には倫理教育の主張が余りにも個人を束縛しているように見えた。「僕は道徳、教育、もしくは社会改良に関する今の人の説には、殆どすべて満足の出来ぬ様になつた」と彼は友人の姉崎正治に宛てて書いた(一九〇一年六月二四日付姉崎宛書簡、前掲『改訂註釈樗牛全集』七巻)。一九〇一年は、武士道の隆盛をはじめ、思想界全体が道徳問題、教育問題を喧伝した年で、新聞の社会改良キャンペーンがこれを後押しした。このようななかで、「幸福」とは「本能の満足」であり、「人生本然の要求」である「本能」を満たす生活が「美的生活」だと説く「美的生活を論ず」が発表されていく。同論文で高山は、道徳や知識は本能の満足の絶対的価値に対して、

相対的な価値しか持ちえないと主張した。

彼の論は、「色情の奴隷」が快楽のために異性を追い回す行為をも「美的生活」と肯定するものと理解（曲解）され、一大センセーションを巻き起こした。とくに彼を批判したのは坪内逍遥であった。坪内は美的生活論を軽佻浮薄な「無道徳主義」と断じ、「仮初（かりそ）にも任に教育に当るもの」がかかる主張を行うことは不適当とした（「帝国文学記者に与へて再びニイチェを論ずるの書」『読売新聞』一九〇一年一二月一八日）。学校教員が美的生活や本能主義を唱える妥当性が問われたことは記憶しておいてよい。当時、学校では個人主義を主張することは危険な行為と見なされていたのである。

龍華寺の高山樗牛墓地（静岡市清水区）

†「煩悶青年」と「個人主義」

高山が一九〇二年一二月に没した頃から、青年層の間では深刻な苦悶が登場してきた。一九〇三年五月に自殺した第一高等学校生藤村操の死に象徴されるように、彼らは自己の立身や勉学の意味を、国家の発展と重ね合わせることができずに懐疑に陥る知識青年層であり、「煩悶青年」と呼ばれた。国家との関わりで自らの人生を解釈しようと試みて煩悶する青年たちは、より「個人主義」の思想に接近していった。

そのため、個人主義の思想は、高山よりも年少の世代にとっては革新的な主張として受け止められた。石川啄木は、盛岡中学校時代に熱狂的な樗牛愛好者の一人であったが、彼は、自分たちが国家にとって有用な人となるべく教育を受けている最中に、それと別に青年自体の権利を主張するために登場した「樗牛の個人主義」を高く評価している（石川啄木『時代閉塞の現状・食うべき詩』岩波文庫、一九七八）。また一九〇五年一〇月、魚住影雄が第一高等学校の校友会で「個人主義」の立場から一高の籠城主義を批判し、校内に大きな動揺をもたらしたことは有名である。その後一高では新渡戸稲造が校長に着任することで、生徒たちに新たな生き方の指針を与え、後年の教養主義形成の基盤を作っていった（竹内洋『学歴貴族の栄光と挫折』中央公論新社、一九九九）。

かくして煩悶から出発した個人主義の思潮は、一方では大正期に教養主義へと接続し、旧帝国大学や旧制高等学校に通う知識青年層に受容された。しかし他方、教育界においては、依然として「個人主義」の思想は危険視されたと思われる。登張竹風は、美的生活論争において高山に賛同し、ニーチェの紹介と美的生活・本能主義の宣伝に努めたが、本職は東京高等師範学校のドイツ語教員であった。学生の評判は高かったようだが、一九〇六年の秋、普通教育の源泉である高師に「怪しからん言論」を鼓吹する者がいると文部省に強硬な抗議があったため、高師を辞任に追い込まれている（『登張竹風遺稿追想集』郁文堂出版、一九六五）。

その後、一九〇八年に東京高等師範学校に入学し、のち除籍された菊池寛（きくちかん）は、クラス会で個人主義を主張する演説を行なったところ、場が白けてしまったと回顧する。昭和初期に発表された自叙伝において、「個人主義など云ふことは、この頃では左（さ）も穏健な思想であるが、その頃の円満穏健な高等師範などでは、社会主義に次ぐ位の危険思想とされてゐた」（菊池寛「半自叙伝」『菊池寛全集』一二巻、平凡社、一九三〇）と菊池が述べる背景には、登張の一件の影響もあったのであろう。明治三〇年代の個人主義が、教師を目指す者たちの間でいかなる境位を占めるものであったかを物語る挿話である。

一九一四（大正三）年、夏目漱石は講演「私の個人主義」で「国家というものが危くなれば誰だって国家の安否を考えないものは一人もない。国が強く戦争の憂が少なく、そうして他から犯される憂がなければないほど、国家的観念は少なくなって然るべきわけで、その空虚を充たすために個人主義が這入（はい）ってくるのは理の当然」と語った（夏目漱石『私の個人主義』講談社学術文庫、一九七八）。これは個人主義のマイナスイメージを転換させ、国家主義との調停を図ろうとしたものともいえよう。同じ年に阿部次郎（あべじろう）の『三太郎の日記』が東雲堂から刊行されているのも象徴的である。日本主義と個人主義の対立は、教養主義の台頭によって新たな局面に入っていったのである。

さらに詳しく知るための参考文献

橋川文三『昭和維新試論』（朝日新聞社、一九八四／ちくま学芸文庫、二〇〇七）……高山樗牛を単純で浅薄な「日本主義」の思想家として捉えることに疑問を呈し、日清・日露戦間期の思想の分裂を体現した人物として高山樗牛を位置づけた問題提起の書。

松本三之介『明治思想史』（新曜社、一九九六／増補版、以文社、二〇一八）……明治思想史における「個」の覚醒について、様々な論者の思想から国家に包摂されない私的領域の萌芽を読みとる。思想史研究上、個人主義の先駆者として高山樗牛に一定の評価を与えた書。

先崎彰容『個人主義から〈自分らしさ〉へ』（東北大学出版会、二〇一〇）……近年の高山樗牛再評価の先駆けとなるもの。なお、本講で十分触れられなかったが、二〇一〇年代を通じて近代文学研究における樗牛再評価が進んでおり、花澤哲文『高山樗牛』（翰林書房、二〇一三）、木村洋『文学熱の時代』（名古屋大学出版会、二〇一五）、林正子『博文館「太陽」と近代日本文明論』（勉誠出版、二〇一七）がある。

昆野伸幸「日本主義と皇国史観」（『日本思想史講座』第四巻、ぺりかん社、二〇一三）……「日本主義」研究史と論点を整理し、有効な見取り図を提示している。同「日本主義の系譜」（『岩波講座日本の思想』第一巻、岩波書店、二〇一三）も参照。なお本講校正段階で木村悠之介「大日本協会『日本主義』『新天地』の基礎的事項と総目次」（『人文×社会』八号、二〇二二）に接した。

長尾宗典『〈憧憬〉の明治精神史』（ぺりかん社、二〇一六）……本講の元となるもの。同時代の文脈を重視し、高山の思想形成過程についても新たな史料発掘に努めながら考察した。高山の「日本主義」から「個人主義」「日蓮主義」への思想の展開が、病による洋行の挫折といった外的要因だけでなく、彼が専門とした審美学（美学）思想の深化という内的な要因にも対応していることを論じた。

コラム3 煩悶青年

高原智史

明治後期、それまで天下国家を論じ、立身出世に邁進していた青年たちは、自己の人生について悩み始めた。一九〇三（明治三六）年に、第一高等学校（以下、「一高」と略す）の一年生で一六歳だった藤村操が日光の華厳の滝で投身自殺し、遺書の中に「真相は唯だ一言にして悉す、曰く、「不可解」。我この恨を懐いて煩悶、終に死を決するに至る」とあったことが大きな契機となり、悩む青年たちは「煩悶青年」と呼ばれた。

それまで「元気」だった青年たちは、明治後期には「元気」がなくなり「煩悶」するというのが、本コラムの趣旨である。もちろん冗談ではない。

藤村が学んでいた一高の校内雑誌である『校友会雑誌』の論調について論じていく。

天下国家を離れた内省的な「煩悶」の傾向は、日露戦争前後から現れると一般には言われるが、一高ではすでに日清戦争の頃には天下国家以上に学校のことが話題の中心になっていた。『校友会雑誌』を編集していた文芸部の委員による「自治寮の精神」という記事が、日清戦争開戦直後の三九号に載った。一高において寮生活は最重要視され、一九〇一年には皆寄宿制となる。記事では、「起居坐臥に進退境遇を同一に」し、「一致結合の力を強固にし以て寄宿寮の精神を発起」すべきところ、近時の寮生には寮の集団生活を厭う傾向があり、公共から離れて利己心を抱き、団結が弱まっているとされた。「精神」とは「元気」であり、「元気」あってこそ「校風」が確立するとされた。この後、これらの用語が関連しながら、一高を一高たらしめるものは何かという議論が誌上で展開されていった。

「元気」は、明治期の思想を語る上で重要な言葉であり(本シリーズ【明治篇I】第16講「元気」参照)、『校友会雑誌』でも、ある時期まで最頻出のキーワードであった。「国家の元気」、「青年の元気」等が言われ、「元気」を振作することが課題とされた。「青年の元気は国家の要素」(二九号、吉田静致「杞憂」)とされ、彼ら一高生は、「元気」の担い手という意味において、国家にとって重要な存在として自らを位置づけていた。一高の「元気」論の特徴は、ただ漠然と「元気」の存在とその振作の必要が言われることも多かった中で、「元気」とは何であるか(たとえば「衆心」が一になること)定義をし、「元気」振作の手段(たとえばスポーツとしての運動)を具体的に規定するというところにあった。そして、集団的な運動を通じて、皆の心が一つになることが「元気」

を振作することであるなどとされ、集団的な高まりが目指された。

自治寮の不振とその打開策を論じる記事は『校友会雑誌』上にたびたび現れ、当初は、「元気」を再び振作するための方策如何という形で問いが立てられた。しかし、一九〇一年頃から「元気」論は薄れ、「個人主義」が打開策として提出されるようになる。「個人主義」は利己主義になりかねず、「自治寮の精神」の記事も批判していたところである。「個人主義」論者はこれに対して、一高の校風とされていた「自治」の理念から、個々人が自己の理性に拠って判断することを「個人主義」として導き出した。個人の判断が重んじられる結果として、個人の修養が重視された。修養すべきはもはや「元気」ではなく、「精神」や、さらには「人格」であった。個人の内面のありようが鋭く問われるようになり、「校風」論も後景に退き、個人の内面の修養のための文学論や宗教論が盛んになった。

明治三〇年代の一高生の同時代観は、「懐疑時代」、「過渡期」といったものだった。実際この時期には、日清日露を勝ち抜いて、国家が独立と安定を勝ち得た反面、社会は閉塞しはじめる。幕末維新期には可能だった破格の出世は遠のき、整備された学校と官庁の体系を一歩一歩進まなければならない状況となっていた。こうした時代に必要なのは、「破壊的の」「豪傑肌の人物」ではなく、「順序的の」「模範的ゼルトルマン」であることを一高生は自覚していた。曰く、「世は最早維新にあらず、ペルリは二度来らざるなり」（一一一号、松野常世「自治寮救治策」）。

思想の内容とそれを支える道具においても、この時期は過渡期だったと言える。思想の基盤が漢文脈から欧文脈へと大きく変化していく時期であり、言文一致が進んだ時期でもある。中国思想に基礎を有する「元気」は、天地人を通じてそれを構成する根源的な何かという通有的なイメージを持ち、それを通じて、こころとからだ、個人と集団は一体的に把握され得た。しかし漢文脈の退潮という大きな流れの中で、「元気」という言葉は姿を消していく。代わって立ち現れた「精神」や「人格」は、身体や物と分断される。自己は、身体や、周囲の環境、世界から分断されたものとして観念されていくだろう。社会における生き方も、自己のあり方も、旧来のそれにはあったつながりが失われ、個人化が進む。人生いかに生くべきか。悩み方の型のない中で、悩みは深まっていく。個人化の傾向の中で、社会と、世界とのつながりを構築し直すための思索期間として「煩悶」の時代はあった。

第9講

批評

郭　馳洋

†思想としての批評

　批評という言葉は「文芸」と結びつき文芸批評として語られることが多い。批評に関する考察は文学研究の一部とみなされ、批評史が文芸評論史に同定される傾向はなお強い。しかし、元来「批評」は文芸批評の枠内に収まらない、より豊かな意味合いをもっている概念である。とくに、個々の作品に対する具体的な批評ではなく、批評するとはどういうことなのか、それがいかに可能になるかという問いを立てるとき、批評はむしろ哲学と密接に関わってくる。こうした原理論的な問いを自覚的に引き受け、自身の置かれた時代状況と対峙しながら、批評を一個の思想に練り上げたのは、明治中期の哲学者大西祝（おおにしはじめ）にほかならない。

　大西は一八六四（元治元）年に備前国岡山西田町（現在の岡山県岡山市）に生まれ、一八八一（明治一四）年に同志社英学校普通科、一八八四年に同校の神学科を修了した。一八八九年に帝国大学文科大学哲学科を首席で卒業し、大学院に進学した。一八九一年から東京専門学校（現在の早稲田大学）の講師を務めていた。一八九八年、ドイツ留学に旅立ったが、病に罹ったため翌年に帰国し、一九〇〇年に世を去った。

本講は大西における思想としての批評に着目することで、文芸批評をメインとする従来の叙述とは異なる批評史の可能性を示すとともに、批評を改めて近代日本の思想史的なテーマとして把握することを試みる。

†「批評の時代」

現在の言論界・学界で広く流通している「批評」はもともと一九世紀後半に成立した翻訳語である。もちろん、それ以前にも批評という漢語自体はあったが、今日における批評という単語は基本的に近代に登場した訳語の性格を引き継いだものといえる。幕末維新期の『英和対訳袖珍辞書』ではすでにcriticismが「批評」と翻訳され、一八八一年の『哲学字彙』（井上哲次郎・和田垣謙三・国府寺新作・有賀長雄編、東京大学三学部印行）でも同じ訳語が採用され、一八八四年の改訂増補版においては「批評、鑑識」となっている。こうして批評＝criticismという概念が定着していった。

一八八〇年代後半から、活字印刷に支えられた商業出版の拡大に伴って量的に増加している新刊書籍を品評するために、批評が要請されていた。一八八五〜八六年の間、『東洋学芸雑誌』や『中央学術雑誌』、『女学雑誌』が相次いで「批評」という項目を立てた。一八八七年八月、書評雑誌『出版月評』が創刊された。翌月、『国民之友』八号は「出版月評の評」を掲載し、九号から批評欄を設けるようになった。このように、批評は一つの言論様式としてメディアで確立しはじめた。そのなか、『中央学術雑誌』二一号（一八八六年二月）に新設された批評欄では、坪内逍遥の『当世書生気質』を批評する高田早苗（半峰居士）の「当世書生気質の批評」の連載が始まった。これは日本近代文学史における「小説」と「批評」の最初の応酬とされる。（以上、小森陽一「近代批評の出発」『批評空間』創刊号、一九九一／木村直恵「〈批評〉の誕生」『比較文学』四五号、二〇〇三）。

大西祝（1899年、ドイツのライプチッヒにて、『大西博士全集』7巻、1904）

批評の気運が高まったこの時期、帝大在学中の大西祝は『国民之友』の創刊者徳富蘇峰を本郷青年会に招き、講演を依頼した。その講演で蘇峰は、欧米文明から適宜なものを選定して日本で普及させるという「批評の時代」が到来したと語った（「現今の日本は適用の時代なり批評の時代なり」『国民之友』二〇号、一八八八年四月)。一八八八年五月、大西の「批評論」が『国民之友』二一号に掲載された。この論説は、イギリスの批評家アーノルド(Matthew Arnold)の論集*Essays in Criticism*を参照しつつ、明治中期の言論・思想状況を踏まえた上で批評の現象からその原理までを考察したものである。そこでは「夫れ此一、二年間新聞雑誌の紙面を一変したる者にして、恐らくは批評の文字の上に出ずる者あらざるべし」と、その頃における批評の盛況が記されている。

大西の見解では、大量に紹介・翻訳されている西洋文化が日本における儒学や仏教と併存しているという状況は混乱を来たすため、東西諸文化の価値を確かめて取捨選択するためにも批評が必要となる。そこで批評は文学のみならず思想文化全般をカバーすることを求められ、批評家は同時代を超越して「文化の先導者」になるという使命を課せられる。それゆえ、大西は批評の対象を狭義の文学に限定せず、美術や哲学も含めた広い意味での「創作」まで拡張し、「既往の事実」を対象とする歴史叙述もまた一種の批評であると述べた。

†大西祝の批評観

批評ブームの発生は明治中期におけるいくつかの重要な出来事と並行している。一八八〇年代の半ばから一八九〇年代初頭の数年間、自由民権運動が退潮し、大日本帝国憲法(一八八九年）と教育勅語（きょういくちょくご）（一八九〇年）が発布され、帝国議会（一八九〇年）も開設された。学術的な面では「帝国大学令」（一八八六年）で東京大学が帝国大学に改組され、ドイツ学術の比重が大きくなり、それ以来カント、ショーペンハウアー、ハルトマン（Eduard von Hartmann）といったドイツ哲学も本格的に輸入されていった。大西も帝大在学中、ドイツ人教師ブッセ（Ludwig Busse）にカント哲学を学んだ。

と思はるゝ程に至りけるか同夫人は之をよき事と思ひて内外の關係にも氣附かす公然として自分は皇后陛下の相談役なりとの地位を誇示したる如きは餘り感心せぬ事に御座候

次回即ち第三回は鐵血政治の下に棲息せる國會場裡の奇觀を描き此公議員を御するの機略を穿ち及保守黨、自由黨、中央黨の互に相ひ爭ふの實情を穿ちたるものなれは一目瞭然として獨逸政治上の秘機を知るを得べし　國民之友記者

批評論

西堂居士

創作と批評　名評の得難き、殆と名作の得難きに下らず「ハムレット」を評する者、ゴエーテの如きあり、其批評の至妙なる、マコレーをして嘆美と絶望の外餘念なからしめたり、然れともシエーキスピールのゴエーテを得る迄には殆と二百年を經過せざる可からず、夫れ文學及美術上の創作は主として結構の作用に屬し、理解的の慧眼を以て其結構の妙處を穿つは蓋し批評家の得意とする所なり、批評家と創作家とは頗る其才能の趣を異にするを以て、一人にして此兩者の極處に達するは殆と望む可らざるの難事なり、古來此兩種の才能を兼具したる者にしてゴエーテ若しくはレシングの如きは至て稀なり、彼のバイロンの詩を賦するや、其音調の爽快なる、其詞句の有力なる、恰も一種の魔術に似たりと雖も、一旦心を潜めて詩文の批評を爲さんとするに當ては、其言ふと、極めて拙く、悉皆非なり、彼の歌ふや天使に似たり、其考ふるや三歳の童子に等し、夫れ詩才觸くが故に詩人歌ふ、然れとも必しも自ら其由て來る所を知らざるあり、詩人は能く美妙を直覺す、之を理解する者は批評家なり、詩人は恰も神明に通する者の如く、自ら其理を解せずして、よく天地の美妙を闡き、よく其眞理を穿つ、詩人の爲に其理を解する者は批評家なり、詩人は美妙を說て之を其作中に宿らしむ、彼素より作中の美妙を知る、然れとも必しも其美たる理由を解釋し得るにあらず、之を解釋する者は批評家なり然らば則ち詩人は天然を解する者批評家は詩人を解する者と謂て可なり、此の詩人と其批評家との關係は、之を推さは以て概ね自餘の創作家と其批評家との關係を知るに足らん

去れば批評家は創作家の爲に殿（しんがり）となるの位地にあれども、亦よく之が先驅となるの榮擧を負へり、蓋し名評は名作の後に出づるのみならず、又よく未來の名作を誘引するの力あり、批評は啻に往時を顧るに止まらず、又將來を指揮するの力あり、批評家は己れ自ら創作せずと雖も、後世の創作家に敎へて望むるの行路を取らしむることを得、且つ夫れ文學の歷史に於て創作の時代と批評の時代とは頗る其の趣を異にする所あるを以て、一國の文學、若し批評の時代にある時は創作は敢て望む可らず、寧ろ之が爲に準備を爲すべし、創作の時代は招て直に來る者にあらず、其來るや深く國家百般の情況に因緣す、彼の「エリザベス時代」の英國の文學に於ける、又彼の「ゴエーテ、シルレル時代」の獨逸の文學に於ける、其例古來幾何かある、斯の如き創作の時代の緣由となる者、固より一にして足らずと雖も、一般の國民、新鮮の思想を呼吸し、活潑なる精神的の運動を始むるに於ては、其國の文學望むらくは創作の時代に近からん、此時に當り社會に飛奔する種々雜多

第二十一號　（二五）　特別寄書　第二卷　（三一九）

大西祝「批評論」（『国民之友』21号、1888年5月）

カントの著作に親しんだ大西は『純粋理性批判』第一版の序文を引用して、「我等の時代は真に批評の時代なり。事々物々皆之（これ）を批評に付せざるを得ず」と語り、「宗教」や「法度」への懐疑も不当ではなく、「吾人の道理心」も「其（その）公明且（かつ）正大なる試験」を通過

しなくてはならないという（「方今思想界の要務」『六合雑誌』一〇〇号、一八八九年四月）。こうした大西の説く批評はカントのいう「批判」の意味をも含んでいる。実際のところ、ドイツ語のKritikが「批評」と訳され、カント哲学が「批評哲学」と呼ばれたケースは明治期においてさほど珍しくない。

大西によれば、批評は具体的に二つの段階に分かれる（前掲大西「批評論」）。第一段階では批評家は「親友」として創作家に「同情」し、作品のよき理解者として振る舞うのに対して、第二段階に入ると、批評家は「純全たる他人」として創作家を突き放して、「理想的の上地」に向かい、そこから批評家自身のもつ「最高の標準」によって作品に判断を下す。つまり、批評は対象との距離を変えつつ、対象を相対化するポジションを確保することによって成り立つ。

こうした批評観では、批評の究極的な根拠としての「最高の標準」が重要になり、それに関与するのは「道理心」すなわち理性にほかならない。大西にとっての理性とは、推論の根本原理と判断の最終基準を指し示すものである（「理性の意義を論ず」『宗教』六二号、一八九六年一二月）。そしてこのような理性は、「道徳の最高の法則、至極の根拠」を提示するという意味での「良心」概念とも重なるという（「良心の意義を論ず」『六合雑誌』一六六号、一八九四年一〇月）。

そうなると、大西の説いた批評の原理は実は倫理学的な問題機制に通じると考えられる。倫理学を事実や習慣の調査に還元する加藤弘之と元良勇次郎の説に反対した大西は、倫理学研究では事実の考察のみならず、「理想推究」という当為の探究、とりわけ良心の研究がもっとも肝要だという（「倫理攷究の方法并目的」『哲学会雑誌』四七号、四九号、一八九一年一月・三月）。従来の観念や信仰が相対化され、人々の「安心立命」が動揺していた時代に、既存の権威の代わりに各人自身の良心が判断の基準として注目されたともいえよう。

†批評の基礎づけ――「良心起原論」の試み

良心の起源に関する大西の本格的な考察が展開されるのは、帝国大学大学院に進学後の一八九〇年から執筆を始めた論文「良心起原論」においてである。ちなみに同年の一〇月、ドイツ留学から帰国した井上哲次郎が帝大の哲学教授に就任した。結局、大西は論文を提出しなかったが、「良心起原論」の一部はのちに雑誌に発表され、全文は彼の逝去後に公開された。

「良心起原論」は大西にとって良心を根拠づける原理論であるとともに、批評の基礎づけでもある。この論文は「批評部」と「建設部」という二つの部分から構成されている。「批評部」では良心の起源に関する先行諸説（ベンサム、ダーウィン、ヘフディング、スペンサーなど）の趣旨と論理を入念に整理したうえで批判的な考察を加えている。それに対して「建設部」では前者の論述を踏まえつつ著者自身の主張を打ち出している。「批評論」で述べられた「親友」と「他人」の間を移動するという批評の戦略はここでも取られていると思える。

大西にしたがえば、良心の働きには、「善悪の褒貶」すなわち物事を「ヨイ」と肯定したり、「ヨクナイ」と否定的に捉えたりする判断作用と、「義務の心識」すなわち「シテハナラヌ」「セネバナラヌ」という意識、および義務の遂行に伴う「良心の平安」という快感（または不遂行に伴う「良心の不安」という不快感）が含まれる。留意すべきは、「善悪の褒貶」には単に「識別」つまり知的判断だけではなく、そこにつねに感情が随伴するため、「感別」すなわち快・不快という感情による判断も含まれる、という点である。こうした感情を取り入れた良心理解は、良心を実践理性と捉え、あくまで道徳的感情（das moralische Gefühl）から区別しようとするカントのそれとは異なる。

ではこのような良心はどこに起源するのか。それを説明するにあたって大西はまず「理想」という概念を掲げる。理想は個々人の心にある観念であり、良心による「善悪の褒貶」「義務の心識」および快・不快の感情は、ある行為や状況と理想との一致もしくは不一致に由来するということになる。

だが、理想はどこから来るか、問いはまだその先にある。そこで、大西は「目的」という概念を導入する。理想と違って、目的は主観側の観念ではなくイデアのようなものであって、「法界」（仏教用語。ここでは事物の根源、真如・真理と理解してよい）においておのずから定まっているものとされる。幼少期に受洗してキリスト教徒になった大西であったが、ここでは有神論と距離をとって、目的を神の意志の現れではなく、あくまで「法界の自然の構造に具われる」ものとして捉えている。そして、人間が目的に到達しようとしているため、理想は生起する。言い換えれば、目的を思い描く理想が意識に現前し、良心を発動させるのである。

大西によれば、われわれが目的をただちに完全に把握することはできず、現実の様々な境遇や経験を通して少しずつ目的への認識を形成してそれに近づいていくほかない。彼の叙述において、目的へ向かおうとしている過程はまた「性に復る」、すなわち「仮有の性」から「本真の性」へ向かうというように表現されている。同時に、それが「進化」とも捉えられている。ここに宋学的「復性」説と進化論の影響が窺えよう。

上述の目的論的な良心論は、批評の基準を左右する良心というものを、先祖の遺訓と遺伝や外部の強制、社会的通念などに還元できない「目的」概念によって理論的に根拠づけたものと考えられる。

†批評の現実性――道徳・国家・制度

目的論哲学によってほぼあらゆる権威を批評しうる良心が基礎づけられることは、現実の思想・言論状況に深く関与している大西の批評にとって重要な意義をもっている。

教育勅語が発布されてからの二、三年間、いわゆる内村鑑三不敬事件および井上哲次郎の談話をきっかけに勃発した「教育と宗教の衝突」論争に見られたように、道徳の問題は「忠孝」「国家」との緊張関係で先鋭化していた。当時の民法典論争では穂積八束による「民法出デテ忠孝亡ブ」のような論調も現れた。こうした時代状況について、大西は次のように指摘している。すなわち、「風儀」「習慣」「権勢」には批評すべきものが多いにもかかわらず、「国家を憂ふ」といって「建設」を急ぎ、批評を抑圧する傾向が生じてしまい、とくに「道徳の観念」に関してはそうである（大西祝「批評心」『中央学術雑誌』第二巻一号、一八九三年一月）。

同時期の論説「忠孝と道徳の基本」（『宗教』一五号、一八九三年一月）で大西は概念と論理の透徹した分析によって、忠孝が道徳の根本原理にはなりえないことを緻密に論証している。その叙述にしたがえば、言葉に明晰な定義を与えてからはじめて議論が可能になるが、忠と孝をそのままつなぎ合わせた「忠孝」概念は原理的に整合性が取れないため、道徳の根本になれない。井上哲次郎の『勅語衍義』（一八九一）が家長への孝と天皇への忠誠を結びつけたとすれば、大西の議論はその切断を図ったものと考えられる。さらに、もし忠孝を「君父の命に従うの謂い」と解釈し、それを道徳の基礎としたら、君主と父の命令自体の正当性は問えなくなってしまうという。

ただし、大西は忠孝を完全に切り捨てたのではなく、目的論的な立場から一種の機関説によって忠孝を位置づけている。つまり、国家も社会も「人類存在の目的を成就せむ為めの倫理的機関」であり、忠孝がこの機関の運行にとって必要な徳行であるが、その価値はあくまで目的との関係で保たれており、それ自体は絶対的なものではない、ということである。

では、忠孝という語がいったい何を意味するのか。大西は自ら定義を行う代わりに、教育勅語では具体的な定義がなされていない以上、場合によっては忠孝をめぐって相反する解釈が導き出されると論じている（大西祝「私見一束」〔「教育勅語と倫理説」〕『教育時論』二八四号、一八九三年三月）。つまり、教育勅語に書き込まれた忠孝の意味を一義的に決定しようとする言説に抵抗するため、大西がとった方法は忠孝に対する単純な否定よりも、むしろ「忠孝」という言葉をひとまず単なる記号として受け止め、様々なシチュエーションにおける意味の相違と矛盾を指摘し、言葉とその解釈との隙間を確保することといってよい。

さらに東京専門学校での講義録『倫理学』において、大西は綿密な考察で無条件の「忠君」だけでなく「愛国」の自明性をも掘り崩している。その議論の根幹にあるのはやはり国家を「倫理的機関」とみなす目的論哲学である。日清戦争後に発表された彼の論説「国家主義の解釈（教育の方針）」（『六合雑誌』一七四号、一八九五年六月）はヘーゲル哲学に「理性発展の機関」「理性の世界的進化の機関」としての国家像を見出し、国家を「目的ある進化」（teleological evolution）という立場から基礎づけようとした。つまり国家の上位に「目的」という概念を設けることによって、国家の自己目的化を抑制するのである。

国家のみならず、広い意味での「制度」も理想実現の機関として目的論的に把握されている。つまり、人間社会が植物のように、ある完成状態としての目的を目指して「生長進化する活物」であるため、理想も目的への衝動に突き動かされて変化し、そして新しい理想が現実での具体的な形態を求め、制度の改造を促していく（「道徳的理想の根拠」『六合雑誌』一七一号、一八九五年三月）。大西が現行の社会制度・組織の改革を積極的に唱え、やがて社会主義に近づいたのも、こうした目的論的制度観の一つの論理的帰結といえよう（「社会主義の必要」『六合雑誌』一九一号、一八九六年一一月）。

†「啓蒙」と宗教

ところで、大西の批評は実は彼の啓蒙観と密接に関連している。もっとも、ドイツ語のAufklärungを「啓蒙」と翻訳したのは大西だといわれる。論説「啓蒙時代の精神を論ず」（『国民之友』三六二号、一八九七年一〇月）において、大西は古代ギリシアと一八世紀のフランスに二つの「啓蒙時代」を看取している。そして明治維新後の日本にも「啓蒙時代」があったものの、明治中期以来「啓蒙的思潮」が衰退したという。この現状に不満を覚えた大西は歴史的伝統を切断する「啓蒙」精神の再来を呼びかけた。そこで語られる「啓蒙時代の精神」の核心は、ほかならぬ批評だと思われる。つまり「啓蒙時代」において、「古来の所伝、信仰、習慣」「神聖視せられたる法律も風儀も」従来の権威を保てなくなり、「各人が自己の心を以てする批評」を受けなくてはならない。言い換えれば「人々の理解力に一切の是非真否の判決を求めたること」になる。

このような啓蒙時代の思想傾向はギリシア哲学におけるフィジス（ピュシス physis）とノモス（nomos）という対概念のもとで図式化されている。普遍的なフィジス（自然）に対して、ノモス（掟・習俗・法律）は時・処によって変化しうるものである。大西の説明によれば、ソフィストたちの批評性はまさにノモスへの徹底的な懐疑に現れているが、その一方で、ソクラテスは批評的な態度を保ちつつも、ノモスを不要だとせず、むしろノモスの精密な分析を通じてそこに内在する自然法、すなわち人間社会の事象における普遍的倫理を探究しようとする者である。大西がソクラテスを高く評価したのもそのためである。ノモスに対するこのような態度は前述した忠孝論ないし制度論につながる。

こうした批評は不可避的に宗教と歴史の問題に関わる。大西は近代聖書学の高等批評（higher criticism）を評価し、仏教に関する歴史研究にも「批評的討究」が必要だと考えた（「仏教の歴史的研究」『六合雑誌』一六〇号、一八九四年四月）。「国史」研究についても、「旧来の伝説習俗」への批判が「危険」「破壊」だと非難されること、「忌憚なき批評」を恐れ「国家の成立に於て其由来に於て自ら欺」くことを厳しく批判している（「批評的精神」『六合雑誌』一六二号、一八九四年六月）。この批判は一八九二年の久米邦武筆禍事件を意識したものであろう。

ところで、大西だけではなく、彼と論争的な関係にあった井上哲次郎もまた経典の批判的な読解を唱える（「宗教研究法に就て」『宗教』一五号、一八九三年一月／「仏教の研究に就て」『仏教』八五号、八六号、一八九四年二月）。井上は聖書学、カント、シュトラウス（David Friedrich Strauß）およびルナン（Joseph Ernest Renan）を念頭に置きながら、諸宗教への「批評的研究」を説いた。彼によれば、批評とは「単に評論を処々に挿入する」のと違って、「古来伝ふる所の書類に就き、歴史的事実を鑑定識別する」ことを意味し、つまり「何なる人の著はす所も、如何ほど人の尊信する所も、決して其儘之れを信ずることなく、必ず自ら其真偽如何を稽査討究する」ことにほかならない。また、日本における宗教の「批評的研究」の一例として、江戸時代中期の学者富永仲基の『出定後語』（一七四四）を挙げている。

ただし、井上にとって批評は終着点ではなく、その先には「宗教的観念」が横たわっている。それは哲学の探究対象に通底するものであって、宗教も哲学も「安心立命」を求める営みであるという。ここに一八九〇年代から展開されていった井上の現象即実在論のモチーフを見ることができる。というのは、不変で一元的な「実在」概念を措定した現象即実在論はまさに安心立命のための世界観を提供しようとする哲学だからである（井上哲次郎「我世界観の一塵」『哲学雑誌』八九号、一八九四年七月）。一方で、大西は安直な安心立命を拒否し、あくまで批評と哲学によって真理を追い求める過程それ自体の意義を主張する。

†批評の両義性

大西祝の言論活動を貫いた批評という主題は、批評それ自体の根源的な両義性を必然的に抱え込んでいる。つまり、すでに見てきたように、批評はあらゆる既成の規範と権威を懐疑的な目で見て相対化しようとする。しかし権威をすべて否定すると、相対主義に陥り、「安心立命」が脅かされることになる。批評を徹底すればするほど、批評の依拠する足場をも崩してしまう可能性がある。翻っていうと、批評を機能させるにはかえって何かしらの批評できないものが前提として必要なのかもしれない。大西ではそれが「目的」という概念である。こうした批評の両義性とどう向き合うかは、今日においてもなお問い続けるべき問題ではないだろうか。

さらに詳しく知るための参考文献

小坂国継編『大西祝選集』（哲学篇・評論篇・倫理学篇）全三巻（岩波文庫、二〇一三～二〇一四）……「良心起原論」をはじめとする大西祝の主要な著作を収録している選集である。文庫本であるため、比較的に入手しやすい。各巻の末尾に注解、解説、人名索引が（第三巻に略年譜も）附されており、大西の文章を読み解くにはとても役立つ。

平山洋『大西祝とその時代』（日本図書センター、一九八九）……大西の生涯を辿りながらその思想形成の軌跡および彼を取り巻く人間関係と言論空間を高い精度で考察する労作であって、大西の思想と生涯の全体像を詳しく知りたい方にとって必読書である。

柄谷行人編『近代日本の批評Ⅲ　明治・大正篇』（講談社、一九九八）……批評の概念史よりも、明治期の文学者・思想家のいわば批評性が広い視野で縦横無尽に議論されている一冊である。座談会の発言記録がメインなため、読みやすい文体になっている。

林正子「近代日本の評論における〈批評〉の成立」（稲生勝・津田雅夫・林正子・洞澤伸『文化的近代を問う』文理閣、二〇〇四）……西洋における「批評」の変遷にも目を配りつつ、明治期における「批評」の成立を丹念に跡付けて整理した論考である。概念史的な地図としても大いに参考になる。

森下直貴「井上哲次郎の〈同＝情〉の形而上学──近代「日本哲学」のパラダイム」（『浜松医科大学紀要　一般教育』二九号、二〇一五）……先行研究における「井上哲次郎vs大西祝」という構図に疑問を呈し、井上と大西の哲学における共通点と差異を鋭く分析している。井上・大西に関する比較思想論として近年もっとも重要な研究といえる。

郭馳洋「明治中期における批判理論としての「批評」──大西祝の批評的思考を中心に」（『日本思想史学』五〇号、二〇一八）……拙稿は「批評」をキーワードに、大西の批評論、倫理学・良心論と制度観を考察したうえ、言語フェティシズムを批判する彼の言語観も取り上げた。本講の内容も拙稿に依拠している部分が少なくない。

第10講 宗教

木村悠之介

†「宗教」との遭遇――明治前半期

「宗教」という熟語はいつからあるのか。前近代の漢訳仏典にも見られる言葉だが、現在の私たちが使うものに近い用法は、幕末から明治における外交の場で、西洋語 religion の翻訳語として新たに誕生した。訳語には当初、「宗旨」「宗門」のように身分管理に用いられていた語彙や、「教法」「神教」のように儒学的な「教」のニュアンスを持つものなど様々な候補があったなか、最大公約数的な「宗教」が遅くとも一八六八（明治元）年には登場し、一八七〇年代末にかけて森有礼や福沢諭吉らの使用で広く定着していく（磯前順一『近代日本の宗教言説とその系譜』岩波書店、二〇〇三／渡辺浩『東アジアの王権と思想』増補新装版、東京大学出版会、二〇一六など）。

その当時の人々は、現在の私たちとは異なる悩みを持っていた。有名なエピソードとして、一八七一年に条約改正交渉へ出発した岩倉使節団の人々がアメリカに向かう船中で行った宗教談義が知られている（山崎二〇〇六など）。使節団の記録係だった歴史家・久米邦武の回顧によれば、西洋人に会ったら「何宗か」と訊かれそうだがどうするか、という話題になったものの、宗教たる仏教は信じない……儒教の「忠孝仁義」は宗教ではないし日本人が信じる神道も「経文」がないので世界が宗教とは認めない……とはいえ無宗教を名乗ると残酷な人間だと警戒される……と迷い、結論は出なかったらしい（「神道の話」一九〇八）。「宗教」は、まだキリスト教を禁制にしていた日本が西洋諸国から認められるかどうかという問題と不可分であり（キリスト教は二年後に「黙許」状態となる）、特に神道への厳しい視線が自覚されていたのだ。

ただし宗教談義のなかでは、当初キリスト教徒だけを人間と考えていた西洋人が、今は「別の宗教」としての「四大教」（後述する「神教と世教との衝突」で仏教・儒教・キリスト教・イスラム教とされている）の並立を書き記すようになってきた、と、西洋内部における religion 認識が変化しつつあることも捉えられていた。さらにこの後、一九世紀末から二〇世紀前半への転換期における西洋では、神道なども含む一〇余りの主要宗教を「世界宗教 World Religions」として数え上げる認識枠組みが現れてくる。それは、一神教／その他、という枠組みを超えてヨーロッパの自他認識が再構成されるなかで、植民地などの他地域が位置づけなおされる過程だった（増澤知子『世界宗教の発明』秋山淑子・中村圭志訳、みすず書房、二〇一五）。

では、そのようなグローバルな状況変化に直面した日本においては、いかに宗教が論じられえたのか。本講が扱う明治後半期は、科学や国家との関係、宗教間対立の融和など、様々な「宗教問題」が盛んに論じられた時代である（深澤英隆『啓蒙と霊性』岩波書店、二〇〇六）。特に条約改正にともなう一八九九年の内地雑居開始は、諸宗教の関係への意識を否応なく高めた。

当時の諸問題への切り口としては、先ほど登場した久米邦武が時代状況に応じた興味深い観察を度々示しているため、本講ではその議論を一つの軸に据えつつ概観していきたい。

†祖先崇拝と「宗教」の衝突？

一八八九年、「信教ノ自由」を「安寧秩序」「臣民タルノ義務」の枠内で保障する帝国憲法が、「皇祖皇宗ノ神霊」への奉告を経て発布された。その当日、文相・森有礼が刺客に遭い、翌日死去している。伊勢神宮へ参拝した際に「不敬の挙動」をなしたとの噂が報道で広まった結果だった。田口卯吉が、暗殺者は神道という「宗教」に基づいて森やキリスト教へ怨みを抱いたのだ、と推測する一方、陸羯南は、天皇の祖先神・天照大神を祀る「宗廟」（儒教由来の尊称）伊勢神宮を「宗教」ごときと同一視すべきではない、と反論した。同様の論争は地方紙にも見られる（ケネス・B・パイル『欧化と国粋』松本三之介監訳・五十嵐暁郎訳、みすず書房、二〇一三／田中智子「森有礼「不敬」・暗殺事件顚末」高木博志編『近代天皇制と社会』思文閣出版、二〇一八）。

伊勢神宮が祖先祭祀の「宗廟」「大廟（太廟）」であることは、当時の神道家たちにとって大きな意義を有していた。一八九〇年に「宗廟」や「社稷」（土地と穀物の神）としての諸神社を「倫理的」な「国家神道」と呼んで他の「宗教」との区別を試みた人物もいる（山崎泰輔「祖先教と宗教とは其発達を異にす」『明治会叢誌』二一号）。キリスト教を中心とする宗教観が東洋の祖先崇拝を劣位に置いてきたことを逆手に取り、むしろ積極的な価値を見出そうとしたものだ。

政府はすでに一八八二年から、いわゆる神道のうち神社を、「宗教」としての仏教や教派神道（黒住教・大社教などの諸派）と別個に扱う方向へ進んでいた。しかしまだいずれも行政上は内務省社寺局の管轄下にあったので、帝国議会開院を目前に控えた当時、政府の内外で、「宗廟」「太廟」としての伊勢神宮を含む諸神社のための特別官庁（神祇官）設置を求める動きが盛んになり、それが条約改正に資するかどうか議論される（『日本』一八九〇年一一月九日、同一七日など）。このときは結局、社寺局の改組には至っていない。

祖先崇拝と宗教をめぐっては、一八九一年、第一高等中学校の嘱託教員・内村鑑三が「不敬」と非難され解職に至った事件も挙げられよう。「愛国的基督教信者」を強く自認する内村は、明治天皇や勅語の内容には敬意を示すべきだと考えて同校の教育勅語奉読式に出席した。ところが当日、勅語に付属する天皇の「署名」への「礼拝的低頭」（最敬礼）を突如求められたため、それでは「先祖の遺物」に対する「仏教徒や神道の儀式」のようだとためらい、とっさに頭を少しだけ下げるにとどめたのである（今高義也『内村鑑三の世界像』ぺりかん社、二〇二〇）。

†久米邦武筆禍事件における宗教

そうしたなかで一八九二年、帝国大学教授となっていた久米邦武は、前年発表の論文「神道は祭天の古俗」を神道家から攻撃されて職を追われる筆禍を蒙った（以下、祭天論文以外の史料については下田義天類編『祭天古俗説弁明』一八九二／鹿野政直・今井修「日本近代思想史のなかの久米事件」大久保利謙編『久米邦武の研究』吉川弘文館、一九九一）。

この「祭天」論文は、神道や宗教について多面的な主張を含んでいた。まず久米は、神道の神やキリスト教のゴッドなどは本来、いずれも「天」への「想像」だったと論じる。このようなキリスト教との同一化志向の背景には、西洋諸国が日本人を「蛇をも拝むもの」だと見ていることが条約改正を妨げた、という久米の考えがあったと指摘されている（山崎二〇〇六）。事件当時や直後には、神道を一神教化して「西洋人及各国公使」の参拝を可能にすることや、ペルシアの「拝日」さらには「あいぬの蛮俗」と差別化することが論文の意図だったとも表明した。つまり、西洋の宗教進化論で劣ったものとされていた蛇や太陽などの呪物崇拝ではなく、キリスト教徒と共有可能な「惟一の天神」へ神道を一元化しようと試みたのだ。

他方で久米は、祭天としての神道が君民を結合させることは認めつつも、神道の力だけでは日本は「台湾の生蕃」（原住民）と同じ「蒙昧の野民」に過ぎず、国体の進化には教典や「救主」を有する「宗教」としての仏教こそが必要だった、とも主張している。実は、先述の神祇官論者のなかには神道が宗教の面でも有用だとする一派もおり、それを牽制したものだろう。条約改正と神祇官運動の双方に介入しようとしたのが祭天論文だった。

筆禍事件については様々な要因が指摘されているが、核心は何だろうか。当時の帝大総長・加藤弘之は、事件の原因を「大廟」観ではないかと推測する。久米は、伊勢神宮も祭天の施設である以上、祖先祭祀の「宗廟」「大廟」と見做すのは誤りだと主張していたのである（同様に、農村祭祀を「社稷」とすることも否定）。久米や、祭天論文を好意的に広めた田口卯吉はもっぱらキリスト教論者として攻撃された。西洋に認められるために一神教とは異なる諸要素を切り捨て、祖先祭祀などの本来性を否定した点が主因と考えてよい。

事件の後も久米は旺盛に言論を続けた。翌一八九三年の「史学の独立」では、階級制の消失という以前からの主張に加え、国家に局限されない「宗教」と国家のための「世教」との対比など、日清戦争を経てさらに掘り下げられていくモチーフ（後述）を提示している。

その「史学の独立」には、「宗教に必要はない」とする「学者」の説への反論が含まれていた。これは直接的には、帝大教授・井上哲次郎によって一八九二年末から開始されていた「教育と宗教の衝突」論争を受けたものだろう。井上は、「忠孝」を重んじる「東洋の教」と、それに抗う「非国家主義」のキリスト教、という対立構図を描く。そして、天皇やその祖先神を尊崇する神道に日本の国体があり、多神教として適合する仏教に比べ、唯一神のみを崇敬するために内村鑑三のような不敬事件を起こすのがキリスト教である、と断じた。ただし、「天照大神と耶蘇の神を合一せんとして敗北」した久米への言及では意外にも、「方法如何」によっては可能だと評している（『教育と宗教の衝突』一八九三）。どのような方法だろうか。

これら諸々の事件を経た後の宗教に関する思潮を検討するため、二人の井上門下生・姉崎正治と木村鷹太郎に登場してもらおう。一八九五年創刊の雑誌『太陽』において宗教欄記者を務めた姉崎は、「久米教授の神道は祭天の古俗なりとの説に関したる大擾乱は、少なからざる刺激を宗教学者間に与へ」た、と宗教学への祭天論文の影響を評したうえで、一八九二年以降の日本宗教を「新宗教試作の時代なり」と観察する（『太陽』四巻九号、一八九八）。他方の木村は代表的な宗教批判者で（中西直樹「日清戦争後宗教の動向」『仏教史研究』三四号、一九九八）、「祭天の古俗」については「吾国の事実」に合わない「宗教家」の説だと否定する（『大日本建国史』一九〇五）。いわば、宗教を新たに生まれ変わらせることで神道との対話を進めるか、神道を除く宗教自体を日本には不要だとするか、という二つの向き合いかたが顕在化してくるのである。

†「新宗教」か「排宗教」か――「理想」追求という共通点

「新」を冠する宗教動向としては、金森通倫・横井時雄・海老名弾正らの「新神学」、中西牛郎・古河老川を先駆とする「新仏教」が登場した。個別宗教を超える「新宗教」出現への期待も高まっていく。そこでは、すでに一八八〇年代から日本に紹介されていたユニテリアニズムなどの自由主義神学、あるいは神智学のようなオカルティズムとの国際的な交流のなかで「自由討究」という思想態度が共有され、「国体主義」に接近する者もいれば、安部磯雄のように社会主義へ進む方向性もありえた。議論に際しては『六合雑誌』『仏教』『宗教』『日本宗教』などの諸雑誌が重要な場となったほか、一八九三年にはシカゴ万国宗教会議が、一八九六年の日本では姉崎正治と岸本能武太の比較宗教研究会（比較宗教学会）、各宗教の宗教家懇談会が開催された（星野靖二『近代日本の宗教概念』有志舎、二〇一二／吉永進一『神智学と仏教』法藏館、二〇二一／前川理子『近代日本の宗教論と国家』東京大学出版会、二〇一五など）。

新神学・新仏教と並べば新神道もありえるが、最も目立つ「新神道」は「排宗教運動」として現れてくる。内地雑居開始の近づく一八九七年に木村鷹太郎が中心となって発刊し、高山樗牛や穂積八束が加わったことで知られる雑誌『日本主義』だ。同誌は、キリスト教のみならず仏教も含む「宗教」一般を国家至上主義に反する「迷信」だと断じ、神道は「生々主義」で「宗教」は「死滅主義」だ、というようにポジとネガを対置した。このような神道と仏教・キリスト教との対比は幕末の水戸学者・会沢正志斎にも見られる（『下学邇言』一八四七）。

一方で『日本主義』や木村は、会沢らが「天祖」と呼んだ天皇の祖先神を主に「国祖」と表現し、架空の「ゴット」とは異なる歴史上の人間であること、実体的な霊魂の存在は信じず歴史上の功績を「心的」に崇拝すれば「理学に衝突」しないことを強調する。さらに、もし仮に神道の神が歴史上の事実でないと考証されたとしても古代の国民が「生々」などの「理想」を有していた点までは否定されない、とも論じた。木村にとって「理想」や「想像」は、学界における真理とは別に美術界で成り立ちうるものとして肯定されていた（木村悠之介「新神道とは何であったか」『國學院大學研究開発推進機構紀要』一五号、二〇二三刊行予定）。

心理や芸術の領域における「理想」を最終的な根拠として持ちだす以上、実のところ神道と他宗教の境目は曖昧にならざるをえない。実際、『日本主義』誌上にはキリスト教の神について「詩的天帝」としての価値なら認めるという記事も出ており（二二号）、こうした議論は、一八九六年に新仏教徒の境野黄洋が「詩的仏教」を唱えたことや、一八九九年に「神話」解釈をめぐって論争した高山と姉崎がそれぞれ美学と宗教学を発展させ「理想」を追求していくことと、ある程度は重なるだろう（呉佩遥「迷信と信仰のはざま」『宗教研究』九六巻一輯、二〇二二／長尾宗典『〈憧憬〉の明治精神史』ぺりかん社、二〇一六）。

†「排宗教」の限界としての煩悶状況

そのように「理想」をめぐる大まかな共通性も見られるとはいえ、『日本主義』が具体的に説く理想の中身はあくまでも国家至上主義と宗教排撃だったため、大西祝・綱島梁川・鈴木大拙、そして久米邦武や姉崎正治など、様々な人物が批判している。

久米の場合は、一八九八年に創刊されたカトリック雑誌『天地人』に「自由の苦痛――歴史研究上に於る新旧思想の衝突」という文章を寄せた。すなわち、「明治の時運」においては人々の階級制が解体されて神のもとでの自由へと変化しつつあり、「学理に国界はなく、神教に国家はな」い。しかしそうした政治・社会の変化がもたらす苦痛に耐えられない人々が、奇怪にも学界で国家を強調しているのだ、という。久米は『日本主義』を名指しするわけではないが、時期や内容から念頭に置いていたと考えてよいだろう。『天地人』の続号には、「国粋保存主義の糟粕を嘗め、日清戦争に国家といふ観念を提起せられ、宗教を無みし、功利を唱ふる一群」「今の軽佻なる日本社会の思潮を代表せるもの」として『日本主義』を挙げ、国家至上主義による宗教無視の軽薄さを批判する投書もあった（三号）。

一九〇〇年代初頭に登場してくる煩悶青年は、このような社会変化の苦痛に向きあった人々として位置づけうる。一九〇三年に「青年の苦悶」を論じた姉崎は、日本人は「日本主義などのいふ如く、生々とか豊富とかの外に何等の精神的需要のない人民であるか」と問い、『日本主義』ではもはや対応できない実存的な「霊性」への欲求を捉えた（『太陽』九巻九号）。

青年の側でこうした状況を予期したものとしては、一八九九年に関西の文壇誌へ寄稿した山川延峯という人物が、『日本主義』を引き合いに「明治の世界は宗教排撃の世界也」と嘆き、様々な思想潮流のなかで国民の「霊心」が麻痺してしまったため、「来るべき二十世紀」は「東西洋文化合同混和」が青年の責務になると述べていた（『よしあし草』九号、一二号）。山川青年は別の号を智応と言い、日蓮系在家運動・立正安国会の一員だった。

立正安国会を率いた田中智学は、雑誌『妙宗』で『日本主義』を批判するのと同時に一八九八年には「日蓮主義」の語を初めて使い、とりわけ一九〇一年の著作『宗門之維新』を画期に、『太陽』の高山樗牛や『妙宗』の読者層と協調しながら多用するようになっていく。この一九〇一年には、清沢満之の「精神主義」や内村鑑三の「無教会主義」も登場した。宗教を追求する雑誌メディアおよび集会の場が、既存の教会や寺院に局限されない様々な「主義」「経験」を語り合う形で、それまで以上に拡大していったのである（ブレニナ・ユリア「「日蓮主義」という用語について」『近代仏教』二九号、二〇二二／赤江達也「キリスト教会の外へ」島薗・末木・大谷・西村二〇二一／島薗進「「宗教」の成立」苅部直・黒住真・佐藤弘夫・末木文美士

『太陽』と『中学世界』をもてはやす日蓮宗僧侶たちの風刺画（『新仏教』3巻5号、1902）

編『日本の思想』八巻、岩波書店、二〇一四）。同じ一九〇一年、『日本主義』は廃刊という形で限界を迎えた。

†藩閥批判とグローバリズム

別の角度として、政治史的な方面からも眺めてみよう。

竹越与三郎や西園寺公望による雑誌『世界之日本』の論客で、内村鑑三とともに『万朝報』記者も務めていた久津見蕨村は一八九七年末、「宗教を排するの声」を意識しながら『世界之十大宗教』を上梓する。これは冒頭で触れた「世界宗教」論に似ているが、しかし「祖先教」たる神道を真っ先に除外していた。

さらに翌一八九八年、第一次大隈内閣文相・尾崎行雄の「共和演説」事件が起こると、久津見は『万朝報』で「民主元素」重視の立場を採り、藩閥の御用学者による「国家主義、日本主義、若くは祖先教」の横行を批判する。この民主論は、山県有朋の支援で木村鷹太郎ら『日本主義』同人が創刊した新聞『京華日報』などにより攻撃され、巣鴨監獄教誨師問題（仏教とキリスト教の争い）とともに尾崎罷免の一因となった（小股憲明『明治期における不敬事件の研究』思文閣出版、二〇一〇）。「宗教」と「祖先教」の対立は、政治問題にも存在感を示したと言えよう。

いよいよ内地雑居が開始される一八九九年には、第二次山県内閣が、仏教や教派神道に加えてキリスト教を対象とする「宗教法案」を提出した。法案は仏教界の反対を多く受けて廃案になるものの、翌一九〇〇年には内務省社寺局が神社局と宗教局に改組されるに至っている。先述の神祇官論者が求めてきた神社と宗教との区別の明確化は、ここにおいて一定の成果を得た（山口輝臣『明治国家と宗教』東京大学出版会、一九九九）。

その間の一八九九年に久米邦武が発表した「国体論」（『太陽』五巻三号）は、藩閥と従来の国体論を「共和政治と立憲政治との差別も判し得ぬ人の迷想」だと批判し「憲政」と対比する点で、尾崎に味方するものだった。注目すべきは、「北海道も台湾も」伊弉諾・伊弉冉の国生みに含まれないが「外なりとて国体の外におくべき歟」、というように植民地を組み込む新たな根拠づけの必要を説き、「蛮民」も含む「君民の結合力」として「神教」を挙げたことである。祭天論文が日本の国体を論じた際、神道の一神教化によってアイヌと、宗教としての仏教によって台湾原住民と、それぞれ差別化していたのとは強調点が異なってきているのだ。

この「神教」について、一九〇二年に久米は「神教と世教との衝突」（『太陽』八巻一二号）を著し、神教すなわち「宗教の本義」を「世界一致の公徳」と位置づけた（当時「公徳」は帝国教育会などで盛んに議論されていた）。西洋が「神教」を主とするのに対し、東洋は現世の「世教」としての儒教を主とするが、君主制ではなく「憲政の下に生命財産を保護され」「一球世界相共に交通往来する」まさにグローバル化の時代において、もはや一国内の「世教」では「社交」を支えることはできない、という議論だ。「神教」たる仏教・キリスト教・イスラム教には優劣をつけず、神道にもそうした「世界の教」の可能性があることをほのめかす。

†「宗教」の行方

こうした宗教論はどこへ向かっていくのか。同じ一九〇二年の東京専門学校における古代史講義で、久米邦武は祭天論文への自己批判を明言した（『日本古代史講義』上編、一九〇二）。そこには、一〇年の間に起こった様々な時代状況の変化が象徴的に表れている。

まず久米は、教典や教祖を「宗教」定義の要件とせず、それ以外の現象も含めて「宗教心」をキーワードに説明するようになった。一神教や多神教といった宗教類型についても、どれかを絶対視するような価値判断を弱めている。日本における具体的な宗教心の表れとしては、「天」への信念に加え、例えば「祖先教の俗」も明白だとした。

このような宗教定義の変化は、宗教学という学問知の進展に並行したものだ。先述の岸本能武太（のぶた）は一九〇二年、神道の「祭天の古俗」と「祖先崇拝」をいずれも宗教だと述べており（『比較宗教一斑』）、一九〇五年に姉崎正治が東京帝大に設けた宗教学講座は世界的に見ても早い部類に属する。また、一八九九年の万国東洋学会で穂積陳重（のぶしげ）が祖先崇拝の文明性をアピールしたように（問芝志保（といしば）『先祖祭祀と墓制の近代』春風社、二〇二〇）、国際社会における日本の立ち位置が変わるなかで必ずしもキリスト教に同一化する必要がなくなってきていたと言えよう。

　とりわけ神道の源流として久米が新たに重視したのは、「産土神」の農村祭祀だった。それは日韓や「閩」（福建）に南方から来た人種が持ち込んだもので、人種を超えて「祭式」を共有する「国民の宗教心」統合に役立ち、中国の「社稷」にも近いのだという。日韓閩の人種論自体は祭天論文以前から説いていたが（「日本幅員の沿革」『史学会雑誌』一号、一八八九）、産土神による神道の共通性という形で具体化した点が新しい。このときの南方人種論を竹越与三郎の日台同祖論と関連づけた研究がある（秋元信英「久米邦武と竹越与三郎の連続性」『國學院女子短期大学紀要』五巻、一九八七）。一九一〇年の「倭韓共に日本神国なるを論ず」では朝鮮における「神社問題」に言及し、「朝鮮国民」を「神道の信者たるべきもの」だと主張した。

　産土神について久米はさらに一九一一年、「自治」に基づく確実な「国体」の基盤という位置づけをも与えている（「産土神と国体」『青年講習録』一期五〜六巻〔成田山仏教図書館蔵〕）。地方改良運動や神社整理による再編（神社中心主義）を経て地域神社における青年神職層の存在感が増し、神社が有する「宗教」としての意味合いをめぐる論争が盛んになっていくのは、まさにこの前後からだ（畔上直樹『「村の鎮守」と戦前日本』有志舎、二〇〇九）。

　国家との関わりが強まったのは神社だけではない。一九一〇年の大逆事件（幸徳秋水のような宗教批判者のみならず、大石誠之助や内山愚童といった宗教者も連座した）を受け、内務次官・床次竹二郎は一九一二年に三教会同を開く。教派神道・仏教・キリスト教の代表者を集めたこの集会では、各宗教による「皇運」の扶翼や「国民道徳ノ振興」が打ち出された。同年の民間では成瀬仁蔵や姉崎正治が帰一協会を結成し、「信仰問題」を議論しはじめる。その背景には一九〇七年の大隈重信による東西文明調和論などの動向もあった。

そして帰一協会においては、参加者の間で、諸宗教を「新宗教」「倫理的宗教」として統一することを望むか、個々の宗教が差異を認め合いながら対話する場自体に意味を見出すか、という形での差異が存在し、井上哲次郎は前者、姉崎は後者だった（見城悌治編著『帰一協会の挑戦と渋沢栄一』ミネルヴァ書房、二〇一八）。二〇年ほど前の井上による比喩に戻れば、「天照大神と耶蘇の神」を抽象的な倫理のレベルで合一させるか、「宗教」という共通の枠組みさえあれば合一の必要まではないか、という方法論の違いとも言えよう。このような「倫理的宗教」と個別宗教の論争は以前から存在しており、諸宗教の具体的な実践が種々の「修養」として捉えなおされつつ宗教の境目を超えて広がっていく契機にもなった（栗田英彦「明治三〇年代における「修養」概念と将来の宗教の構想」『宗教研究』八九巻三輯、二〇一五）。

同じ明治末に意外かつ特異な形で合一論を継承した人物としては、かつて「宗教」を強く排撃したはずの木村鷹太郎がいる。木村は一九一〇年代から、語呂合わせによって世界と日本の様々な歴史的人名・地名を結びつける荒唐無稽な「新史学」を主張しはじめた（長山靖生『偽史冒険世界』ちくま文庫、二〇〇一／小澤実編『近代日本の偽史言説』勉誠出版、二〇一七など）。そのなかで、日本の天照大神を慕うユダヤ人の「夢想」としてヤハウェを位置づけ、王政復古ならぬ「世界の神政（しんせい）を復古」すべきだと唱えるなど、神道についても宗教や「天」の要素を認めるようになっていった（『世界的研究に基づける日本太古史』上下巻、一九一一〜一九一二）。

木村のような議論を「古代盲僧（こだいもうそう）」と笑うのは容易い（『新仏教』一四巻三号、一九一三）。しかし、新史学の支援者にはかつて『日本主義』と対立した竹越与三郎が衆議院議員の肩書で名を連ね（『日本民族』一巻一号、一九一三）、木村は黒龍会へも社友として出入りしている（『亜細亜大観』一九一八）。もちろん木村と人脈的につながっていたとしても新史学の中身をそのまま受け入れた例はほとんどないだろうが、新史学は社会心理の極端な一面を切り取ってみせたのである。「神政復古」の語が大正期に大本（おおもと）の出口王仁三郎（でぐちおにさぶろう）などによって多用されたように、「宗教」をめぐる様々な想像力は、人々を結びつけながら本格的にアジアをも目指していくこととなる。

さらに詳しく知るための参考文献

森鷗外（おうがい）「かのやうに」（『中央公論』二七年一号、一九一二）……大逆事件や南北朝正閏論争といった時代状況のなか、三教会同の直前に発表されたこの小説は、「神話」が歴史上の「事実」ではないという「宗教問題」が「祖先崇拝の教義や機関」に「危害」を加えないようにするためにはどのような論法を打ち出せばよいか、その論法は果たして有効か、という思想課題をテーマとしたものだ。単行本や全集など色々なバージョンがあり、現在は青空文庫で手軽に読むことができる。

藤原聖子(さとこ)編『日本人無宗教説』（筑摩選書、二〇二三刊行予定）……近現代日本の宗教史を一冊の本で見通すのはなかなか難しく、小倉慈司(しげじ)・山口輝臣『天皇の歴史9　天皇と宗教』（講談社学術文庫、二〇一八）や小川原正道『近代日本の戦争と宗教』（講談社選書メチエ、二〇一〇）のように何らかの切り口が必要になる。〝日本人は無宗教だ／無宗教ではない〟という議論の変遷を追いかける本書は、本講の担当者が明治期の章を執筆し、本講と相補的な内容になっているため、ぜひ併せてお読みいただきたい。

井上順孝(のぶたか)編『近代日本の宗教家101』（新書館、二〇〇七）……本講が扱えなかった中山みきや出口なおなども含め多種多様な宗教家が紹介されているので、気になる人物が見つかるはずだ。宗教家と大衆の接点をめぐる新たな動向としては、大澤絢子『「修養」の日本近代』（NHKブックス、二〇二二）や栗田英彦・塚田穂高・吉永進一編『近現代日本の民間精神療法』（国書刊行会、二〇一九）がある。

島薗進・末木文美士・大谷栄一・西村明編『近代日本宗教史』全六巻（春秋社、二〇二〇～二〇二一）……近現代日本における宗教や宗教らしきものの歴史に特化した初の講座論文集。明治後半期を扱う第二巻は「国家と信仰」と題されている。本講では触れられなかった「宗教」という枠組みそのものの抑圧性については、第一巻の桂島宣弘「宗教が宗教になるとき」を参照してほしい。

山崎渾子(みなこ)『岩倉使節団における宗教問題』（思文閣出版、二〇〇六）……残念なことに品切れだが、外交と宗教の関わりや久米邦武の宗教観が気になった方には欠かせない。祭天論文の受容史については、先述の秋元論文に続き木村悠之介「再生する平田篤胤」（山下久夫・斎藤英喜編『平田篤胤』法藏館、二〇二三刊行予定）が取り組みはじめた。なお、本講が扱った久米による著述のうち文中に出典の付記がないものは『久米邦武歴史著作集』第二～三巻（吉川弘文館、一九八九～一九九〇）に収録されている。

コラム4 新仏教

高橋 原

肺病患者が、宗教の発明者だらうかと近頃は考へはじめ申候、高山君の日蓮カブレから、浩々洞諸君の気焔は皆これ肺病の気焔に候。若し宗教には狂熱とやら申すもの必要に有之候はゞ、どうしても神経の過敏になりたる肺病患者は宗教者に相当に候。（虎涙「そろそろだより」『新仏教』三巻三号）

これは、美文調の文体に当時の学生たち誰もが一度は憧れると言われた高山樗牛、真宗大谷派の僧侶で私塾浩々洞を率いた清沢満之に対して、二人の思想と信仰は肺病病みの感傷にすぎないだろうと揶揄した文章である。これを掲載したのは、一九〇〇（明治三三）年に高島米峰、境野黄洋ら、井上円了の創立した哲学館（現在の東洋大学）出身者を中心とする青年仏教徒によって結成された仏教清徒同志会（後に新仏教徒同志会）の機関誌『新仏教』であった（大谷栄一・吉永進一・近藤俊太郎編『近代仏教スタディーズ――仏教からみたもうひとつの近代』法藏館、二〇一六）。

仏教清徒同志会は次の六箇条を綱領として掲げた。

一、我徒は仏教の健全なる信仰を根本義とする／二、我徒は健全なる信仰智識及道義を振作普及して社会の根本的改善を力む／三、我徒は仏教及其の他宗教の自由討究を主張す／四、我徒は一切迷信の勦絶を期す／五、我徒は従来の宗教的制度及儀式を保持するの必要を認めず／六、我徒は総べて政治上の保護干渉を斥く

彼らは、特定教団や宗派の教理にとらわれない「通仏教」の立場から、批判的理性や学問的知識を駆使した「自由討究」によって、新時代にふさわしい社会倫理の確立を志した。日本仏教に染みついてきた儀式の要素や一切の迷信を否定する。彼らの合理的立場はキリスト教におけるユニテリアンのそれに近いものであり、今日まで続く「葬式仏教」批判のひとつの源流と見ることもできる。

毎月発行された『新仏教』のページからは、堅苦しい宗教運動とはまた違った印象を受ける。硬派な論説の他に、「将来の宗教」「来世の有無」といったテーマで数多くの識者からコメントを集めた特集記事もあった。また、正岡子規門下の根岸派の歌人たちが歌を寄せ、結城素明、平福百穂、石井柏亭らの挿絵が誌面に文芸雑誌のような

彩りを添えていた。目次にならぶ筆名の中には正体のよくわからない「古田ぬき子」「古木つね子」（古狸、古狐をもじったもの）などというものもあり、読者の消息欄や私信欄からも、気心の知れた者同士が交流する同人誌的な雰囲気があふれている。『新仏教』が結びつけた人脈の中には、堺利彦、幸徳秋水などの社会主義者も含まれていた。一九一一（明治四四）年に、『新仏教』は、大逆事件で処刑されたばかりの幸徳の遺稿『基督抹殺論』の広告を堂々と掲載した。「満天下の憎読を冀ふ」という諧謔味と反骨心があふれる宣伝文句がこの雑誌の精神を示す真骨頂であった。『新仏教』は三度の発禁処分を受け、官憲による会員の尾行や戸別訪問も行われるにおよび、結局、一九一六（大正五）年に一六巻八号をもって廃刊する。

彼らは活字メディアを中心に言論活動を展開したが、毎月開催した演説会にも百人二百人という聴衆が集まっていた。当時の東京市内では、日曜日ごとに、本郷教会の海老名弾正や求道学舎の近角常観など、名を知られた説教者が煩悶する青年たちを感化していたが、そういうところに彼らも割って入ったわけである。

だが、「健全なる信仰」を旨とし、権威を笑いとばす彼らは、煩悶しない仏教青年であった。その批判精神の矛先は、喫煙の習慣など小さなことにも向けられたが、宗教に政治が干渉すべきでないという綱領にしたがい、一九一二年の三教会同には反対のキャンペーンを張った。三教会同のブレーンとなった姉崎正治（あねさきまさはる）、その師である井上哲次郎（てつじろう）もばっさりと斬り捨てている。私学哲学館に集い、帝国大学出身のエリートたちに対抗心を燃やす、新仏教徒たちの在野の気概を感じさせるものである。

> 井上君でも姉崎君でも、宗教家と言へようが、少し位宗教のことを研究したからッて、直に宗教家ぶられてはたまらない。又こンな人達の助勢を得なければ、仕事が出来ないといふ日本の宗教界も憐れむべきものではないか。ァさうか、井上君が理想教の開山で、姉崎君が神秘教の元祖か。（高島米峰「某先生の談片」『新仏教』五巻六号）

明治から大正にかけて、仏教を旗印にした青年たちの元気がよかった一時代があったのである。この時期の通仏教的な結社活動一般を「新仏教運動」と呼ぶが（中西直樹『新仏教とは何であったか――近代仏教改革のゆくえ』法藏館、二〇一八）、雑誌『新仏教』はそれを活写する好材料として残されている。

第11講

南北朝正閏論

千葉　功

†「正統」とはなにか

かつて、過去の皇統における「正統」をめぐっておおきな政治・社会問題と化し、論争がまきおこったことがあった。一九一一（明治四四）年の南北朝正閏（せいじゅん）問題（論争）である。この内容に入るまえに、日本における「正統」概念とはなんだったのかについて、かるく触れておきたい。

後半生をあげて「正統と異端」研究に真摯にむきあい続けた丸山真男によると、「正統」にはＯ正統とＬ正統の二つがあるという（東京女子大学丸山眞男文庫編二〇一八）。

Ｏ正統のＯとはOrthodoxyであり、宗教等の教義における正統性をさす。その対立概念は「異端（Heresy, Heterodoxy）」となる。いわゆる「正統と異端」である。かたや、Ｌ正統のＬとはLegitimacyであり、政権等の統治における正統性をさす。

丸山によると、複雑なことに漢語としての「正統」には、O正統（道統）とL正統（治統）の二つがあった。さらに、後者にも、広狭の二義があった。広義の王朝継承関係の意味での「正統」の対立概念は、「簒奪」となる。それにたいして、より狭く同系王朝のなかの複数的な王位継承候補者の意味での「正統（正系・正）」の対立概念は「傍系」または「閏位」などとよばれると丸山はいう。

ちなみに、筆者（千葉）が思うに、ヨーロッパ語では「正統（legitimacy）」の対立概念は「偽（falsity）」になるのではないか。よって、漢語の「閏」に厳密な意味で対応するヨーロッパ語はないと思われる（私はspareが比較的近いと思うが、どうだろうか）。

さて丸山は、さらに日本においては、中国とも異なる独特の正統論になるという。すなわち、『神皇正統記』などにみられる日本のL正統は、王朝継承関係、すなわちよそからきて権力を奪うという「簒奪」がないため、同系王朝のなかの王位継承のみが問われることになる。よって、徳治主義的正統性を問う中国正統論にたいして、日本では皇統一系的正統性を問うものとなり、中国思想の日本化といえるという。実際、後述するように、日本の漢学者は万世一系における「正しき皇統」の意味で「正統」をもちいるのである。

以上のように丸山は用語を設定したうえで、O正統がL正統へ転化する現象の究明に全力をあげた。そのため、もっぱら過去の南北朝時代におけるL正統そのものをめぐって深刻な政治・社会問題と化した「南北朝正閏問題」に関しては、丸山はほとんど語ってくれない（南北朝正閏論が、「国体論」をめぐる〇正統論争のカテゴリーに入れて論じることができることを指摘するぐらいである）。

ちなみに、南北朝正閏問題においておおきな影響をあたえた『神皇正統記』と『大日本史』における「正統」のとりあつかいについても、簡単にみておきたい。

『神皇正統記』における「正統」とは、神武天皇にはじまり後村上天皇にいたる父子一系の血統をいう。この系列に属する天皇は「第〇〇世」と表示される。この一系の血統こそが「まこと」（真実）であり、〈皇位継承の本体〉であるとみなされた。もちろん、著者の北畠親房は南朝方の公家なので、南北朝時代にかんしては後醍醐―後村上が「正統」とされる。そして、『神皇正統記』においては、「正統」の対立概念は「傍」「かたはら」（傍流）とされた（河内祥輔『中世の天皇観』山川出版社、日本史リブレット、二〇〇三）。

一方、水戸藩の『大日本史』は、林家（林羅山・鵞峰）の二元的正閏説（南北両朝の両帝号・両年号を並記し両者の間に軽重の差をつけない）を断固排する方針で編纂され、それも南朝正統を採用したことが三大特筆のひとつとなった。具体的には、天皇の伝記にあたる「本紀」には南朝の天皇の方を採用し、北朝に関しては「北朝五主紀」を「後小松天皇紀」のはじめにかかげることで処理した（もともとの旧「紀伝」では、北朝五主は「本紀」ではなく、臣下の伝記にあたる「列伝」に降ろしてさえいた）（安川実『本朝通鑑の研究　林家史学の展開とその影響』言叢社、一九八〇）。また、南朝は「〇〇天皇」と呼称するのにたいして、北朝は「〇〇院」ないし「〇〇帝」と呼称することで差別化する。

†南北朝正閏問題の突発と「第一の政治決着」

丸山のいうL正統、それも過去の皇統におけるL正統をめぐって、明治末年にとつぜん起こったのが、南北朝正閏問題であった。この問題は、義務教育で使われる教科書の記述内容が焦点となった。

一九〇三年に教科書の国定制が導入され、小学校の国史も国定教科書となった。さらに、一九〇七年に義務教育年限が四年から六年に延長されると、いままで高等小学校一・二年に配当されていた国史が尋常小学校五・六年配当の科目となった。すなわち、小学校国史の教科書記述が二重に焦点化するのである。

さて、国定期の前の検定期においては、教科書は南朝正統論が圧倒的であった。そのようななか、あらたに国定教科書の編纂を担当するようになった喜田貞吉（きたさだきち）には迷いがあった。喜田には、宮中において皇統譜調査が完了していない段階で、軽々しく正閏論を持ち出すべきではないのではないかと思われた。また、教科用図書調査委員会で喜田に同調することになる三上参（みかみさん）

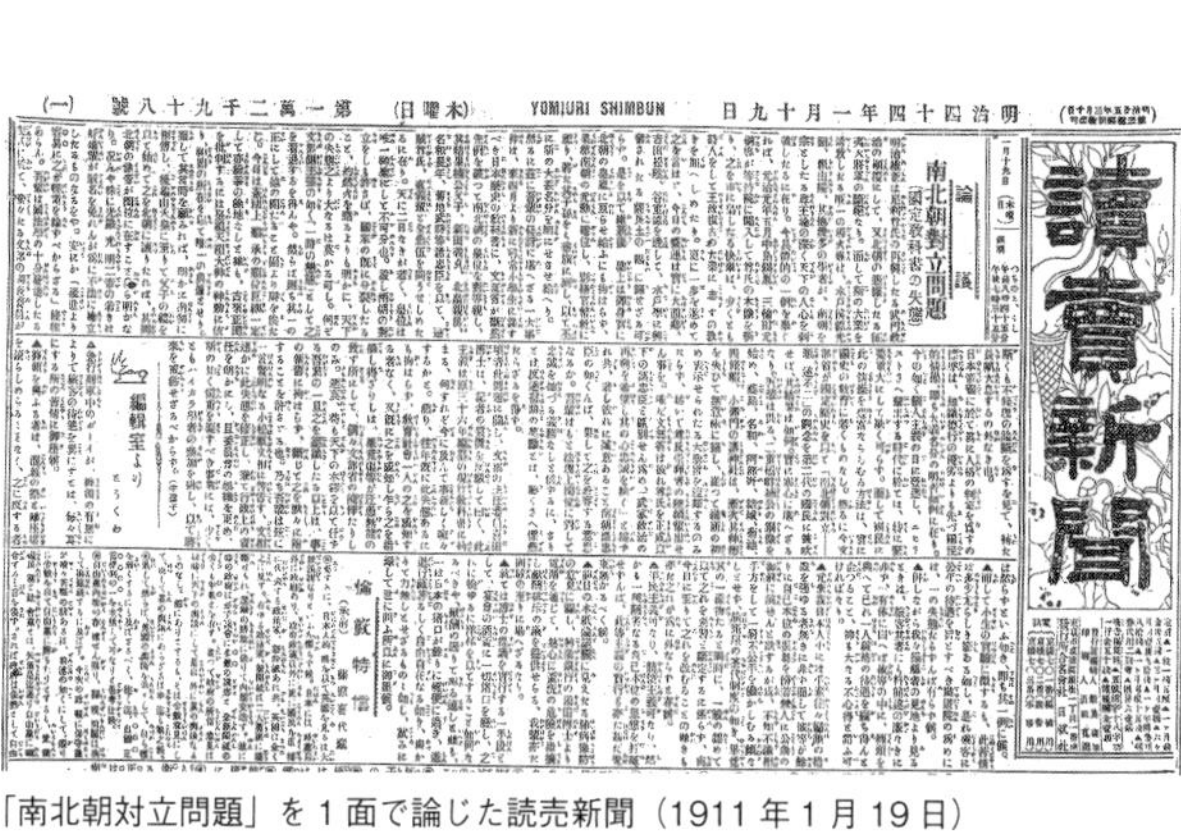
讀賣新聞

論議

南北朝對立問題

（國定教科書の失態）

編輯室より

倫敦特信

「南北朝対立問題」を１面で論じた読売新聞（1911年1月19日）

次も、中国のように易姓革命のない万世一系の日本の国体では、そもそも正閏論は不要であるとの立場であった。結局、新たに作成された国定教科書（第二期）のうち、教師用教科書（一九一〇年六月発行）では、南北朝について「容易に其の間に正閏軽重を論ずべきに非ざるなり」という記述になった。

当初この第二期国定教科書の記述はとくに問題とはならなかった。しかし、東京市立富士前小学校の校長で南朝正統論者の峯間信吉がこの記述に気づき、運動を開始、友人で読売新聞記者の豊岡半嶺（茂夫）にもちこんだ。『読売新聞』一九一一年一月に掲載された論説は大逆事件の判決にあえてぶつけられたため世間の耳目をあつめるかに思われたが、世間は千里眼事件（透視・念写といった超能力の真偽をめぐって起こった騒動）の方に関心を向けていた。そのようななか、記事にするどく反応したのが早稲田大学の漢学者（牧野謙次郎・松平康国）たちであった。

「南朝正統論」の立場から政争化をはかった「大日本国体擁護団」のメンバー。前列右から２人目から松平康国・犬養毅・大木遠吉、後列右から３人目が牧野謙次郎、５人目が内田周平（内田周平『南北朝正閏問題の回顧』谷門精舎、1938）

既成政党に利用されるのをきらう牧野・松平は、牧野のいとこで無所属の代議士藤沢元造に衆議院での質問を依頼した。こうして、南北朝正閏問題は、ようやく世間の耳目を集めだした。

しかし、二月に予定されていた藤沢の弾劾質問は、桂太郎内閣がさきまわりして藤沢に教科書の改定を内密に約束したため、不発におわった。このようななか、桂内閣と立憲政友会との妥協体制（「桂園体制」）から疎外されていた犬養毅ら立憲国民党が同問題の政争化を決断し、大逆事件と連動させるかたちで政府弾劾決議案を提出した。貴族院において幸倶楽部・研究会の与党体制から疎外されていた大木遠吉ら伯爵同志会も、この動きに同調する。ここに、南北朝正閏問題は、重大な政治問題と化したのである。

政府弾劾決議案は提携する政友会の多数をもって否決に持ちこむことに成功したが、それでも桂内閣の対応は後手後手にまわっていた。元老の山県有朋は、対応が遅く、連絡もよこさない桂内閣に激怒する。ようやく桂首相も、二月末〜三月初頭にかけて南朝正統を閣議決定→明治天皇へ上奏→枢密院の審議をへて、南朝を正とする御沙汰をえた。このように政治主導で南朝正統が確定し、国定教科書の「南北朝」の表記も「吉野朝」へとあらためられる。「第一の政治決着」である。

†北朝正統論と南北朝対立（並立）論

この間世論が沸騰して、南北朝正閏問題がおおきな政治・社会問題と化すと、多くの論者がメディアに談話や論説をよせるようになった。過去に属することとはいえ、現皇室にもつながる皇統の是非をめぐって、メディアで大々的に論争が行われたのであるが、そのこと自体が南北朝正閏問題のいちばんの特徴である。しかも、この論争にたいして、検閲がおこなわれた形跡はまったくみられない。元老の山県は南北正閏の是非以上に、皇統をめぐって人びとが言いたい放題であることに、苦虫をつぶしていた。

また、「論争」といったが、厳密には「論争」とはいえない。各自がまるで信仰告白のように、自分のスタンスを表明するために言い放しするだけで、ほとんどかみあっていない。特定の論者を非難する場合、相手の言説を正確に読みとったうえで反論するといった作法やかまえも、もちろんとらない。そのため、実は「論争」も「構造」というほど体系だったものでなかったことは、最初にことわっておきたい。

この論争にかんして、史学史において刺激的な研究をしている廣木尚（ひろきたかし）は、「極言すれば」とのことわりつきで、次のようにいう。すなわち彼は、北朝正統論・両朝並立論・南朝正統論の三者とも国体論を共有していたことを指摘したうえで、その違いを、血統に従うか、「臣民の分」を守り南北両朝に軽重を付さないという判断停止の立場をとるか、「道義」を優先するか、の違いにすぎないとまで言いきる（廣木二〇二二）。しかし、こう書いてしまうと話が続かないので、もう少し述べておきたい。

南北朝正閏論争では、ごく少数の北朝正統論者と圧倒的多数の南朝正統論者とが激烈に対立したが、実は両者は「正閏」という枠組みにのっとっている点では共通している。そのうえで、南北朝のどちらが「正統」で、どちらが「閏統」であるかを争ったのである。

北朝正統論者は、北朝の方が事実上優位であったことを論拠にすることが多い。たとえば、早稲田大学史学科講師の吉田東伍（四八歳、数え年、以下同じ）は、「国家の威力」を重視する。また、同じく早稲田大学で政治学などを講義していた浮田和民（うきたかずたみ）（五三歳）になると、皇系の正閏を判断するにあたって、「天下の帰順」「民心帰服」「天下の民心順服」という条件を特に重視するのである。

それが、南北朝対立（並立）論者になると、南朝正統論者や北朝正統論者とちがって、そもそも「正閏」という枠組みをとらないか、とるに足らないものとして処理する。

一八九二年の久米事件後、当時早稲田大学教授となっていた久米邦武（七三歳）や三上参次（四七歳）は、万世一系の日本は易姓革命の中国とは国体が異なっており、正閏論は無用だと考える。そのうえで久米は、南北朝を会社にたとえたうえで、大切な「根帳（ねちょう）」（台帳のこと）は京都にちゃんとしていたという。また三上も、南北朝時代は河が一時岩によって二流に分かれながら、やがて再び合流したというたとえ話をもちいる。

†南朝正統論の古典的論法

若干数の北朝正統論者・南北朝対立（並立）論者以外の圧倒的多数は、南朝正統論者である。ただし、なぜ南朝が正統であるのかとなると、その論法には微妙に幅がある。

南朝正統論者のうち圧倒的多数は、「正閏」という枠組みにのっとって持論を展開している。特に、当時六〇歳前後以上の者（楫取素彦（かとりもとひこ）（八三歳）・北畠治房（はるふさ）（七九歳）・大隈重信（七四歳）・小牧昌業（まきなり）（六九歳）・高島鞆之助（とものすけ）（六八歳）・千家尊福（せんげたかとみ）（六七歳）・伊沢修二（六一歳）・目賀田種太郎（五九歳）・杉浦重剛（五七歳））は、そもそも南北朝正閏などわかりきったはずの話で、南朝正統できまりきっているではないかと、切って捨てる態度をとる。

それが、六〇歳前後以下となると、南朝を正統とするにしても、判断するための根拠をいろいろとあげることが多くなる。それも、年長者になればなるほど、三種の神器の所在などを根拠にすることが多くなるのにたいして、年少者になってくると、より「科学的」な根拠を示そうとする傾向が強い。

南朝正統論に関して、オーソドックスで古典的な論法を展開したのが、早稲田漢学者グループの牧野謙次郎（五〇歳）・松平康国（四九歳）や、市村瓚次郎（さんじろう）（四八歳）といった漢学者たちである。彼らは漢学者とはいえ、日本の国体が万世一系である点で易姓革命の中国とは異なる（ここまでは南北朝対立論者の久米や三上と一緒）点を強調したうえで、だからこそ南北朝の「正閏」を判断する必要性があることを強調する。日本は万世一系であるからこそ、もっとも重んじ尊ぶべき皇統に二種あるのはゆるしがたいのである。

南北朝正閏問題の政争化にかかわった政治家（犬養毅〔五七歳〕・福本日南（にちなん）〔五五歳〕・小久保喜七〔四七歳〕・大木遠吉〔四一歳〕）自身も論争に参加しているが、その論理をみると独自のものというよりも、当時多くの人に受け入れられそうな、古典的でオーソドックスな論法を展開していたと思われる。

一方、教育関係者にかんしては、前文部大臣・次官だった牧野伸顕（のぶあき）（五一歳）・沢柳政太郎

（四七歳）は、今回の事件の責任が遡及的に問われていたということもあって、弁明的といってよい。このような元文部当局者にたいして、在野の教育関係者には正閏問題を利用して教育界ないし文部当局への批判につなげる者（樋口勘次郎（四一歳）・木山熊次郎（黙山、三二歳））もいた。

また、帝国大学文科大学国史科を喜田貞吉と同時期に卒業して教育畑に進んだ菊池謙二郎（四五歳）や著述家の笹川臨風（りんぷう）（四二歳）は、南北朝に関する見方を喜田と共有しなかったどころか、古典的な南朝正統論を展開していた。

西洋概念の援用

以上みてきたような古典的な論法のみならず、南北朝正閏論争では近代らしく西洋概念を援用した論法もかなりみられるのが興味深い。以下、これも簡単に紹介していきたい。

「国民道徳論」をとなえたことで有名な哲学者の井上哲次郎（五七歳）は、万世一系の皇統こそ日本の国体の基礎であり、過去・現在・未来を一貫して永久不変であるべき性質のものであるという国体の第一義諦（「フォルスト、プリンシプル」）を了解させる必要を説く。

また、慶應義塾長の鎌田栄吉（五五歳）や『万朝報』の無署名社説などは、南朝＝de jure、北朝＝de facto としたうえで、勢力をもって de facto を推すような「実力主義」にたいするつよい反発がみてとれる。たとえば、国学者の高橋龍雄（梅園、四四歳）などは、北朝正統論の浮田を「権力即正義（マイト、イズ、ライト）」（Might is right）といふ西洋の悪言を崇拝する学者」であると断罪する。法学者の副島義一（そえじまぎいち）（四六歳）や、歌人で弁護士の平出修（ひらいでしゅう）（三四歳）は、あくまで事実よりも法理を優先して、南朝正統を主張する。ちなみに、「島帝国」論で有名な海軍軍人の佐藤鉄太郎（四六歳）や宗教学者の姉崎正治（三九歳）は、西洋概念ではないけれど、「霊」「霊力」「霊位」「霊身」「霊徳」といった用語を使用したり、『神国王書』・「五重玄義」に依拠するなど、日蓮宗（日蓮主義）の影響の色濃くみられるのが異色である。

一方で、喜田と同じころ帝国大学文科大学国史科を卒業した「官学アカデミズム」第二世代でも、前述の菊池や臨風とはちがって、古典的な論法ではない新たな論法を展開した者もいた。すなわち、京都帝国大学文科大学史学科教授の三浦周行（ひろゆき）（四一歳）は、南北朝の争いは「武家」と「公家」の争いだという「科学的研究」を認める。また、東京帝国大学文科大学助教授として国史学を講じていた黒板勝美（くろいたかつみ）（三八歳）は、歴史事実にもとづく「科学的」方法を唱えるため、「三種の神器」の所在や血統ではなく、「主権」というきわめて近代的な概念を用いた。このように、三浦や黒板には、南朝正統論に与する点で一見すると古めかしい発想に思えながら、「官学アカデミズム」第二世代らしく、新規な論法を駆使する「新しさ」があったのである。

以上みてきたように、南朝正統論にもさまざまなバリエーションがある。ただし、これら南朝正統論は、後述する「北朝抹殺論」を除いて、たとえ北朝を正統ではないと考えるにしても、同じ皇統をつぐものとしてそれなりの敬意をはらう点では共通している。すなわち、北朝五代を「天皇」と表記したり、『太平記』や『大日本史』にならって「院」と表記（「光厳院」「光明院」とか）したりするのである。

†北朝抹殺論と「第二の政治決着」

北朝正統論も南朝正統論も、ほとんどが正閏という枠組みをとることは、先述のとおりである。この場合、「正統」の対立概念は「閏統」になる。ただし、南朝正統論のなかには、「正閏」という枠組みをとらないものも、若干ながらあった。それは、「北朝抹殺論」とでも呼べるものである。

「国粋主義」をとなえたことで有名な政教社の三宅雪嶺（五二歳）、「新史学」といういわばトンデモ歴史学をちょうど同時期にとなえだす木村鷹太郎（四二歳）、「東京文科大学尊皇生」、そして憲法理論として「天皇主権説」を護持した東京帝国大学法科大学教授の穂積八束（五二歳）は、「正閏」ではなく「正偽」「真偽」としてとらえるため、「正統」の南朝に敵対する北朝は「偽」朝あつかいする。北朝の光厳・光明なども、「天皇」や「院」ではなく、単なる「親王」に格下げされる。このいわば西洋的といってもよい考え方は、南朝正統論者のなかでは圧倒的に少数であった。多くの南朝正統論者にとって、北朝の天皇（帝）も南朝とおなじく皇統をついでいるのであって、それを「偽」天皇として抹殺するのはしのびがたいのである。

　このように、北朝抹殺論は南朝正統論のなかでもきわめて少数に属した。しかしながら、実際の政治過程においては重要な影響をおよぼすことになる。

「第一の政治決着」によっても、教科書における実際の記述は教科用図書調査委員会の審議・決定にまたなくてはならなかった。委員は、東京帝国大学の歴史学系（喜田・三上）がぬけて、歴史教育系（三宅米吉・重田定一）で補充され、この三宅・重田の線で原案が会議に提出された。ただし、同年五～七月の第二部会や総会では、原案をはさんで、かたや史実を重視する「史実論」派（市村瓚次郎・萩野由之など）と、憲法理論をもって史実を裁断（具体的には、北朝を「偽」として抹殺）する「憲法論」派（穂積八束など）とがはげしく対立して、原案は板ばさみ状況におちいった。激論のすえ、おとしどころとして原案の線で会議は議決した。

　しかしながら、会議のあと、穂積が小松原英太郎文相に直接はたらきかけ、より北朝抹殺論に近づけるかたちで桂内閣は閣議決定、「第二の政治決着」がおこなわれた。具体的には、教科書記述の「光厳天皇」「光明天皇」はそれぞれ「光厳院」「光明院」とした。また、北朝の天皇を歴代表から削ったばかりでなく、略系図では光厳・光明を「親王」として、崇光・後光厳・後円融を「王」として記載することになった。この政治決着によって、喜田も嘆くように、つじつまのあわないことがでてくるのである。

さらに詳しく知るための参考文献

東京女子大学丸山眞男文庫編『丸山眞男集　別集　第四巻　正統と異端一』（岩波書店、二〇一八）……未刊に終わった『近代日本思想史講座　第二巻　正統と異端』（筑摩書房）執筆のための研究会が丸山の晩年まで続いたが、そのテープ起こし原稿などを収録したもの。その経緯ないし史料の残存状況からいって、断片的たらざるをえない。しかし、中田喜万の懇切丁寧な解説により、丸山が深めつづけた「正統と異端」にかんする思索のあとをかいま見ることができる。

林文孝「第二章　正統について」（伊東貴之編『シリーズ・キーワードで読む中国古典4　治乱のヒストリア――華夷・正統・勢』法政大学出版局、二〇一七）……紙幅の関係で今回ふれることができなかった中国における「正統」論を分析した研究。この研究を読むと、易姓革命の中国にたいして万世一系の国体を有することを強調する日本の漢学者が、「正統」「閏統」といった概念を援用しながら、独特な意味内容をこめていたことが逆によくわかる。

廣木尚『アカデミズム史学の危機と復権』（思文閣出版、二〇二二）……南北朝正閏問題に関する史学史的研究の現在の到達点。史学史研究は従来「業界史」のようなおもむきがあったが、廣木の研究は思想史のなかに史学史を位置づけていておもしろい。この研究をのりこえていくことが、後進の課題となろう。

千葉功「南北朝正閏問題再考」（『学習院史学』五七号、二〇一九）……本講執筆者による南北朝正閏問題にかんする、いまのところのラフ・スケッチ。ただし、紙幅のため史料をほとんど盛りこむことはできず、またこの間著者の考えも微妙に変化している。著者は南北朝正閏問題にかんする文章をまとめて筑摩書房から選書として近日刊行する予定なので、くわしくはそれを待たれたい。

コラム5　明治天皇

国分航士

　ここでは、明治天皇（祐宮〔さちのみや〕、睦仁〔むつひと〕　一八五二〜一九一二）について考える前に留意してもよいと思われることを簡単に確認してみたい。なお、紙幅の関係から、人物（史）としての明治天皇という観点に留める。明治期以降の天皇に関しては、「天皇個人そのものを分析対象」とする研究が積み重ねられつつ、あらためて「天皇制の構造」の分析へと関心が向けられていることを附言しておきたい（河西秀哉「近現代天皇研究の現在」『歴史評論』七五二、二〇一二）。また、明治天皇に関する基本的な事柄は、飛鳥井雅道『明治大帝』（文春学藝ライブラリー、二〇一七／初出一九八九）をはじめ、西川誠『天皇の歴史』七（講談社学術文庫、二〇一八／初出二〇一一）、伊藤之雄『明治天皇』（ミネルヴァ書房、二〇〇六）、笠原英彦『明治天皇』（中公新書、二〇〇六）などで確認できる（西川誠「明治天皇」筒井清忠編『明治史講義【人物篇】』ちくま新書、二〇一八）。

　読み手の関心にかかわらず、明治天皇について知る上で読み進めたいのが、臨時帝室編修局による『明治天皇紀』（宮内庁編、全一二・索引一、吉川弘文館、一九六八〜一九七七）だろう。『明治天皇紀』は、明治天皇の言動や周辺の動静を編年体（重要な事件は、紀事本末体）で記し、その叙述は広範な史料収集を前提とする（小林和幸「『明治天皇紀』」黒沢文貴・季武嘉也編著『日記で読む近現代日本政治史』ミネルヴァ書房、二〇一七など）。『明治天皇紀』の編修については、堀口修による一連の業績が特に参考となる（堀口修「『明治天皇紀』編修と近現代の歴史学」『明治聖徳記念学会紀要』復刊四三、二〇〇六、同「『明治天皇紀』の叙述をめぐる問題について」『同』復刊四七、二〇一〇など）。編修の過程のみならず、臨時帝室編修局に関与した金子堅太郎、藤波言忠（ことただ）、三上参次、渡辺幾治郎（いくじろう）などの役割や個性についても分析が重ねられてきた。

さらに、宮内庁に宮内公文書館が設置され、『明治天皇紀』に関係する文書類の公開が進んでいる。臨時帝室編修局が収集し、『明治天皇紀』の叙述の基となった史料の中には、側近奉仕者などの「談話記録」も数多く存在する（代表的なものは、堀口修監修・編集・解説『臨時帝室編修局史料「明治天皇紀」談話記録集成』全九、ゆまに書房、二〇〇三）。とりわけ、天皇の幼少期から側にあった藤波言忠の影響下で作成された「御逸事」という史料群には、藤波自身の談話に加えて、藤波が聞いた第三者の談話も含まれる（岩壁義光「宮内公文書館所蔵「御逸事」について」『神園』一八、二〇一七、星原大輔「「御逸事」収録の藤波言忠談話の資料的価値」『同』二六、二〇二一）。たとえば、日清戦争に際しての明治天皇と土方久元宮内大臣とのやり取りに関する『明治天皇紀』の記述の典拠の一つである「土方久元談話」と考えられるものは、「御逸事」に遺されている。

このように、明治天皇の動静や発言などは、周囲の人々を通じて伝わってきた。それは、同時代に天皇と接した人々の描いた明治天皇像でもある。また、天皇の「言葉」ということであれば、その他に「詔勅」や「御製」などにも着目できよう。「詔勅」に関しては、その法制化という論点をはじめ、先行研究に譲り（加藤陽子『天皇の歴史』八、講談社学術文庫、二〇一八など）、「御製」に関してのみ言及しておきたい（鈴木健一『天皇と和歌』講談社選書メチエ、二〇一七、松澤俊二『「よむ」ことの近代』青弓社、二〇一四、宮内庁宮内公文書館・明治神宮編『宮中の和歌』明治神宮、二〇一四、打越孝明「明治天皇崩御と御製（上）・（下）」『明治聖徳記念学会紀要』復刊二五・二六、一九九八・一九九九など）。

明治天皇は、和歌を好み、その生涯で約九三〇〇〇首あまりを詠んだという。松澤俊二によれば、明治天皇への和歌の指導を行った高崎正風は、明治天皇の「御製」を広めることが「世道人心の為に非常によい事」と認識し、積極的に「御製」を漏洩させていた。「御製」を天皇の「内面」がそのままに示された「まことの歌」だと捉える高崎は、「御製」を天皇以外の人々が詠む歌の上位に位置づける「「まこと」の発露を基軸とした序列化」を企図したという（松澤、前掲）。また、高崎など個人の果たした役割に加え、御歌所などの組織の実態も注目されつつある（宮間純一「宮内省・宮内府・宮内庁の組織に関する基礎的研究 三」前掲、『宮中の和歌』など）。明治天皇の「内面」を考える上での和歌の位置づけ、明治天皇の「御製」が日本社会において担った機能、そして、そもそも明治天皇が数多くの歌を詠んだことを如何に考えるかなど、明治天皇の「御製」については、興味深い論点を数多く見出すことができる。

最後に、梶田明宏によれば、天皇は「常にその時その時の姿が演出され、作られる存在」であり、天皇とは「そういう存在であるという認識」に留意しておく必要性があるという（梶田明宏「天皇研究の論点」小林和幸編著『明治史研究の最前線』筑摩選書、二〇二〇）。明治天皇という具体的な人格にして制度でもある存在に関して考えようとする際には、天皇という存在に近接するために用いる様々な道具立てについても、その特性や来歴などを自身で確認しておくことが、やはり肝要なように思われる。その上で、道具立てをあえてどのように用いるのか。明治天皇について考えることができること、そして考えるべきことは、そうした作業を経て、より立ち現れてくるだろう。

第12講
新しい女

差波亜紀子

†「新しい女」

管見の限り、日本で「新しい女」に関する雑誌や新聞の記事がよく目に付いたのは一九一一（明治四四）年から一九一七（大正六）年頃までの期間である（「雑誌記事索引データベース　ざっさくプラス」https://zassaku-plus.com/、「朝日新聞クロスサーチ」https://xsearch.asahi.com/）。

とくに記事数が多い一九一三年、雑誌『中央公論』正月号に「新しい女」を寄稿し、「自分は新しい女である。／少なくとも真に新しい女でありたいと日々に願い、日々に努めている。」と宣言したのが、のちに女性解放を唱えた婦人運動家として知られるらいてうこと平塚明子（はるこ）（一八八六～一九七一）であった。この論説は英訳され『ジャパンタイムス』にも掲載された（らいてう研究会編『わたくしは永遠に失望しない――写真集平塚らいてう　人と生涯』ドメス出版、二〇一一）。

もともと「新しい女」は英語の「The New Woman」の翻訳であったが、らいてうは日本の女性運動の旗手として英語圏に紹介されたことになる。

らいてうの公的活動の最初は、一九一一年六月に仲間を募って立ち上げた青鞜社である。九月に創刊した月刊の会誌『青鞜』は一九一六年二月で無期休刊になるので、先に見た「新しい女」の記事数は青鞜社の動静にほぼ一致していたといえよう。

ただ青鞜社と並んで当時「新しい女」のイメージを形成していたものとして、翻訳劇や外国小説のヒロイン、そしてこれを演じた女優を欠かすことはできない。「The New Woman」を「新しい女」と訳した早稲田大学教授の坪内逍遙（一八五九〜一九三五）は一九一二年に出版した著書『所謂新シイ女』（精美堂）のなかで、「新しい女」は新聞雑誌の記事や世間話によく取り上げられもはや新しくはないが内容は論者により異なり曖昧であるとする一方、ふだん外国文学に縁のない一般の人々の場合は近頃上演されたハウプトマン作「寂しき人々」やイプセン作「人形の家」のヒロイン、すなわち「莚若のアンナや松井須磨子のノラによって」「新しい女」を連想するだろうと書いている。このうち「莚若」は自由劇場に参加した歌舞伎役者（女形）の市川莚若（のち二世市川松蔦）であり、女優ではない。逍遙は劇中のヒロインに注目していたが、世間の人々は当時は珍しかった女優に、より一層の関心を抱いた。

この青鞜関係者と女優には、当時としては高学歴の若い女性という共通点があった。一九一三年二月二八日付『東京朝日新聞』の記事「女学生（一）　明暗の二方面／出身の女学校」は、最近世間を騒がせている「女」たちの中心として「例の女優と……例の新しい女」をとりあげ、両者の多くは「女学生乃至女学生上り」であるとし、帝国劇場二一名、有楽組一四名、近代劇協会五名、青鞜社五名について、名前と出身学校を列挙した。彼女たちは女学生の中でも尋常の軌道を外れて「女の自覚と云ふ看板を真つ向に振り翳して行かうとする一団」とみなされていた。

記事の冒頭には、最近外国で思想や実世間の方面で男の縄張りが荒らされていること、とくにイギリスは「猛烈な阿婆摺れ運動」（戦闘的な婦人参政権運動）に手こずっているとの紹介があったことから、記者は、日本の自覚を持った女性たちが将来は参政権などの権利拡張運動に乗り出す可能性があることを示唆していたようでもある。

このように「新しい女」という言葉は、当時の女性に関わる様々なイメージと分かちがたく結びついていた。以下、本講義では、「The New Woman」という言葉が生まれたイギリス社会の状況にふれたあと、翻訳劇や

『青鞜』創刊の頃、1911 年のらいてう（奥村敦史監修、らいてう研究会編『わたくしは永遠に失望しない――写真集平塚らいてう　人と生涯』ドメス出版、2011）

外国小説のヒロイン像が日本でどのように受容されたのか、そして女子中高等教育の進展との関係などを見ていくことにしたい。

†The New Woman

「新しい女」の元である「The New Woman」は、イギリスの女性作家セアラ・グランド(一八五四〜一九四三)が、雑誌『ノース・アメリカン・レビュー』一八九四年三月号で初めて使用した。イギリス文学史では「〈新しい女〉小説」というジャンルがあり、一八八三年から一九〇〇年の間に百冊近い数が書かれ人気を博したという。新たなヒロイン像は多様だったがいずれも魅力的でありながら、結婚を拒んだり性的に奔放であったり母性に欠けるといった特徴を持ち、家庭にあって犠牲的に夫や子どもたちを支えるという従来のヒロインとは全く異なっていた。

当時の評論家たちの多くは、そんなヒロインたちはあくまで虚構で、現実の「新しい女」はそれほど魅力的ではないという。しかし眉をひそめ女権拡張運動のパンフレットの入ったナップザックを抱えて自転車であちこち駆け回るような彼女たちこそ道徳性に富み、堕落しがちな男性たちを教化し導くことで社会を改良に導く存在だと高く評価した。これに対しグランドは、現実と虚構を分断する動きを批判し、現実においても物語の中でも「新しい女」は、家庭が女性の領域だという考え方が問題だと指摘する点で共通しており、自分もその一員だと主張したのである（武田美保子『〈新しい女〉の系譜——ジェンダーの言説と表象』彩流社、二〇〇三）。

このような動きは、一九世紀後半のイギリスで男性に対する女性の数が大幅に超過して結婚できない女性が多数発生したことから生じた。中産階級以上の女性にとって働いて収入を得ることは体面を失うことにつながったから、未婚女性の困窮問題は社会問題となった。未婚女性を、男性過剰のオーストラリアや北米へ移住させる案も出されたが、女性の賛成は得られなかったし、中産階級の女性に許されたほぼ唯一の職業であった住み込みの家庭教師（ガヴァネス）は到底、就職希望に見合う数はなかった。そこでそれまで学校で学ぶ機会がなく母親やガヴァネスの手で教養としての外国語や地理、絵画、ピアノなどを授けられるに留まっていた女性たちは就業機会の拡充を求めるとともに、ガヴァネス以外の就職に役立つ専門知識を得るための高等教育や職業訓練機会の拡充、さらには政治的意思表明の機会である参政権を求めて活動するようになった。

このうち教育機関についてみると、ガヴァネスの資格制度化を目指す初めての中等教育機関としてクイーンズ・カレッジが一八四八年に創設されたのを端緒として女子中等教育機関が次々と設立され、高等教育機関も一八六九年創設のヒッチン・カレッジ（のちのケンブリッジ、ガートン・カレッジ）を嚆矢（こうし）に設立されたほか、既存大学の女性への門戸開放も一八六九年のロンドン大学をはじめとして進められた。そしてロンドン大学では一八七八年に女性に初の学位を与えたのである（前掲武田『〈新しい女〉の系譜』／三神和子「欧米における「新しい女」の誕生――イギリスの場合」〔「新しい女」研究会編二〇一一所収〕）。

†「新しい女」と女優

一九一〇年七月に大阪市教育会での講演で初めて「新しい女」を紹介した坪内逍遙は演劇改良を目的とする文芸協会の会長でもあった。同会は、歌舞伎や新派とは違う新しい演劇として近代ヨーロッパの写実的な演劇を日本に根付かせることを目的とし、一九〇九年に逍遙の自宅敷地内に日本で初めてとなる男女共学の演劇研究所を開設していた。一九一一年一一月に初演したイプセン作・島村抱月訳『人形の家』は、弁護士の妻であり三人の子を持つノラが、ある事件をきっかけに夫が自分を対等の存在としてではなく人形のような愛玩物として扱っていることに気づいて絶望し、子どもを置いて家を出るという話だが、内容とともにノラ役の松井須磨子の演技が評判となった。

前述のように演劇改良運動の中には、翻訳劇のヒロインを女形が演じるものもあった。しかし米独に留学経験がありイプセン作品に造詣の深い演劇研究家の中村吉蔵（一八七七〜一九四一）は、歌舞伎の場合は筋立てが主のため登場人物それぞれの性格が個別に描かれることはなく、女性も類型的な所作に習熟した女形が演じるほうがそれらしいが、現代の新社会劇の女主人公は個々の性格が明らかに描出されること、ある特別の境遇や独特の運命のもとにある一人の女性の心理にまで立ち入って演じてみせることが必要であるから、女優でなくては務まらないであろうと述べている（中村吉蔵「日本の女優に就て」『東京朝日新聞』一九一二年一月三日付）。

逍遙は『所謂新シイ女』の中で、劇中の「新しい女」は劇的効果を狙ってかなり都合良く極端な振る舞いをするように作られている者もあると語っている。それを迫真の演技で観客の前に存在させてみせるのが女優の力であった。ただそれが同時に、個人としての女優とヒロインの人格を分かちがたいものとして認識させることにつながったようである。

†「塩原事件」と平塚明子

虚像と生身の人間との一体化・混同は、平塚明子の場合にも生じた。

平塚明子の名が世に知られるようになったのは青鞜社設立の三年前、一九〇八年三月のことである。東京帝国大学英文科卒の森田草平（一八八一〜一九四九）とともに家を出、那須の山中を彷徨（ほうこう）中警察に保護された、いわゆる「塩原事件」で、日本女子大学校卒の明子が当時の日本では稀な高学歴女性だったことと、父が会計検査院の課長という立場にあったことから新聞で報じられた。さらに当事者の森田が事件を素材として小説「煤煙」（一九〇九年一〜五月、『東京朝日新聞』に連載）を書いたためである。

　のちにらいてうが回想したところによれば、二人は女子大卒業後に明子が通った成美女子英語学校で開催された閨秀文学会で講師と生徒として出会った。明子の書いた小説を読んだ森田が長い手紙を書いてほめたのを機に親しくなったが、性交渉に応じようとしない明子に焦れた森田が明子の殺害をほのめかすようになり、家出に誘ったものの、途中から無気力になったのだという（平塚らいてう『平塚らいてう自伝　原始、女性は太陽であった１』大月書店、一九九二）。

　一九〇八年三月二五日付『東京朝日新聞』は、「自然主義の高潮――紳士淑女の情死未遂／情夫は文学士、小説家／情婦は女子大学卒業生」と題し〝平塚春子〟の似顔絵を添えて報じた。また翌日は森田の大学および創作修行の師で朝日新聞専属作家となっていた夏目漱石（一八六七～一九一六）らの声や、郷里に許嫁と子どもを残しながら東京の下宿の娘とも通じる森田の不品行ぶりに加え、明子の評判を紹介した。教室で煙草をふかす男勝りの女丈夫で独身主義者だとか、「思想は全く西洋流」で「男子を飽迄己れに引きつけ、愈傍まで来れば突き離すことを最大の愉快と思ひゐたる程なれば、男に誘さるるが如き事は断じてなかるべし」というもので、結婚は望まず男を翻弄する奔放な女という、「The New Woman」的印象を強調する内容であった。

　一方、色恋沙汰とは違う面に注目した報道もあった。三月二七日付の『時事新報』は、心中の原因となるような結婚の強制などしていないという父定二郎の談話とともに、明子が女子大の友人木村政子にあてた遺書の「余は決して恋の為人の為に死するものにあらず、自己を貫かんが為めなり、自己のシステムを全うせんが為なり、孤独の旅路なり」という文章を紹介し、三月二九日の『万朝報』は「小説以上の事実／禅学令嬢事件の真相」と題し「最早恋愛も何もあつたものに非ず、いづれが自我の満足を得るか勝つか負けるかと云ふ意地になり両人とも死を決して家出した」と報じていた。この「禅学令嬢」という呼称は、明子が女子大在学中、いかに生きるべきかと悩む中で友人に誘われて禅の修業を始め、卒業した年の夏に悟りの境地に達し見性を許されていたことに由来するもので、しばしば用いられた。

一連の新聞報道を受け、雑誌『女学世界』同年五月号は、事件は「時代思潮」を如実に表すものと注目し「両人の行為に対する諸家の論評」を掲載した。このうち翻訳家・評論家の内田魯庵（一八六八～一九二九）は二人は芸術を人生に実現しようとしたのであり、なぜかは本人同士にもわからないだろうが「個人思想」と「共同主義」との衝突の表れには違いなく「時代精神の片影」を見ると述べた。またすでに明子の崇拝者が現れているという社会現象については「明らかに危険」ではあるが新事実の出現という意味で評価すべきものだと評した（佐々木英昭『「新しい女」の到来』名古屋大学出版会、一九九四）。

事件後、私立中学の英語教師の職を失った森田は漱石の指示でらいてうに結婚を申込んで断られると、やはり漱石の手配で『東京朝日新聞』に「煤煙」を連載、その評判が良かったため続編「自叙伝」も連載した。明子は小説のヒロイン朋子は自分を反映していなかったと述べるが（「小説に描かれたるモデルの感想」『新潮』一九一〇年八月号）、小説家小島信夫（一九一五〜二〇〇六）が後年「新しい時代を歩もうとする日本人の、とくに女の見せる狂い、というものを、狂いそのものを、不十分ながら描き出した最初の作品は、おそらく『煤煙』だ」と評した作品の印象は強く残ったであろう（前掲佐々木『「新しい女」の到来』）。

一方漱石は、森田から事件の顚末を聞いて、明子をズーダーマン作『エス・ワアル』（生田長江訳『消えぬ過去』として一九一七年に出版）の女主人公のようだと評し、『三四郎』（一九〇八年九〜一二月連載）の美禰子を描く際には少なからず明子を意識していたという（中山和子「『三四郎』──「商売結婚」と新しい女たち」『漱石研究』第二号、一九九四）。

このように明子の行動は社会現象を引きおこしたほか、夏目漱石、森田草平の女性造形に強く長い影響を及ぼしたという（前掲佐々木『「新しい女」の到来』）。伝統的女性観では理解できない個性故に、虚構のイメージと混同されつつ社会に強い印象を与えたと推測される。

†女子高等教育の意味──らいてうの場合

平塚明子の個性は、恵まれた家庭環境と教育によって形成されたところが大きいだろう。父定二郎は紀州藩士の家に生まれ、苦学して身につけたドイツ語を活かし、最終的には会計検査院次長にまで昇進した能吏であった。娘たちの教育にも熱心で、小学校の女子就学率がようやく五割を超えた頃、明子と年子の姉孝（たか）とを官立の女子高等師範学校附属高等女学校に進ませ、その後は一度反対したものの明子の強い希望により、当時日本に数校しかなかった女子高等教育機関の一つ、日本女子大学校で二人が学ぶことを許した。

明子が女子大への進学を望んだのは、教科書の内容を覚えるばかりの高等女学校の教育に物足りなさを感じていたところへ、女子大学校校長成瀬仁蔵（じんぞう）（一八五八〜一九一九）の著書『女子教育』（一八九六）を読み、女性が生涯のさまざまな局面に応じて個人としても社会の一員としても積極的に生きることができるよう心身の能力を十分に開発し高尚有為の人とするという教育方針に感銘を受けたからである。成瀬は維新の功労者を多数輩出した山口県の士族の家の出で、国家のために自分ができることは何かを悩むうちにキリスト教に出会い、大阪の教会附属の学校で信徒の子女を教えるなかで儒教的な男尊女卑観を脱し、女子教育の意義を見出した。

そしてさらなる研究のためにアメリカに留学（一八九〇〜一八九四年）、日米人間の体格差を痛感したこともあり、次世代を心身ともに健全に育成することが日本社会改良の道であり、自分の天職だと信じるに至る。アメリカの女子大等を視察し、教育方法や内容についての参考事例を集める一方で、日本の歴史と現状、学生の知力を踏まえた適切な高等教育を行うというのが、成瀬の方針であった。

明子は校長担当の「実践倫理」を熱心に聴講したと回想しているので、自主的に学び各自の天職を見つけ打ち込むことを大切にせよといった主張を深く心に刻んだことであろう。また奥田義人(一八六〇～一九一七)教授による「民法・憲法」の授業では、日本の女性(妻および母)が法律上惨めな地位に置かれていることや公娼制度の存在など日本社会は結婚によらない性生活について男性の場合のみ寛容であることを知って憤慨したため、恋愛により結ばれたパートナーとの間に二人の子を得ても長く事実婚状態を続けたという。

さらに女子大在学中には、履修していた生理学の教授大沢謙二(一八五二～一九二七)が当時社会的問題とされていた性病を含む感染症対策の本を出版し学内で話題になったこと、それに関して「実践倫理」で成瀬校長が道徳的に乱れた男性が多くなる一因は財産や地位を目的に家族から勧められる結婚であるから可能であればそれは避けるべきこと、夫の遊蕩で性病に罹る危険もあるので結婚は容易いことではないが将来の日本社会の改良のため犠牲的精神をもって家庭に入ることを同窓生には望みたいことなどを講じたことがわかっている。

日本女性の現状についての知識や、自分の信念を持ち歩み続けることが大切だという教えは、禅の経験とともに、明子の個性を形づくったことは間違いないであろう(差波亜紀子「平塚らいてうの結婚観と日本女子大学校の教育」吉良芳恵編著『成瀬仁蔵と日本女子大学校の時代』日本経済評論社、二〇二一）。

†「新しい女」とモダンガール

一九一一年九月、月刊誌『青鞜』が創刊された。閨秀文学会の企画者であり、森田の友人として「塩原事件」の後始末を通じて明子やその母との関係を深めていた生田長江が女流文芸雑誌の創刊を勧めたというが、準備期間はまさに森田が『自叙伝』の新聞連載をしていた時期に重なり、その同じ紙面では「新しき女」という連載も行われていた（全三五回）。すでに著名であった明子は創刊号で初めてらいてうと名乗り、「元始、女性は太陽であった」で始まる文章で、「久しく家事に従事すべく極めつけられていた女性はかくて精神の集中力を全く鈍らしてしまった」が今こそ「家事一切の煩瑣（はんさ）を厭（いと）う」て自分の中に潜む天才を見つけようと呼びかけた。これが与謝野晶子の書いた「そぞろごと」と共に評判を呼んだ。

「日本の新しい女と世間」新しい女の上に女優が乗っているのを男達が手を叩いて騒いでいる（『東京パック』9巻18号、1913年6月、国立国会図書館蔵）

感激した女性たちから購読申し込みが相次いだのも当然だったろう。しかしその後、一九一六年の無期休刊まで計五二冊が発行されたのは、詩・短歌・俳句・小説・戯曲・評論・翻訳ものなど多様な作品を掲載した雑誌の魅力があってこそである。

雑誌を支えたのは女子大卒業生とともに、高等女学校令（一八九九年）以来、各地で増え続けていた高等女学校など女子中等教育機関の卒業生だったと推測される。高等女学校は男性の通う中学校に比べて家事関係科目が多く理数系科目や英語の時間が限られるという限界はあったが、多様な普通科目を通じて合理的思考を導く教育が行われた。一方、結婚後を見据え教養をひけらかして夫や姑らと問題を起こさないよう従順に仕える気持ちを育成することがなにより重視されてもいた。これについて京大教授の河田嗣郎（かわたしろう）は一九一〇年発表の「婦人問題」で、相反する教育方針の並存は女学生の混迷を生むので、社会情勢に適（かな）った専門的あるいは技術的教育に改めるべきだと述べていた（『最近経済問題』第一〇巻所収、三井為友編『日本婦人問題資料集成』第四巻、ドメス出版、一九七七）。

一九一一年には「女子職業熱の勃興」という雑誌記事も出た。日露戦争の結果、大量に発生した戦争未亡人の生活難は、女性の就業問題についての関心と、さらには女学校やその他の職業、専門学校への進学率を高めていたが、「職業熱」という表現からは単に家計補助のための就業ではなく、家からの解放や自立への願望がうかがえるとの指摘もある（前掲中山『「三四郎』」)。

こんな時代の女学校出の女性たちにとり、カリスマ的らいてうの存在に加え、結婚や恋愛をめぐる心情や、独身の職業婦人の肩身の狭さなど若い女性の心情を綴った作品、また『人形の家』など家族や夫婦の問題を掘り下げた翻訳劇をとりあげた特集などは非常に魅力的だったと想像される。

しかし一九一二年半ばから、らいてうらの吉原登楼や飲酒などの行動をとりあげ青鞜社員は不道徳だと新聞が報道し始めると、「新しい女」のイメージも悪化した。退社や購読中止の申し込みが相次ぐ中、女性問題の研究を本格的に始めたらいてうが発表したのが、本講義冒頭にひいた「新しい女」であった。そこで女性の立場に配慮した新しい秩序が必要だと主張した後、同年四月の『青鞜』に発表したのが「世の婦人たちへ」であった。妻に財産所有権や親権を与えず、妻のみ姦通罪が問われるような現行の結婚制度を批難し、女性たちに「愛なくして結婚し、自己の生活の保障を得んがために、終生ひとりの男子に下婢として、売春婦として侍しているような妻の数は今日どれほどあるか知れないでしょう」と挑発的に呼びかけたこの文章を含む著書『円窓より』(東雲堂書店)は、風俗壊乱の名目で発禁処分を受けた。現代の結婚が女性が生活の安定を得るための「商売結婚」だということは、堺利彦が「自由恋愛と社会主義」(『週刊平民新聞』一九〇四年一〇月)で指摘するように自明の事実ではあった(前掲中山「『三四郎』」)。

ただ女性が公然と語ったことが男女問わない反発を呼び、それに配慮した政府の処分を招いたのであろう。

しかしこの頃からいてうをはじめとする青鞜社員がパートナーを得て、共同生活や子育てを体験するようになると、問題関心も社会的共感を呼ぶものに変化した。幼児二人を抱えたらいてうが、子育てと執筆活動の両立に悩んだ経験を踏まえ出産育児期の母子に対する国の保護を求めて与謝野晶子らと論争した母性保護論争は、女性の政治的権利を求める新婦人協会の活動にもつながった。また前述したように、らいてうらの主張には男性識者と共通するものも多く、時間の経過が人々の反発を鎮めていったという要素も大きかったと思われる。

後年、仏教学者で宗教家の高島米峰(一八七五〜一九四九)が、かつて新しい女は奇矯な行動で世間の哄笑罵詈を浴びたが、そのために隠されていた彼女たちの思想は結局男性らを反省させ女性を覚醒させるに至った、新しい女も世間もどちらにも反省すべき点があったと述べ、近年のモダンガールはそれに比肩するかと問うた(高島米峰「店頭漫語　卅四　モダンガールと『新しい女』」『読売新聞』一九二七年二月五日付)。かつて米峰自身が、新しい女の主張は性交の絶対解放ということかと書いたことを踏まえると(米峰「新しい女の主張(青鞜社講演会雑感)」『新仏教』一四巻三号、一九一三年三月)、常識の変化の意外な速さに驚かされる。

さらに詳しく知るための参考文献

「新しい女」研究会編『『青鞜』と世界の「新しい女」たち』（翰林書房、二〇一一）……日本の「新しい女」たちとして日本女子大学校の教育や宗教的背景、卒業生たちを取り上げ、世界の「新しい女」たちとしてイギリス、フランス、アメリカの動向をとりあげた。内外の関係年表も参考になる。

松村由利子『ジャーナリスト与謝野晶子』（短歌研究社、二〇二二）……本講義ではふれることができなかったが、与謝野晶子も「新しい女」の一人と目された。妻のいた与謝野鉄幹と結ばれ、一〇人以上の子どもを抱えながら鉄幹の不遇時代を執筆・選歌活動で支えたスーパーウーマンは、女性評論家の嚆矢としてらいてうの先輩でもあった。

米田佐代子・池田恵美子編『『青鞜』を学ぶ人のために』（世界思想社、一九九九）……青鞜関係者の人名辞典としての要素と、多様な『青鞜』研究の手引きとしての要素を含み、新しい女についての入門書である。

堀場清子編『『青鞜』女性解放論集』（岩波文庫、一九九一）……創刊以来五二冊の中から代表的論文四〇篇を収めた文庫。封建的家制度や良妻賢母主義に抗い、当時は語ることすら厭われた愛と性の問題について堂々と論じる様が興味深い。

差波亜紀子『平塚らいてう――信じる道を歩み続けた婦人運動家』（山川出版社〈日本史リブレット人〉、二〇一九）……「新しい女」を名乗ったらいてうの生涯を、日本の近代女子教育制度が整備される時代に中高等教育を享受し、伝統的価値観との齟齬を感じながら妻や母となった多くの女性たちの中の一人としてたどった本。

コラム6　平民社

福家崇洋

　歴史教科書では、平民社の設立は日露戦争開始前の一エピソードにすぎない。しかし、東欧で戦塵ただよう今日からみれば、異なる歴史の風景が見えてくる。日本政府と大多数の日本国民が「挙国一致」の戦争へ突き進むなかで、平民社という小結社が「非戦」の思想と運動を堅持できたことは、改めて振り返られるべき歴史的「事件」だったのではないだろうか。

　平民社誕生の大きなきっかけは、日刊新聞の『万朝報』が日露主戦論に転換したことにある。これを機に、社説等を執筆していた幸徳秋水（こうとくしゅうすい）、堺利彦が退社して平民社を立ちあげ、一九〇三（明治三六）年一一月に週刊『平民新聞』を創刊した（発行部数五〇〇〇部）。彼らは社会主義を思想・信条とし、新組織と新雑誌創刊の背景には彼らもかかわる社会主義協会の後援があった（太田雅夫『初期社会主義史の研究――明治三〇年代の人と組織と運動』新泉社、一九九一）。

　ゆえに、『平民新聞』創刊号掲載の「宣言」（平民社同人名義）は「自由、平等、博愛」の「三大要義」に基づいている。すなわち、「吾人は人類の自由を完（まった）からしめんが為めに平民主義を奉持す」「吾人は人類をして平等の福利を享けしめんが為めに社会主義を主張す」「吾人は人類をして博愛の道を尽さしめんが為めに平和主義を唱道す」の各主義が掲げられた。今日から見れば、日露開戦前にあって、平和の実現と、「平民主義」（英訳 democracy）や「社会主義」を併置する点が興味深い。そこには、戦争のない状態＝平和という等式にとどまらない、理想の社会の実現に対する彼らの想いが打ち出されている。

では、同社がこの二つの主義により意図するところを具体的にみていこう。まずは平民主義である。結社名の「平民」については、創刊号第一頁に「平民、新平民、彼等は権勢に依らず、黄金に依らず、門地に依らず、唯だ人として立つ、唯だ社会の一人として立つ、是れ我同胞中の最も神聖なる者也」という言葉がある。「権勢」「黄金」「門地」に依拠して生きる、「人」ではない「最も神聖なる者」が思い浮かぶものの、これ以上の具体的なことは述べていない。平民社を研究する山泉進は、「この点〔平民社や平民新聞の名称由来〕に触れることは「民主主義」の問題に、つまりは「国体」や「皇室」の問題に触れる危険性があり、むしろ用心深く口を噤んだと、私は解釈しておきたい」と述べる（山泉進『平民社の時代 —— 非戦の源流』論創社、二〇〇三）。生まれながらにして〈持つ者〉と〈持たざる者〉との格差を、〈持たざる者〉の立場から是正しようとする彼らの意志の表明であった。

次に「社会主義」である。これは生産・分配・交通の各機関を社会で共有することを指す。マルクス主義の本格的導入の前段階ながら、〈持たざる者〉への共鳴者としての旗幟を掲げたものである。彼らの姿勢は、日本の〈持たざる者〉だけではなく、ロシアの〈持たざる者〉と彼らのために動くロシア社会主義者への想像力へとつながる。日本では一九〇四年二月に宣戦の詔勅がおりてロシアと開戦したが、その翌月の『平民新聞』一八号は「与露国社会党書」を掲載する。「我等の敵は露国人に非ず、而して亦実に今の所謂愛国主義也、軍国主義也」として、共通の敵に対して、言論などの平和的手段で戦うことを呼びかけた。翌月号にその英訳が掲載されると、国外で反響を呼び、欧米の社会党の機関紙に転載された。訳文はさらにロシアに届き、ロシア社会民主労働党の機関紙『イスクラ』に回答文が掲載、その翻訳が『平民新聞』三七号に掲載された。言論による平和希求の鎖が日本から欧米、ロシアに転じて再び日本へとつながったかたちとなった。

八月にはオランダ・アムステルダムで開かれた社会主義者の国際組織・第二インタ

ーナショナルの第六回大会で、日本からアメリカを経由して参加した片山潜(せん)と、ロシア代表・プレハーノフがともに副議長に選出されて握手を交わした。この快挙に対して、『平民新聞』四五号は、「社会党の運動が世界一致の運動たること、社会党の主義が四海同胞の主義たること、社会党の眼中、人種の別なく、国籍の別なく、有る所は一個の人道(ヒューマニティー)のみなること」を宣揚したとして、自らが機関誌で掲げた「宣言」のひとつの帰結としてこの握手をとらえたのだった。

しかし、国内に目をやれば、「非国民」と揶揄(やゆ)される「人道」の徒に対して、国民からの支援と提携が広がることはなかった。ここに追い打ちをかけたのが政府からの弾圧である。「共産党宣言」翻訳掲載による発禁、罰金刑、社会主義協会の禁止などに耐えかねた『平民新聞』は全面赤刷りの終刊号を発行した。彼らはその後別の機関誌も出したが、経営状況の厳しさは変わらず、日比谷焼き討ち事件からほどなく、一九〇五年一〇月に解散式を行った。こうして戦時下に「平民主義」「社会主義」「平和主義」の三位一体による理想の世の出現をめざした彼らの試みは、ひとまずの休止を余儀なくされたのだった。

コラム7　報徳社

見城悌治

新幹線の掛川駅から見える掛川城の北東に、道徳門、経済門と刻まれた門が立つ。その向こうに聳える堂宇が、大日本報徳社の大講堂である。同社は、幕末の農政家・二宮尊徳（一七八七〜一八五六）の教えを継承する団体で、今日も活動を行っている。

尊徳の幼名・金次郎は、かつて小学校校庭に「柴を背負い読書する像」があったことから周知度が高い。しかし長じた尊徳が、幕末の北関東で農村復興に携わったこと、さらに維新後、門人たちが各地で同様な活動をしたこと、明治後期に、官僚の後押しで、報徳思想が影響力を強めた時期があったことは知られていないと思われる。本コラムは、この報徳思想が、近代日本社会で果たした役割を概観することを目的とする（見城悌治『近代報徳思想と日本社会』ぺりかん社、二〇〇九）。

まず、維新期に活躍した尊徳門人・福住正兄（一八二四〜九二）に着目すれば、彼は小田原や箱根で報徳思想を用い、地域の発展に努めた。しかし、その一方で平田篤胤の没後門人として、明治初年の教導職運動に積極的に関わり、尊徳が残した思想に神道的な再解釈を加えていく。つまり、結果として近代天皇制と報徳思想が親和していくきっかけを作ったのが福住であった。

一方、静岡県掛川の岡田良一郎（一八三九〜一九一五）の役割も大きかった。明治前期に地域の殖産興業に力を入れていた岡田は、「財本徳末」論が報徳思想の核であると主張し、「徳本財末」が正しいと理解していた他の門人と対立する。これは岡田が、ベンサム、ミル等の「功利主義」の影響を受けていたためとされる。しかし、一八九〇（明治二三）年の教育勅語発布など、道徳が天皇や国家と強く結ばれていくと、岡田も「徳本」論へと転じていく。

このように尊徳門人は、師説を近代日本に適合させる努力を各々していくのだが、国家の側もその思想と活動に着目していく。その動きは松方デフレ期に始まり、日露戦争後に本格化していく。すなわち講和条約が結ばれた一九〇五年が、尊徳没後五〇年と重なった偶然もあり、官僚や財界人たちは、半官半民の「報徳会」を結成し、報徳思想が「道徳と経済の一致」を果たす万能思想と宣伝していく。

また思想的経済的「混乱」状況の是正を目的に、内務省主導による地方改良運動が展開された際は、報徳思想の鼓吹、また実行組織としての地域報徳社の結成が奨励された。しかし、当時は桂園内閣期という政治の転換期でもあり、「報徳思想は消極的節約の権化、不景気の源泉」等の批判を受け、いったん社会の後景へ退いていく。

そうした時期に、岡田は、父・佐平治が一八七五年に設立した遠江国報徳社を、一九一一年に大日本報徳社と改称し、各地で分立していた報徳社を糾合する意志を示す。しかし、各報徳社には理念の違いもあった。たとえば「財本（致富）」を重んじていた地域報徳社の一部はそこに吸収される事を肯んじなかった。すなわち在地の報徳社は必ずしも一枚岩ではなかったのである（足立洋一郎『報徳運動と近代地域社会』御茶の水書房、二〇一四）。

しかし、報徳の思想と実践は、その後の民力涵養運動、また農山漁村経済更生運動で、再び脚光を浴びてくる。とりわけ、大日本報徳社が昭和恐慌に喘ぐ農村を復興した実践は高評を呼ぶ。その結果、国内はもとより、朝鮮総督府や「満洲国」協和会からも、講師派遣要請がなされ、時局対応に一定の役割を果たしたのである。

近代日本における報徳思想や報徳社は、社会的矛盾が横溢するなか、「秩序安定の保持」に期待をかけられる稀有な存在であった。しかも、報徳思想は農民・尊徳が苦労を重ねるなか、神道・仏教・儒教を混淆して作った独自の「民衆思想」であるとも見なされていた（報徳社も農民結社であった）。それを福祉面から評価したキリスト教社会事業家の留岡幸助や石井十次、尊徳を「プラグマティスト」と見た哲学者田中王堂などの知識人も現れた。修身教科書の中の金次郎も「農民の子」として描かれたため、長い生命力を保ったとされる。

敗戦後、大日本報徳社は、戦時期の活動が批判される可能性もあった。しかし、GHQのインボーデン新聞課長が「尊徳はリンカーンと並ぶ民主主義者だ」と評したこと、当時の社長・河井弥八（貴族院議員）の政治姿勢が穏和的と見なされたことなどから、存続がなった（見城悌治「占領期における『大日本報徳』誌の特徴」（『占領期報徳運動資料集成　第七巻』不二出版、二〇二二）。そのため、占領下においては、民主再建、食糧増産などを実践課題とし、その後も折々の課題に対応し、今日に至っている。

「民衆」たる二宮金次郎が幕末に考案し、門人たちが近代日本社会に適合させた報徳思想は、各々の時代が求める「思想」を無尽蔵に読み出せ、また供給してくれる存在となった。そして、その発信源として在地で実践する民間団体が、百年以上の歴史を持つ大日本報徳社をはじめとする報徳社なのである。

第13講 興亜

月脚達彦

†興亜と脱亜

一八八〇（明治一三）年二月一三日、東京で興亜会が結成された。会名の「興亜」とは文字どおりアジアを興すことである。日本は一八七一年に中国の清と修好条規を結んだが、まもなく日清「両属」の琉球の帰属をめぐって対立が起こり、一八七九年の「琉球処分」にいたって日清の対立は危機的に深まった。

その一方で日本国内では西洋諸国、とりわけロシアの脅威に対する日清の提携が模索されており、そうしたなか興亜会が結成されたのである。ではなぜアジアを興さなければならないのか。興亜会第一回会同での副会長渡辺洪基の演説によれば、ヨーロッパ各国は人種が同じく言語文字が似ており宗教も共通しているため、内部で互いに戦争や競争をしていても、異人種・異教徒に対しては一致団結して利益を享受するのに対し、アジア諸国は団結していないためヨーロッパ各国の侮りを受けているからである。

興亜会のアジアは東アジアのみならず東南アジアやインド、さらにはペルシアを含むが、「興亜会設立緒言」に「亜細亜諸国のうち紀綱を張って独立している者はただ本邦と支那のみ」とあるように、その主眼は日本と清との提携にあった。清としても西北の新疆でロシアとの紛争を抱えており、東の安定を図るためにも日清提携論を受け入れる素地があった。何如璋公使ら清公使館員は日本に不信感を抱きつつも興亜会に入会し、香港の『循環日報』の主筆である王韜らも入会することになる。

こうして日本をアジアの一員と位置づけ、アジアの国や民族とともに、西洋の圧迫を受けているアジアの振興を図るという興亜論が起こった。大正期に「アジア主義」ないし「大アジア主義」と呼ばれるようになる思想傾向・運動の嚆矢である。

ところで興亜会の結成から五年後の一八八五年、福沢諭吉の『時事新報』三月一六日に社説「脱亜論」が掲載される。ここで「脱亜」とは、「我国は隣国の開明を待て共に亜細亜を興すの猶予ある可らず」とあるように、第一義的には日本が隣国の清・朝鮮と提携するという「興亜」の対義語であり、清・朝鮮への武力侵略の主張ではない。いずれにせよ「脱亜」は「興亜」を前提としており、この二つを切り離して考えることはできない。そこで本講では逆説的ではあるが、社説「脱亜論」をてがかりに「興亜」について考えることにする。なお社説「脱亜論」は、三ヵ月前に朝鮮で起こった甲申(こうしん)政変との関連で書かれた。したがって「脱亜」と「興亜」を理解するためには、朝鮮の動向を踏まえる必要がある。朝鮮史研究者の筆者が「興亜」を講ずる所以(ゆえん)である。

†興亜論と朝鮮の「独立」

興亜会の結成時に朝鮮は日本の提携相手として必ずしも想定されていなかった。朝鮮は一八七六年に日本と修好条規を結んだが、近世の交隣の旧例の変更を極力避け、特に日本の使臣の漢城(ハンソン)(現ソウル)駐在には強く反対し、公使館の開設は一八八〇年末まで引き延ばされた。日本に派遣する使臣についても、朝鮮政府はかつての通信使のように随時に派遣すればよいと解釈し、修好条規批准の直後に修信使(金綺秀(キム・ギス))を派遣したが、その後日本に使臣を派遣しなかった。東京での興亜の機運は朝鮮不在のなかで起こったのである。

ところが金玉均(キム・オクキュン)らの命で一八七九年に日本に密航して京都に滞在していた李東仁(イ・ドンイン)が、翌一八八〇年四月に東京に移転して興亜会に入会する。おりしもそのころ、アメリカが朝鮮との条約締結交渉のために特派使節を派遣し、日本政府に仲介を依頼した。朝鮮政府は交渉を拒絶したが金弘集(キム・ホンジプ)を第二回の修信使に任命して日本に派遣し、情勢を観察させることとした。東京に到着した金弘集は興亜会への入会を勧められ、自身は出席しなかったものの九月五日の興亜

第２回修信使の金弘集

会懇親会に三人の随員を出席させ、これに李東仁も出席した。こうして日清の提携を目的にした興亜会に、朝鮮人も参加するようになった。

朝鮮政府は、翌一八八一年にも視察団と第三回の修信使を日本に派遣した。視察団の一行には、朝鮮最初の日本留学生も含まれていた。一八八二年春には、金玉均が最初の訪日を果たす。こうして朝鮮の人士が相次いで日本を訪れるなか、一八八〇年代初頭に日本と清に朝鮮を加えた興亜論が生まれたのである。

ところで、日本は清と朝鮮との間にそれぞれ条約による関係を結んだのに対し、清と朝鮮との間には華夷秩序にもとづく宗主国・属邦の関係（宗属関係）が存続していた。金弘集は東京滞在中に何如璋らと会談し、ロシアを牽制するためにアメリカと条約を締結することを勧告された。金弘集は清公使館参賛官の黄遵憲（こうじゅんけん）が著した『朝鮮策略』を持ち帰り、これを契機に朝鮮政府は西洋の国として初めてアメリカとの条約締結を決意する。

『朝鮮策略』は、朝鮮はロシアの侵略を防ぐため「中国に親しみ、日本と結び、アメリカと連なる」ことを説いていた。なぜ朝鮮は「中国」に親しまなければならないのか。朝鮮は「中国」の千年来の「属邦」であり、朝鮮と「中国」が一家のように親しければ、ロシアは「中国」をはばかって朝鮮を侵略できないからである。

一方、日朝修好条規は第一款で朝鮮を「自主の邦」とした。日本政府としてはこの「自主」は近代世界の国際法（万国公法）上の「独立」であり、属邦とは矛盾する。しかし華夷秩序にもとづく中華世界の属邦は、決められた形式による朝貢を行い、中国皇帝が制定した暦を奉じるなどの儀礼的義務を遂行していれば、内政外交に中国の干渉を受けない自主である。したがって中華世界の側からは、属邦であることと自主であることは矛盾しない。これを「属邦自主」という。

ここで朝鮮の「独立」に二つの意味があることに留意したい。第一は西洋の植民地とならないという意味、第二は清の属邦ではないという意味である。『朝鮮策略』は清が属邦である朝鮮の第一の独立を保護するという内容だったが、日本政府はこれを特に問題視しなかった（三谷博「『アジア』リージョンの発明」『日本史のなかの「普遍」』東京大学出版会、二〇二〇）。朝鮮の第二の独立を不問に付すことによって、琉球帰属問題で深まった日清の対立を緩和しようとしたわけである。一八八〇年代初頭の日清朝の三国の提携という興亜論は、その限りにおいて成立した。

†壬午軍乱から甲申政変へ

ところが一八八二年七月、朝鮮で壬午軍乱が起こり、開国政策に転じた政府が倒されるとともに、日本公使館が襲撃されて日本人が殺害された。日本政府は朝鮮に軍隊を派遣したが、清も属邦保護を掲げて朝鮮に派兵した。ここに朝鮮の第二の独立の問題が前景化する。日本では対清開戦論が起こったが、しかし政府は開戦を避け、軍乱は清軍によって鎮圧された。清はその後も軍隊を駐屯させつつ朝鮮の内政外交に干渉する。琉球帰属問題で屈辱を受けた清は、朝鮮に関しては宗主国としての威厳を日本に見せつけたのである。

一方、清の宗主権強化のなか、朝鮮では日本と結んで清からの独立を図る勢力が生まれた。金玉均・朴泳孝ら日本で「独立党」と呼ばれた一派である。壬午軍乱後、日本を訪れた金玉均らは、日本政府に清からの独立への支援を求めたが、日本政府は清との対立を避けるために消極的だった。このとき朝鮮の独立を積極的に支援した一人が、のちに社説「脱亜論」を発表する福沢諭吉である。

ここで社説「脱亜論」を見てみたい。先述のように、この社説における「脱亜」は、第一義的には日本が清・朝鮮と提携するという「興亜」の対義語であるが、「脱亜」という語そのものは、明治維新について論じた次の文脈で使われている。

是に於てか我日本の士人は（中略）断じて旧政府を倒して新政府を立て、国中朝野の別なく一切万事西洋近時の文明を採り、独り日本の旧套を脱したるのみならず、亜細亜全洲の中に在て新に一機軸を出し、主義とする所は唯脱亜の二字に在るのみ。

日本は独立のために旧体制を倒し、アジアの古い習慣や思想から脱して西洋文明を全面的に取り入れた。つまり、アジアは独立のために「脱亜主義」を採らねばならないのである。「脱亜主義」とは文明化であり、その意味で福沢はもともと「脱亜主義」者である。ただし一八八〇年以前には日本一国の「脱亜主義」を唱えるにとどまっていた。

ところが福沢は一八八〇年以降、李東仁や金玉均、慶應義塾に受け入れた朝鮮人留学生らと接触するなか、かれらを支援した。社説「脱亜論」に、アジアに「志士の出現して、先づ国事開進の手始めとして、大に其政府を改革すること我維新の如き大挙を企て、先づ政治を改めて共に人心を一新するが如き活動あらば格別なれども」とあるが、福沢は朝鮮における「脱亜主義」勢力の存在を見出して支援したのである。このような日本による朝鮮の第二の独立の支援もまた、興亜論の一形態といえる。当然のことながら、朝鮮の独立支援は対清強硬論となる。こうして壬午軍乱ののちに、興亜論には朝鮮の独立問題を軸として、清の優位による朝鮮の第一の独立の保全の容認と、日本による朝鮮の第二の独立の支援、すなわち対清協調論と対清強硬論の併存という構図が生まれた。

そうしたなか、一八八四年一二月、漢城で独立党が日本公使館警備隊の保護のもと政府を倒す甲申政変が起こった。しかし漢城駐屯の清軍が介入すると新政府は倒れ、金玉均らは日本に亡命し、残党も処刑されて独立党は壊滅した。また、清兵と朝鮮兵により日本公使館が破壊されて日本人が殺害された。日本では対清開戦論が沸き起こり、『時事新報』も福沢の本心はともあれ開戦論を掲げた。

†興亜論の衰退

しかし、そのなかで非戦論を唱える新聞もあった。その代表が、『朝野新聞』である。その記者である末広鉄腸・草間時福・高橋基一は興亜会の結成に関与しており、同紙は壬午軍乱に際して朝鮮の独立支援ではなく日清協調を主張した。もっとも甲申政変後には『朝野新聞』も清を批判した。ただし人民に負担を強いる戦争ではなく、談判によって清から賠償を得るべきだというのが『朝野新聞』の非戦論である。ではそこで朝鮮はどう位置づけられたのか。社説「朝鮮に対する政略」（一八八五年二月一八〜二〇日付）は、「今日東洋の大勢に於て深く憂慮すべきは、朝鮮の狭少貧弱にして宇内の形勢に通達せず、欧洲諸強国をして機会に乗じて其の侵略を逞(たくまし)うせしめ、支那及び我邦に向て重大の影響を及ぼすに在り」とし、次のように述べる。

> 我邦は一の友国たる朝鮮の為めに戦争の危険を冒して談判を支那に開き、其の独立を保護するの義務あるを知らざるなり。（中略）十年以来我邦は朝鮮に対して充分の友誼を尽くし、務めて之を開明に誘導せんと欲するも、彼の国人は愈(いよい)よ我邦を疎外するの意思あり。（中略）再三我邦に危害を蒙らしむる朝鮮の如きは、之に向ひて特別の恩恵を加ふべき者ならんや。朝鮮の我邦に於ける、父子の情誼あるに非ず、兄弟の関係あるに非ず、寧ろ厄介にして迷惑なる交際国と謂ふべし。

西洋諸国に付け入る隙を与えぬよう日清開戦を避けなければならないというのは、本来の興亜論の立場からの主張である。しかしそのためには朝鮮を切り捨てなければならないというのが『朝野新聞』の非戦論である。なお、『時事新報』は社説「朝鮮独立党の処刑」（二月二三日付）で、朝鮮政府による独立党残党の惨殺を受けて、「我輩は此国を目して野蛮と評せんよりも、寧ろ妖魔悪鬼の地獄国と云はんと欲する者なり」としたうえで、到底「同族視」できる国ではないと述べた。それぞれ理由は異なるものの、ともに朝鮮切り捨ての言説である。

次いで、いまだ甲申政変を契機とした日清の対立が収まらないなか、『朝野新聞』は社説

「日本の独立」(三月一三・一五・二〇日付)で、「支那朝鮮」が欧州諸国に蚕食されようとも、「国民が愛国の精神に富」み自力で独立を維持できる日本はこれに関係せず、「太平洋中に屹立し、東洋の英国たる地位を失」わなければよいとした。すなわち清・朝鮮との連携の否定である。奇しくも主戦論を唱えた『時事新報』と、非戦論を唱えた『朝野新聞』の双方で、時を同じくして興亜を否定する脱亜が唱えられたわけである。「脱亜」は福沢のみが主張したわけではない。

さらにその後、興亜論の衰退につながるもう一つの状況が生じる。甲申政変によって起こった日清の対立は結局のところ開戦にいたらず、伊藤博文と李鴻章の談判により四月一八日に天津条約が結ばれ、両国が朝鮮から軍隊を撤退することで落着した。ところがこれとほぼ同時にアイギリス海軍が、ロシアのウラジオストク攻撃の基地として朝鮮南端の巨文島(コムン)を占領した。アフガニスタンでの英露の対立が東アジアに波及したのである。そうしたなか、朝鮮がロシアと密約を結ぼうとしたことが発覚する。壬午軍乱後の清の干渉を厭(いと)った朝鮮国王の高宗(コジョン)は、ロシアに接近して清を牽制しようとしていたのである。清は朝露密約を取り消させ、高宗を押さえつけて宗主権をさらに強化した。

一方、ロシアによる朝鮮の保全の脅威は、イギリスによって食い止められる状況となり、イギリスとの良好な関係を背景にして、清が朝鮮における優位を占め、日本政府もそれを容認した。そうしたなか、東アジアの情勢は相対的に安定し、日本での朝鮮に関する議論も低調になった。こうして一八八〇年代初頭に起こった興亜の機運は、一八八五年前半を期に衰退したのである。

なお甲申政変は金玉均の亡命という副産物を生んだ。玄洋社の頭山満（とうやまみつる）らはその支援活動を行ったが、日本を訪れるアジアの革命家や独立運動の志士に対する支援は、明治後半以後のアジア主義の運動の核心である。その嚆矢が近代日本最初のアジアからの政治的亡命者である金玉均の支援だった。これについてはすでに論じられているので、それに譲りたい（本シリーズ【明治篇Ⅰ】コラム4「亡命朝鮮人」）。

†「合邦」から「併合」へ

以上のように、一八八五年前半を期に日清朝の提携による興亜の機運は衰退した。そのなかで刊行された日清朝の提携論として知られるものに、樽井藤吉（たるいとうきち）の『大東合邦論（だいとうがっぽうろん）』（一八九三）がある。樽井は一八八二年の最初の渡日時の金玉均と接触し、一八八四年末の金玉均の亡命の直後に、その朝鮮での再起を支援しようとした人物である。

『大東合邦論』は、日本と朝鮮が対等に「合邦」して「大東国」を形成し、それが清と「合縦（がっしょう）」して西洋、とりわけロシアの脅威に対抗するというものである。中国文学研究者の竹内好(よしみ)は、アジア主義の再評価の画期となった一九六三年の「アジア主義の展望」において、日朝対等の「合邦」を樽井の「空前にして絶後の創見」と評価した。しかしその後の研究によって、樽井の朝鮮認識は「小にして且つ貧」であり、その風俗は「惰弱頑鈍」であるが、日本と「合邦」すれば富強を実現することができるというように、日本と朝鮮を対等と捉えていなかったことが明らかになっている。

一方、興亜論が朝鮮の独立問題を主たる要因として衰退したことを想起すれば、属邦の朝鮮が日本と「合邦」することを、清がいかにして認めうるかが問題となる。樽井によれば、その根拠は日本と朝鮮はともに「自主」の国だということである。ここでの「自主」とは万国公法上の独立を意味し、独立国どうしが「合邦」することに清が反対する道理はないというのである。つまり、初期アジア主義の代表と目される『大東合邦論』も、朝鮮を独立国とする点、「先覚者」である日本が朝鮮を指導するという点で「脱亜主義」に立つものだった。

結局、一八九四年の日清戦争によって朝鮮が「独立自主」と規定されたことにより、朝鮮の(第二の)独立をめぐる問題は決着した。しかし、日本の圧力のもと実権を奪われた朝鮮国王高宗および王后閔(ミン)氏は、三国干渉ののちロシアに接近して日本を牽制しようとした。そうしたなか一八九五年一〇月の王后殺害事件を経て、一八九六年二月、高宗がロシア公使館に逃れる俄(が)館播遷(かんはせん)が起こった。これによって親日的な政権が崩壊し、日本の勢力も朝鮮から後退した。韓国（朝鮮は一八九七年に国号を大韓に改称した）ではその後、親欧米的な人物らが独立協会を結成して改革を試みるが、一八九八年末に強制解散させられると改革勢力は壊滅した。日清戦争後、清の変法派や革命派が多く日本を訪れて、その支援活動が盛んになったのと裏腹に、韓国には日本が支援すべき勢力がなくなったのである。

一九〇四年の日露開戦ののち日本政府は、韓国は独立を維持することができずロシアに併呑される恐れがあるとして、「東洋の平和」のために韓国を保護国にすることとし、ポーツマス条約締結後の一九〇五年一一月に実行した。日本政府は日朝修好条規以来、韓国の独立を唱えてきたのだが、ここに韓国の独立を形骸化させたのである。さらに一九一〇年八月には「韓国併合」によって韓国の独立を否定する。

その間、韓国では失った国権を国家の実力養成を行うことで回復しようとする愛国啓蒙運動や、武器を持って日本と戦う義兵運動が展開される一方で、黒龍会の内田良平らを顧問とする一進会が、樽井藤吉『大東合邦論』の影響を受けて「日韓合邦」運動を展開した。もっとも一進会が目指したのは、実際に行われた吸収合併としての「併合」と異なり、日本と対等な関係での合併としての「合邦」だった。しかし結果的には「日韓合邦」論は日本の韓国植民地化を後押しすることになった。ここに一八八〇年代に起こった日清朝の連携としての興亜論は終焉したのである。

†「興亜主義」による興亜？

以上、本講では明治期の興亜について、社説「脱亜論」をてがかりとして朝鮮の動向を軸として論じてきた。本講の結びに当たって、社説「脱亜論」をもう一度見てみたい。

再三となるが、社説「脱亜論」の脱亜とは、第一義的には一八八〇年代初頭以来の興亜の対義語である。そのうえであらためて問題としたいのは、社説「脱亜論」におけるもう一つの脱亜、すなわち文明化としての「脱亜主義」である。この「脱亜主義」について、論理的にはその対義としての「興亜主義」を措定することができる。

つとに竹内好は前出の「アジア主義の展望」において、「福沢の価値に対置する別の価値をもってしなければ、アジア主義はテーゼとして確立しない」とし、「一八八〇年代の状況からは、そのようなテーゼは生まれなかったと私は思う」と述べている。「福沢の価値」とは「脱亜主義」であり、論理的に措定できる「興亜主義」は、すなわちヨーロッパ的価値としての文明に対する「アジア的価値」である。

そもそも一八八〇年代初頭に日清朝の連携としての興亜論が起こったのは、日本がヨーロッパ起源の近代世界の秩序を受け容れ、ヨーロッパ起源の条約によって清・朝鮮と外交関係を結んだことにより、日本の首都で三国の人士が会同するという、未曾有の状況が生まれたからである。そこで日本が近代世界の論理にもとづいて日清朝の提携を図る以上、それは「脱亜主義」による興亜という論理的にねじれたものになるしかない。

結局、日清戦争によって「脱亜主義」が勝利をおさめることとなったが、中華世界が終焉したのちの中国では、変法運動・革命運動といった体制変革の運動が起こり、日本ではこれに連帯しようとする運動が起こった。もはや東アジアにおいて「脱亜主義」による変革が不可避であることが明らかになった状況で初めて、「アジア的価値」の追求の余地が生まれてくる。ただし、そのとき韓国は日本の提携対象と見なされなくなっていたのは先に述べたとおりである。

日本・中国・朝鮮（韓国）がともに提携するという一八八〇年代初頭に生まれた興亜論は、結局のところ思想史的な成果を挙げることはできなかったといえる。しかし、東アジア地域において何らかの価値を共有した秩序の形成は可能かということは、今日の問題でもある。そもそも「脱亜主義」に対置される「興亜主義」は追求すべき思想的課題なのかという点も含めて、明治期以降の日本のアジアをめぐる思想と運動が投げかけている問いに向き合う必要がある。

さらに詳しく知るための参考文献

竹内好『日本とアジア』（ちくま学芸文庫、一九九三）……本講で触れた「アジア主義の展望」（のちに「日本のアジア主義」に改題）をはじめとする、竹内好の論考が収録されている。もっとも、竹内の文章は難渋で一筋縄にはいかないが、近代における日本とアジアを考えるうえで必読の古典である。

月脚達彦『福沢諭吉の朝鮮』(講談社選書メチエ、二〇一五)……福沢の朝鮮に関する論説を、当時の東アジアの「状況構造」を踏まえたうえで整理・分析した。福沢と関係の深かった開化派をはじめとする朝鮮側の動向に着目することによって、「脱亜論」に関する独自の解釈を示すとともに、アジア主義についても展望している。また、金玉均や朴泳孝ら朝鮮開化派の思想については、月脚達彦訳注『朝鮮開化派選集』(平凡社東洋文庫、二〇一四)を参照されたい。

嵯峨隆『アジア主義と近代日中の思想的交錯』(慶應義塾大学出版会、二〇一六)……アジア主義について、日本・中国・朝鮮をめぐる思想的営為と運動とともに、その中国への波及と日本への照り返しという双方向からの考察が詳細になされている。なお同『アジア主義全史』(筑摩選書、二〇二〇)は、金玉均や樽井藤吉『大東合邦論』など、初期アジア主義に関する記述を加えてより平易に書かれたものである。

中島岳志『アジア主義』(潮文庫、二〇一七/初出二〇一四)……アジア主義者を自任する著者が、アジア主義の現代における思想的可能性を追究したアジア主義通史。竹内好の議論では曖昧だった「アジア的価値」について、その存在を明快に論じている点が特徴であり、争点でもある。

コラム8　亡命中国人

川尻文彦

青年皇帝光緒帝（一八七一～一九〇八）を担いだ改革運動（戊戌変法）が、西太后らのクーデタによって頓挫し、梁啓超（一八七三～一九二九）は一八九八（明治三一）年に日本に亡命した。梁啓超は当時二〇代半ばと若く、日本で思想家として飛躍を遂げる（一九一二年まで日本滞在）。飛躍のきっかけになったのが、「東学」である。「東学」（中国から見て東洋である日本の学問）とは、「西学」（西洋の学問）に対した言葉で、明治日本が受け入れた西洋の最先端の学術や知識（人文・社会科学、自然科学、医学等）を指す。それらは中国で緊急に求められていた知識群であった。梁啓超は「百科全書」的学者で、日本語書籍を存分に活用し、自らの言論活動の中に取りこんでいった。

中国ではいかなる政治や社会の体制が望ましいのか？　このような問いがなされた時、ルソー（Jean-Jacques Rousseau、一七一二～一七七八）の『社会契約論』（*Du Contrat Social*, 1762）冒頭の「人間は自由なものとして生まれた。しかもいたるところで鎖につながれている。自分が他人の主人であると思っているようなものも、実はその人々以上に奴隷なのだ」といった衝撃的なレトリックに中国の読者は魅了された。とりわけ

「革命派」は、フランス革命を思想的に準備した「革命者」としてルソーを高く評価した。しかし、ルソーや社会契約論（民約論）についての学術的な紹介は中国でまだなかった。

梁啓超は一九〇一年に「盧梭（ルソー）学案」を発表した。学案とは黄宗羲（こうそうぎ）（一六一〇〜一六九五）の『明儒学案』のように列伝形式で諸学者の学術を紹介したものである。梁啓超は、中江兆民（一八四七〜一九〇一）が一八八六年に翻訳刊行したフイエ『理学沿革史』(Alfred, Fouillée *Histoire de la philosophie*, 1875) に全面的に依拠してルソーの学案を完成した。そこではルソーの生い立ち、「社会契約」の成立を成員の共同体への権利の全面的な譲渡に求めた「一般意志」論、社会契約が実際の歴史で実現したものではなく理念型であることも説明されている。

梁啓超は、あわせてホッブズ、ロック、スピノザ、ベーコン、デカルト、ダーウィン、モンテスキュー、ベンサム、アダム・スミス、カント、ブルンチュリ、ベンジャミン・キッド等を精力的に紹介していく。

中江兆民は一八八二年に『社会契約論』を『民約訳解』と題して漢文訳（第二編第六章までの部分訳）している。梁啓超は自ら上海で創立した大同訳書局から『民約訳解』の翻版（複製）を法国戎雅屈婁騒著『民約通義』（一八九八）と題して出版した。『民約通義』はこの大同訳書局版から派生した五、六種の版本が市場に出回った（鄔国義「『民約通義』——上海大同訳書局初刊本的新発見及其意義」『中華文史論叢』二〇一一年第二期）。『社会契約論』の中国語訳はその後、散発的に二、三種公刊されてはいるが、『民約通義』が中国の読者に初めてルソーの文章や「民権」「自由之権」の概念を紹介した意義は大きい。中江兆民が「日本のルソー」のみならず「東洋のルソー」である所以であり、それには梁啓超が介在している。

一九〇〇年代に中国で革命運動が進展すると、日本は清朝の官憲からの避難地となり、亡命者も急増した。たとえば、後の北京大学学長で井上円了『妖怪学講義』を翻訳した蔡元培（一八六八～一九四〇）、孫文（一八六六～一九二五）と並ぶ「民国革命の双璧」である黄興（一八七四～一九一六）、新文化運動の指導者陳独秀（一八七九～一九四二）、袁世凱の凶弾に倒れた宋教仁（一八八二～一九一三）などである。

一九〇五年に孫文をリーダーとして中国同盟会が東京で結成され、革命と立憲をめぐって梁啓超と激しい論戦を行った。孫文の下で「国学大師」章炳麟（一八六九～一九三六）、法政大学で学んだ汪精衛（兆銘、一八八三～一九四四）らが健筆をふるった。章炳麟は姉崎正治、岸本能武太、井上哲次郎らを好んで読んだ。張継（一八八二〜一九四七）と劉師培（一八八四〜一九一九）は、幸徳秋水、堺利彦、山川均、大杉栄らと社会主義講習会を組織した。亡命中国知識人は「東学」から有益な知識を貪欲に吸収しようとし、その著作の随所に「東学」の痕跡が残っている。

一九〇〇年代に入り、中国での科挙廃止や西洋近代学問重視の風潮の中で、日本における中国人留学生は急増し、正確な統計はないもののピーク時の一九〇六年には一万二千人を超える規模に達したとされる（李喜所『近代留学生与中外文化』天津教育出版社、二〇〇六）。留学生の一部は亡命中国人の革命運動にも参与した。彼らは梁啓超らの著述の熱心な読者でもあり、その印税収入は梁啓超らの亡命生活を支えた。

後年、日本の学界では明治時代の西洋学術研究は草創期の「輸入学問」の典型であり、独創的な学術価値は少ないとされてきた。フイエの哲学史で西洋哲学を研究しようという者は今日皆無であろう。しかし、梁啓超らの「東学」をめぐる知的営為をたどってみると、明治日本さらには当時の東アジアの思想空間で活躍した人々の生き生きとした姿を私たちに蘇らせてくれるのである。

第14講

日韓合邦論

永島広紀

明治神宮・神宮橋

原宿駅を降り、表参道・神宮橋から道を跨いで少し東側に歩いたところに一九七〇年代後半までその塔は屹立していた。加波山から切り出した花崗岩で作られた「日韓合邦記念塔」が、である。一九三四（昭和九）年一一月に竣工し、同月二九日に挙行されたこの塔の除幕式には発起人の内田良平・頭山満をはじめ、外相の広田弘毅、拓務相の児玉秀雄といった現職閣僚、さらには大竹貫一・小川平吉・安達謙蔵・林権助という早くから朝鮮問題に政客として深くコミットしていた古参の面々が出席していた。ただし、発起人の一人である杉山茂丸は当日、欠席していた。

韓国併合からおよそ四半世紀が経過したこの時期ではあるが、なぜこのタイミングでの建設であったのだろうか。杉山は一九三五年、内田は一九三七年にそれぞれ没していることから、

「日韓合邦記念塔」（『日韓合邦記念塔写真帖』1934）

彼らの晩年における深い思い入れがあってのことであったろう。また、満洲国も成立し、朝鮮・満蒙を駆け巡った彼ら黒龍会メンバーの活動としても、大きな節目を迎えていたのも確かである。

しかし、当時の朝鮮総督である宇垣一成からは不賛成の声が届けられ、実際、黒龍会が翌一九三五年末に刊行した『日韓合邦秘史』は朝鮮では発禁処分となるなど、朝鮮総督府としては「なにをいまさら」という態度を崩さなかった。また、塔の中に奉納された「功労者」の銘文からは、ひたすら私利と保身のために併合条約に署名したと断じられた当時の大韓帝国首相の李完用の名が削られていた。やはり「併合」ではなく「合邦」という、すでに一九三〇年代でも半ば忘れかけられていた言葉が、様々な軋轢と反発を伴いながら再登場していたのである。

†杉山茂丸に届いた問責状

話はおおよそ、そこから一五年ほど前に遡（さかのぼ）る。一九一九（大正八）年三月から五月にかけて発生した「万歳騒擾（そうじょう）」、すなわち三・一独立運動も終息し、総督が更迭され、新任の斎藤実（まこと）は「文化」を掲げる新たな統治策を着々と押し進めていた。

そうした中、一九二〇年五月二七日の日付をもって突如、とある手紙が杉山茂丸に届けられた。差出人は尹定植（ユン・ジョンシク）を筆頭に、「旧一進会員」を名乗る一四名の連署によるものであった。そして、その内容は一言で表せば「自決勧告」である。要するに、「東洋の平和のために会長の李容九（イ・ヨング）以下、日本と韓国の対等な『合邦』に一進会は協力したが、これに反して日本政府は約束を反故（ほご）にした挙句、むしろ独立運動を惹起（じゃっき）せしめた」と。

この事件は『原敬日記』（一九二〇年六月三〇日条）にも仔細に記録されており、首相の原敬（はらたかし）をはじめ、元老の山県有朋（やまがたありとも）や陸相の田中義一（たなかぎいち）らを巻き込みつつ、ちょっとした騒動に発展していたことが窺える。いや、むしろ三・一運動とは別の意味で日本政府側は、えも知れぬ、しかもひたすら後ろめたい動揺をきたしていたのである。そして、杉山は福岡の日刊紙『九州日報』の一九二二年八月から九月にかけて五五回にわたって連載した「建白」の終盤、「第十一、台湾朝鮮の政治改革の事」においてこの事件をはじめて暴露的に公にしており、この連載文をあらためて『建白』と題して製本の上、各界要人に配っていた。

問責状が届いてのち、内田良平は旧一進会員の慰撫と、善後策を話し合うために朝鮮・京城に急行している。そして、一九二〇年の七月一四日から一八日にかけて断続的に尹定植らと話し合いの席を持ち、最終的に内田らは「合邦の真目的を達成すべき重大なる責任」を認め、もし約束が達成されない場合には潔く「自決」するという覚書を交わすに至っていた（「一進会交渉顛末書」国立国会図書館憲政資料室所蔵「斎藤実文書」）。

†東学党と天佑侠

一進会長・李容九（一八六八〜一九一二）は朝鮮半島南東部の内陸側、慶尚北道の尚州（サンジュ）（ソウル方面に抜けるかつての交通の要衝地）の零落した両班（ヤンバン）の家に生を受けた。幼名は愚弼、字は大有、のちに海山（ヘサン）を号した。長じて後、当時の朝鮮半島を席巻（せっけん）しつつあった民間宗教「東学（トンハク）」に入門し、次第に頭角をあらわしたとされる。特に初代・二代の教祖が「法難」に遭（あ）ったのち、教団を掌握した第三代教主・孫秉熙（ソン・ビョンヒ）の下で参謀役となり、東学の公認と教祖の雪冤（名誉回復）を求める一大示威行動を一八九三（明治二六）年に起こすが、これがやがて世にいう「東学党の乱」として日清開戦の呼び水となった。

一般に「東学党の乱」とされるものの震源地は、東学の発祥地である慶尚道とは歴史的に対立感情の強い全羅北道の古阜（コブ）郡である。一八九四年の初めに同地で発生した水利権をめぐる官民の紛争が周辺の農民を巻き込み、ついには道都たる全州（チョンジュ）城を包囲、陥落せしめたのであった。

全州に立て籠もった指導者に全琫準（チョン・ボンジュン）なる東学の信徒が含まれてはいたものの、慶尚道の東学上層部は、当初、農民反乱に対しては傍観の立場を崩さなかった。

しかし、士気に乏しい政府軍は農民軍の攻勢に歯が立たず、やむなく宗主国である清に援軍を要請した。また、これに対して日本は天津条約を盾にして軍事介入を行い、成歓（ソンファン）の地で日清両軍が衝突する……というのが歴史教科書でもお馴染みの顚末である。そして、朝鮮半島南西部に転戦した後備歩兵第一九大隊（主に山口・広島出身者で編成）が掃討戦に従事し、やがて全琫準が捕縛され、朝鮮側に引き渡されることになる。

これに先立ち、伊藤博文内閣の対清国「軟弱外交」に悲憤した全国の「壮士」たちが、日清開戦前の朝鮮・釜山（プサン）に集結していた。その中に弱冠二〇歳の内田良平（平岡浩太郎（ひらおかこうたろう）の甥）や久留米出身の禅僧である武田範之（たけだはんし）ら、のちに黒龍会を結成して「日韓合邦運動」にも入れ込むことになるメンバーが含まれていた。

いつしか彼ら十数人は「天佑俠（てんゆうきょう）」を名乗り、まずは慶尚南道の昌原（チャンウォン）にあった日本人経営の金山に押し入りダイナマイトを強奪、さらに全羅南道の南原（ナムオン）へと「転戦」していった。天佑俠の面々と全琫準は淳昌（スンチャン）という南原にほど近い郡邑で邂逅していたともされる。ただ、互いに言語は通じず、農民軍側もおそらく持て余していたことであろう。まもなく内田は大怪我を負い、天佑俠の活動は日本公使館に「保護」されてあえなく終わる。また、遅ればせながら農民軍に参加したものの、東学の教団も大打撃を受け、李容九は官憲に逮捕され入獄し、出獄後には孫秉熙とともに日本に脱出していた。時に一八九八年のことであるとされる。そして日本滞留中、李容九はとある一書を手に取ることになる。

†樽井藤吉と『大東合邦論』

その書とは『大東合邦論』である。一八九三年八月に「森本藤吉」を著者として本文はすべて「漢文体」で執筆された。森本姓を名乗っているが、これは折からの衆議院議員選挙に出馬するための臨時の入養によるもので、元の姓は「樽井」であった。その樽井藤吉（たるいとうきち）は一八五〇（嘉永三）年、大和国宇智（うち）郡の材木商の家に生まれた。のちに「丹芳」を号する。東京に遊学後、明治一〇年代初には朝鮮近海の島嶼「探検」に赴き、実際に朝鮮本土に渡航したこともあった。しかし志を果たせぬまま長崎に逗留していたところ、九州各地で相次いで「改進党」が結成されるのに便乗する形で「東洋社会党」を結成したのであった。ただし、私有財産の制限や土地公有などを掲げる「社会主義」を連想させる党名はかなり世の顰蹙（ひんしゅく）を買い、ひいては帝政ロシアで猛威をふるっていたテロと同一視され、「虚無党（ニヒリスト）」呼ばわりされることすらあった。

なお、結党は一八八二年五月のこととされるが、地元紙『西海新聞』の広告欄にはすでに四月中旬からその名が見え始めている。そして、同年七月二二日には長崎市内で演説会を開催し、本格的な活動を開始した矢先、すぐさま「集会条例」により解散命令を受けてしまった。また、翌年一月に党則を発表したところ樽井は起訴され、軽禁錮一年の判決を受けて獄に下っている。

その後、創刊から間もない佐賀新聞の発行に携わり、さらに上海に渡航して九州改進党の有志と図って語学校たる東洋学館の設立にも関与していた。その後、自由党左派・大井憲太郎による「大阪事件」への係累を疑われ、一時収監の憂き目を見るも、一八九二年二月の第二回衆議院総選挙に奈良三区より出馬して当選を果たしている。

さて、『大東合邦論』は、そもそも兆民・中江篤介が主筆を務めていた『自由平等経綸』誌の第六号（一八九一年五月）から「大東合邦論」として一二回にわたり連載（ただし未完結）していたものを増補の上で単行本化したものであった。中江兆民は「大同団結」による立憲自由党の結党ののち、衆議院議員の辞職（一八九一年二月）を経て、まさに北海道・小樽に移住する頃である。そうした刊行の経緯からしても、また樽井の「（初期）社会主義者」としての思想遍歴からも、『大東合邦論』はラディカルな政府批判としての「自由民権」、とりわけ過激な対外的行動（特に朝鮮の内政改革）すら厭わない自由党左派の「落胤」であるといっても過言ではない。

その内容である。まずは西洋列強による東アジア進出に対抗すべく、日本と朝鮮は、「大東（国）」の名の下に「連邦」し、さらに清国とも「合従」し、ひいては「東洋の平和」をもたらさんとすることを基本的な論旨としている。特に、「宇内独立国一覧表」として東西の諸国家を「立憲／専制」あるいは「帝国・王国・酋長国・共和国」とに腑分けし、その政体を比較することにより、あらためて日本・朝鮮の「合邦」の道筋を模索せんとする構成となっている。

とりわけ「合邦」ないしは「連邦」の例として引き合いに出されているのが、各王国・公国の連合体という建前上の尊号は残しつつも国家主権が一本化されているイギリスと、成立からまだ間もない、各州の自治権がいまだ強い連邦制の帝国としてのドイツという、ともに立憲政体の国家である。

翻って、朝鮮は「専制の王国」であり、日本は「立憲の帝国」に分類されている。この二つの国家が「合邦」するにあたって、『大東合邦論』自体は具体的な国家経営のグランドデザインを提示していたわけではない。とりわけ、朝鮮王とその一族の処遇こそが最重要の課題であるはずだが、特段の言及はない。また、国際的な趨勢からしても、また当時は一世を風靡していたスペンサーの説く社会進化論の信奉者でもあった以上、朝鮮にも「立憲」政体の導入は不可欠であるという認識があるはずである。しかし、やはり樽井は黙して語っていない。

それでも、世界中のナショナリズムがマグマの奔流をなしている当時においては相当に斬新な提起であったことは確かであろう。特に漢文体で書かれたことは、すなわち清国・朝鮮の知識層に向けたものでもあることを意味する。実際、梁啓超が樽井には無断のまま『大東合邦新義』として上海の大同訳書局から一八九八年、相当な改変を加えた上でこれを出版していた。

特に清国関係部分を中心にかなり書き換えられていた（蔣海波「上海大同訳書局の日本翻刻書について」『孫文研究』六八号、二〇二一年八月）。実に一〇万部を売り上げたとされる。康有為の「変法自強運動」の高潮と衰退の期を経て、康の盟友たる梁啓超はまもなく日本に亡命するというタイミングである。

　ところで、『大東合邦論』は一九一〇年七月三一日の刊行奥付をもって再刊されている。まさに韓国併合の直前である。再版の段階で前出の「宇内独立国一覧表」は削除され、「再刊要旨」（漢文）を追加するとともに、和文の「大東合邦論再版附言」が別紙付録として差し込まれている。そして、樽井はその附言において自らを「日韓合邦主唱者」と呼んでいる。しかし、その再刊要旨においては、「保護」下の韓国には多額の歳費を補助している以上、日韓の「連合」（樽井によれば「連合」の概括的な上位概念が「合邦」であるらしい）とは言いながら、富力の充実により政費の分担が出来るようになってからこそ初めて参政権が付与されるのであると、ありていに言えば、随分とトーンダウンした「合邦」論になっている。これでは単なる「併合論」ではないのかと言われても果たして反論できるのだろうか。初版の刊行から二〇年近くを閲し、樽井も現実路線に舵を切ったということなのであろう。

†素志は大東合邦にあり

閑話休題。一九〇六年一〇月初旬、李容九は統監府の嘱託としてソウル（漢城（ハンソン）／ソウルは「京城」の朝鮮訓）に滞在していた内田良平と初めての会見を持った。杉山茂丸の斡旋により内田は同年の一月より、「韓国国情調査」の名目をもって月額一五〇円の官給を受ける身となっていた。折しも、東学の教主である孫秉熙とともに日本から帰国し、東学を「天道教（チョンドギョ）」と改称するとともに、その別働隊たる「進歩会」の組織化を進めていた。さらに、宋秉畯（ソン・ビョンジュン）が別途に組織していた「維新会」改め「一進会」と合同し、あらためて「一進会（イルチネ）」を名乗って各地に勢力を伸ばしていた矢先であった。宋秉畯が、韓国皇帝の玉璽を偽造しての不正行為の廉（かど）で追われていた李逸植（イ・イルシク）を匿ったとの嫌疑で逮捕され、一進会の組織に大きな動揺が走っていたところであった。李容九と内田の会談も、宋秉畯の釈放に向けた統監府への働きかけの場であった。

いち早く進歩会は、日露戦役の頃からソウル（京城）と新義州（シニジュ）を結ぶ「京義線」の鉄道建設に参画するなど、韓国駐箚軍の幹部将官と気脈を通じており、一九〇五年一一月の段階では日本政府の韓国「保護」を支持する声明を公表するなど、親日路線をひた走っていた。しかも、李容九と孫秉熙は路線の相違から袂（たもと）を分かち、李は天道教から追放されてしまっていた。そこで李容九は東学の正統をもって自認する「侍天教（シチョンギョ）」を別途に立ち上げ、自らその教主の地位に収まっていた。
日露戦争下の軍政施行地などでは、伝統的な髷を落とした「断髪」と黒ずくめの洋装で「開化」をアピールしつつ、地方官吏の不正を暴いて吊るし上げの糾弾集会を各地で行うとともに「大韓皇室の保全」「民力の涵養」を謳い、さらには学校経営や農業会社の設立など利殖にも貪欲な一進会であった。とりわけ、実学的な知識人が多い現在の北朝鮮地域に一進会・侍天教は勢力を急速に浸透させていた。また、幹部会員中にはかつて韓国皇帝に対して憲法制定と議会開設を要求して弾圧され解散を余儀なくされた「独立協会」の生き残りも多く含まれており、その意味で一進会は地域社会にも一定の影響力と、熱狂的な支持者を持つ言わば「民権結社」的な性格を濃厚に有していたことも見逃せない重要な点である。

*

ここで再度、対面のシーンに戻ろう。開口一番、李容九は「余の素志は丹芳氏の所謂大東合邦に在り」と述べ、内田を一驚させている。内田良平にとって丹芳・樽井藤吉は、伯父の平岡浩太郎や頭山満らの筑前玄洋社の主要幹部とも近しい人物であった。その場での「意気投合」を承けて内田は一九〇六年一〇月四日付けをもって一進会の顧問に就任するに至ったのであった。

ハーグ密使事件の責任をとって皇帝たる高宗が退位し、そして第三次の日韓協約が締結された。この協約によって、大韓帝国の政府機関に次官をはじめとする大量の日本人官吏を送り込むことになり、「保護」の実質化が図られたのが一九〇七年七月である。さらに王宮の禁衛部隊を除く軍隊の解散を強行したことから、統監府・韓国駐箚軍に対するゲリラ活動（義兵闘争）が激化し、一進会員が殺害される事件が各地で頻発することにもなった。しかも、一九〇八年一〇月には全羅北道万頃（マンギョン）郡を巡礼中の侍天教徒十数名が義兵と誤認されて現地守備隊から射殺されるという事件も発生し、世相は殺伐にして混沌としていた。

その一方、一進会は宋秉畯を李完用内閣の農商工部大臣（のち内部大臣に転任）として入閣させることに成功し、また地方道の官吏に少なからぬ会員が登用されるなど、おそらく当時の韓国においては最も「政党」に近い存在であった。しかも、元来は英語修習組の外交クルー出身であり（よって日本語はしゃべることが出来なかった）、そもそも親露派でもあった李完用と一進会は犬猿の仲であった。

一九〇九年一二月、一進会は伊藤博文の遭難事件を経て、会としての劣勢を挽回するためにも一つの賭けに出た。すなわち「合邦請願書」の提出である。提出先は、韓国皇帝、首相の李完用、そして統監である曾根荒助にであった。請願書を起草したのは漢文に通暁していた武田範之である。これは、内田と杉山、さらに宋秉畯、そして日本側の桂太郎首相と寺内正毅陸相との「阿吽の呼吸」にて周到に準備がなされた。

すでに一九〇九年七月の閣議決定により「適当の時機」に併合を断行する方針が決まっていたのであるが、武力による軍事占領をも辞さない「併合」ではなく、あくまでも韓国側による自願の形式をとる「円満な解決」すなわち「合邦」でなければならなかった。一進会としても次期の組閣に際してはその中心となる算段であった。

ただし、李容九が強く望んだ「合邦」とは、あくまでも完全に対等な「連邦」制を採る日韓の合一であった。しかし、一九一〇年八月二二日に調印され、同二九日に公布された「韓国併合に関する条約」は、その第一条で韓国皇帝の日本皇帝に対する統治権の「永久譲与」が謳われた。さらに旧大韓皇帝および一族の地位保障（「王公家」の創出）、併合功労者への恩典付与（「朝鮮貴族」としての授爵）などが条文に盛り込まれていた。しかし、寺内総督の方針で、一進会をはじめとする政治結社はすべて解散処分となったのである。元の一進会員は侍天教を拠り所として細々とその組織の命脈を繋いでいかざるを得なくなった。

一方、西洋型の植民地経営を彷彿とさせる「総督」が任命され、また法域としても「外地」と規定された。大日本帝国憲法は形式論的には施行された（この点は公法学者間でも意見が割れていた）ものの完全には適用されず、選挙権・義務教育・徴兵制などの権利義務はすぐさま付与されなかった。ちなみに、徴兵制の施行は一九四二年（実施は四四年秋から）、選挙法の改正による次期衆議院議員選出に伴う選挙区割りは一九四五年四月に発表され、そして義務教育は一九四七年度からの開始が予告されていた。

それにしても李容九が思い描いた「対等」な合邦の姿とは果たしてどのようなものであったのか？　少なくとも、一九三〇年代の後半以降にひとしきり喧伝された「内鮮一体」「内鮮結婚」のような究極の同化策とは全くの別物ではあったろう。やはり、初期社会主義的であり、かつ東亜の復興を期す理想郷としての「合邦」、すなわち「大東国」であったという語りは、その後も様々な人の口にのぼっては消えていったのである。

†「大東国」その後

日中戦時下の一九三八年一一月、京城では時局団体「大東一進会」の結成が宣せられた。表面的には教勢では大きく水をあけられていた天道教に対抗するための「侍天教の改組」という形がとられていた。会長には、かつての一進会幹部会員である中枢院参議の尹甲炳（ユン・カッピョン）（平沼秀雄）が就任した。ただし一八六二年生ですでに七六才に年齢が達していた尹への名誉的な充て職であり、実務を取り仕切ったのは、李容九の忘れ形見である李碩奎（イ・ソッキュ）（一九〇九〜一九八六）であった。まもなく「大東」と創氏、大東碩奎もしくは大東碩夫の名を称した人物である。韓国「併合」後、一切の栄爵を固辞し、また病軀の療養のために滞留していた神戸・須磨にて生涯を閉じた李容九の次男である。なお、碩奎には養子である顕奎という戸籍上の長兄が存在した。一九二〇年の内田と尹定植との会見（前出）で通訳を務めていたのは早稲田大に学んだ李顕奎であった。

李碩奎は、後見人たる野田子爵（のち伯爵に陞る）こと宋秉畯の経済的な庇護の下、東京神田の大成中を経て立教大予科に入学し、青年期には典型的なデカダン生活を送っていたという。

東京・青梅の大東神社に保存される「日韓合邦記念塔」の竿石部分
（筆者撮影：2022 年 11 月 3 日）

やがて満川亀太郎が主宰する興亜学塾に出入りし、また安岡正篤の紹介で立大予科退学後は二松学舎に学んでいた。『特高月報』をはじめとする警察資料や朝鮮軍憲兵隊の調査報告にも大東一進会は「国家主義団体」として登場している。

それにしても李碩奎が「大東」と創氏したことは、往年の経緯を少しでも知る者たちにとっては心の痛痒とともに、ひとしきりの苦笑を禁じ得ないことであったに違いない。太平洋戦争の最末期に「内地人」女性と結婚した李碩奎は、敗戦後はそのまま日本に渡り、「大東国男」を名乗った。そして晩年に至るまで東京・吉祥寺で妻子とともに暮らすことになる。

そして、東京都青梅市の大東農場内に鎮座する「大東神社」。この「大東」とは言うまでもなく、樽井の著作に直結するものではなく、「昭和維新」を掲げた歌人・影山正治が主宰した「大東塾」に由来する。その境内には、頭山満の揮毫を陰刻した「日韓合邦記念塔」の竿石(棹)が今でも保管されている。また、宝篋印塔様の上座や台座部分などは加波山をいただく茨城県桜川市真壁町の石材店にて守られている。

「日韓合邦記念塔」とは、まさしく内田・杉山・頭山らによる李容九に向けた弁明と鎮魂の碑であり、一方で日本政府や朝鮮総督府に対してするどく決裁を迫る「約束手形」でもあった。この手形が最終的な「不渡り」に陥ったのは、はたして一九四五年八月一五日なのか、朝鮮総督府が米軍に降伏した同年九月九日であるのか。はたまた韓国併合条約を「すでに無効」として日韓基本条約が調印された一九六五年六月二二日であったのだろうか。

ともあれ、明治中期に一民権運動家によって提起された「大東合邦」とは、東アジアの国家間におけるその伝統的な秩序を、万国公法が支配する新たなものに上書きしようとした案であったと読み解く時、「興亜」「革命」に揺れ動いた当時の東洋知識人たちの懊悩の軽減に、たまさかの薬効をもたらしたのであった。ただ、これを日韓に適用するには、あまりに副作用の強い劇薬でもあった。

さらに詳しく知るための参考文献

田中惣五郎『東洋社会党考』（一元社、一九三〇）……初期社会主義者たる樽井の政治活動と思想をつぶさに追った古典的著作である。鈴木正の解説と田中の著作目録を付して一九七〇年に新泉社より復刊されている。また、書誌学の立場から樽井の著述活動に光を当て、特に『大東合邦論』の初版と再版の異同に注目した桜井義之「東洋社会党樽井藤吉と『大東合邦論』」『明治と朝鮮』私家版、一九六四（初出時の原題は「東洋社会党樽井藤吉と朝鮮合邦論（一）・（二）」『朝鮮行政』一―四・五、一九三七）も重要な論考である。

石瀧豊美『玄洋社発掘――もうひとつの自由民権』（西日本新聞社、一九八一）……本格的な玄洋社研究の嚆矢として名高い一書である。増補版（一九九七）を経て、『玄洋社――封印された実像』と改題・増補のうえで海鳥社から刊行された（二〇一〇）。なお、その塑型であり原典でもある『玄洋社社史』（玄洋社々史編纂会、一九一七）は影印復刻として「明治文献」版（一九六六）・「近代史料出版会」版（一九七七）・「葦書房」版（一九九二）が、また翻刻として「書肆心水」版（二〇一六）それぞれ刊行されており、利用しやすい。

滝沢誠『近代日本右派社会思想研究』（論創社、一九八〇）……新潟の顯聖寺に残された武田範之文書（「洪疇遺績」）の発掘・撮影をはじめとして、同氏による一連の仕事によって本格的な「日韓合邦運動」の検証が可能になったと言っても過言ではない。衛藤瀋吉らとともに韓国側の実証研究をいち早く翻訳して紹介も行っている（韓相一『日韓近代史の空間』日本経済評論社、一九八四〔原著は一九八〇刊〕）。また、武田範之文書と相互に補完しあうものとして『内田良平関係文書』（全一一巻、芙蓉書房出版、一九九四）が刊行されており、『日韓合邦秘史』（上・下、黒龍会、一九三〇）に引用されている一次史料を多く収録している。

西尾陽太郎『李容九小伝——裏切られた日韓合邦運動』（葦書房、一九七八）……九州帝大法文学部在学中は竹岡勝也に師事し、九州大学教養部で長年教鞭をとった著者は、幕末〜明治の思想史を主たる専門分野としていた。ここから玄洋社の思想性を筑前福岡藩の勤皇運動より説き起こすことから始め、さらに「日韓合邦」「辛亥革命」と筆が及んだ。本書の原型は「九州における近代の思想状況」（高橋正雄監修『日本近代化と九州』平凡社、一九七二）である。なお、同書に一文を寄せている大東国男には『李容九の生涯』（時事通信社、時事新書、一九六〇）の著作があり、大東から丹念に聞取りを行った橋本健午『父は祖国を売ったか』（日本経済評論社、一九八二）との併読をお薦めしたい。

竹内好「アジア主義の展望」（『日本のアジア主義』に改題のうえ、『日本とアジア』〈竹内好評論集第三巻〉、筑摩書房、一九六六／ちくま学芸文庫、一九九三）……「アジア主義」に関して、いまだにこれを凌駕するものを見出しがたい水準を誇る。同文はもともと、竹内が編集した『アジア主義』〈現代日本思想大系9〉（筑摩書房、一九六三）の解説として書き下ろされた。右掲書には竹内の抄訳による「大東合邦論」や、内田良平の「日韓合邦」（底本は『日本之亜細亜』黒龍会出版部、一九三二）も翻刻されて収録されており、アジア主義に関する簡便な資料集となっている。

コラム9　黒龍会

有馬　学

明治から昭和戦前期の日本において、大陸浪人と俗称される一群の個人・集団が存在した。彼らは積極的な大陸進出を唱え、概して政府よりも強硬な外交政策を主張するのが常であった。この場合の大陸は中国本土、モンゴル、満洲、朝鮮からシベリアに及ぶ。浪人という自・他称が示すようにほとんどが民間人の資格で行われた活動であり、時に政府権力と通じることはあったが、その行動は基本的にはボランタリー・アクションである。

このような大陸浪人の活動は、近代日本の外交をめぐる入江昭（いりえあきら）の古典的な図式に、とりあえず合致するように見える（『日本の外交』中公新書、一九六六）。すなわち、欧米と協調し、その許容する範囲で大陸進出を図る政府の現実主義と、在野からの理想主義的アプローチ（列強のアジア侵略への対抗）による強硬論（政府批判）の対抗という図式である。しかし、典型的な大陸浪人の団体と見られる黒龍会（こくりゅうかい）の活動を丁寧に見ていくと、入江の図式はおおむね妥当だが、それのみでは彼らの対外活動の多様で複雑な性格が見落とされる可能性がある。

たとえば地政学的アプローチをとり、調査を重視する黒龍会の主張は、一面できわめて現実主義的であり、むやみに好戦的ではない。また、黒龍会も孫文らの中国革命に支援を与えたが、その背景には、中国は政治社会（読書階級）と普通社会（農商工社会）が分離して没交渉な「一の畸形国」であるという独自の中国観があり（内田良平『支那観』一九一三）、その主張は革命支援という美しい物語に収まらない。

そのように考えると、黒龍会の主張と活動をきちんと検討する作業は、近代日本とアジアの関係を考察する我々の視野に奥行きを与えてくれる可能性がある。ここでは日露戦争に至る対露政策の形成過程とその内容をサンプルに、彼らの議論の特徴を見てみよう（明治期の他の重要な活動である日韓合邦運動については第14講を参照）。なお内田の著作の多くについて、実際に筆を執ったのは中核メンバーの吉倉汪聖や権藤成卿であることが知られているが（滝沢誠『評伝内田良平』大和書房、一九七六）、それを前提に内田の議論として扱う。

黒龍会は内田良平（硬石）を主幹として一九〇一（明治三四）年二月に東京で結成されている。内田は旧福岡藩士内田良五郎の子として一八七四年に福岡に生まれた。父良五郎は玄洋社員であり、頭山満とともに玄洋社の中心人物であった平岡浩太郎は叔父である。会の名称は今日の目からは秘密結社めいて怪しげだが、「西比利亜満洲の中間を流る丶黒龍江を中心とする大陸経営を策せんとするの意」（『硬石五拾年譜』葦書房、一九七八）に出たものであり、当初はロシアの東方進出の脅威を強く意識していたことがわかる。

内田のロシアに対する関心は早く、上京後の一八九二年には東洋語学校に入学してロシア語を学んでいる。また日清戦争後には、将来ロシアとの衝突が起こることを想定して単身シベリア横断旅行を企て、首都のペテルブルグに至っている（一八九七〜九八年）。

この時の見聞をもとに、黒龍会結成の年の九月に『露西亜亡国論』を刊行しようとして発禁処分を受けた（のち改訂して『露西亜論』を刊行）。『露西亜亡国論』は現存しないが、『会報』第二集掲載の「日露の実力を算し和戦の利害に及ふ」がその主要部分と思われる。その内容は、政治、経済、社会の各方面にわたって、強大に見えるロシアが裏面にさまざまな欠陥を抱えていることを指摘し、一般の対露恐怖を批判したものである。

したがって、仮に日本が勝利した場合の要求事項は、満洲鉄道のロシア守備兵を限定する（増兵の場合は日本の同意を要する）、満洲で各国人はロシア人と同様の権利を有する、旅順大連を商港としてロシアの兵備を廃する、ロシア東洋艦隊の制限などであり、日露戦後に日本が獲得した権益より控えめである。黒龍会の対露主戦論の実態はそのような性格のものであった。それは政府より帝国主義的な主張を掲げる観念的な強硬論であるよりは、実利的なリアリズムであり、地政学的な発想によるロシア主敵論といえる。

講和論が動き出した一九〇五年六月に出版された『和局私案』では、さすがに開戦前より強い要求だが、戦後に列強と対峙することを想定し、ロシアの通商開拓を認める積極策をとるべきだと主張している。このように極東における国際政治の力学をふまえたアプローチは、第一次大戦期まで一貫していた。しかし第一次大戦後のデモクラシー思潮に反発する中で、彼らの主張は日本の国体の強調に傾いていく。かつて、時にみずから死地に赴くことも辞さない冒険主義の裏側には、機関誌『黒龍』の誌面を占めていた調査報告が示す事実（リアリズム）があった。大正期の後継誌『亜細亜時論』では、次第に反デモクラシーの政論に取って代わられていくのである。

第15講　東西文明論

ディック・ステゲウェルンス
（陣内隆一訳）

†東西の架け橋としての日本

近現代の日本の思想では、日本を東洋と西洋の間に置いて考える傾向が強い。地理的にも他の面でもこの国が東洋に属していることは間違いないのだが、西洋の最も成功した門下生でもあるという高い誇りを持っている。一方で他のどの国よりも東洋と西洋を最高の形で融合させてきたという確信は、しばしば日本が唯一であるという夢をもたらしてきた。またその確信は、日本が東洋と西洋両方の性質を併せ持っているため、東と西の間の架け橋として相互理解をもたらす役割を果たすのに最も適しているという認識を支えている。日本が唯一であるという夢は、特に第一次世界大戦期において自らが優越した存在であるという妄想へと発展した。

この「東西文明論」によれば、日本は、東西の文明を融合させ、より高い次元の世界統一文明にまで高め、その新たな世界文明の主導権を握る特別な使命を与えられた存在であるとされた。アジア太平洋戦争下には、日本は大東亜共栄圏という枠組みの中で自らをアジアのリーダーと位置付け、中国その他の国々を指導する権利があると主張したことから、戦後は、そのような戦時中のプロパガンダと類似していることを理由に、東西文明論という用語が用いられることは一般的には敬遠されてきた。しかしこのような言説の思考構造は、以前と同様、今日に至るまで続いている。

以下このような考え方の長期にわたる系譜、特徴および様々な表現のようなものを分析していくこととしたい。

†東西文明論

江戸時代後期に影響力を持っていた国学という思想は、すでに日本の唯一性を強調していた。そして国外の世界を直接知ることはないにもかかわらず、日本を中心とした「世界」秩序を主張する人々すらいた。この潮流は最初の（自作の）日本人をも生み出すこととなったが、それは中国の影響を排除することを主な目的としていたのであり、現実的な内容に欠けるものであった。したがって、日本が西洋の世界秩序に直面したとき、日本の優越性とそれに伴う日本の使命といったものを掲げる国学の夢はただちに消えてなくなり、いわゆる不平等条約を通してその世界秩序に参加せざるをえない結果となった。

そのため以下では、野村浩一と石川禎浩による先行研究（野村一九六一／石川一九九四）に従って、日本の国民的使命に関してより現実的なあるいは実行可能な概念が最初に生まれた時期として、二〇世紀初頭に焦点を当てることとしたい。明治の初期から中期にかけて日本は国民的な危機に瀕しつつあるという現状認識に支配されており、日露戦争に勝利したことによってようやく将来と外の世界に対する国民的使命について考える余裕を持つことができるようになった。この国民的使命に与えられた内容は多岐にわたるが、ここでは「東西文明論」「東西文明調和論」「東西文明融合論」という似通った名称を持つ考え方の系譜に注目したい。

明治時代初期は、文明開化という政府のスローガンによって特徴づけられることが多い。このスローガンの中の文明という言葉は、単一でかつ普遍的なものであることが前提とされている。しかしその中身はほとんど西ヨーロッパ的なものを意味しているということについて誰もが同意しており、当時の英国はその文明における頂点と見なされていた。それは、福沢諭吉その他の人々の手によって明治初期以降人口に膾炙（かいしゃ）することとなった文明と同じものであった。すなわちその文明は本質的には外国から輸入されたシステムであり、日本はそのシステムの階段の中途に位置している存在に過ぎなかった。

しかし一九世紀末になると西洋ではより多様な考え方が生まれてくることとなった。オリエンタリズムとその最終段階であるジャポニスムの波に乗って、「東洋／オリエント」への新たな関心が、後進的なものとしてより、むしろ神秘的で深遠で精神的な西洋とは異質のものとして蓄積されていった。岡倉天心の『東洋の理想』などの英語圏の読者を対象とした彼の著作も、西洋文明と東洋文明という形で文明を新たに二つに分ける見方に貢献することとなった。

この新しい西洋の潮流は、岡倉の本が日本語に翻訳されるとただちに日本に導入され、東西文明（論）という用語の最初の使用例となった。当初この二分法は、唯物論者で個人主義者としての西洋と、唯心論者で国家主義者・集団主義者としての東洋というきわめて大雑把な形で一般化されていくこととなった。

†東西文明調和論

一九〇四～〇五（明治三七～三八）年の日露戦争の終了後、この東西文明論という言説は、急激に唱えられる機会が増大していった。多くの国でこの戦争は西洋に対する東洋の勝利であるとされ、勝利した日本は、中国・インド・エジプトなどの（半）植民地化された国々の間で、東洋の救世主と喧伝されることとなった。ロシアに勝利し、同時に文明国の最上位グループの地位に上り詰めるとともに、不平等条約を廃止するという長年の目標を達成したこと、さらに東西の国々から国際的な称賛を受けたことは、やがて自信・プライド・野心・夢をふくらます結果となった。このことにより、東洋と西洋の文明に関する輸入された言説が日本を中心とするものへと作り上げられ、さらに日本のかかえる特定の問題と野心に対応できるよう詳細な中身が付け加えられていった。その結果、これらに関連する役割と国民的使命が日本に与えられることとなった。

「東西文明の調和」という用語が最初に用いられたのは、大隈重信が一九〇七年四月に中国のキリスト教徒(YMCA)の留学生たちの前で行った講演であったと考えられている。またこの用語は、大隈と彼を取り巻く早稲田大学関係者と強く結びついており、このテーマに関して早稲田大学で長期にわたって毎週開催されていた研究会、および彼の死後一九二三(大正一二)年に同じ表題で出版された本(『東西文明の調和』大日本文明協会)に象徴されている。

この東洋と西洋に関する言説の中では、驚くべきことに日本が中心に置かれている。この議論によれば、人類の文明は、西アジアで始まり、そこから東西二方向に発展していき、最終的にそれらは再び日本で一緒になった、という。したがって日本は、二つの文明がすでに調和している世界でただ一つの場所であり、他に類を見ない存在であると位置付けられる。中国に対する野心と最初の聴衆が中国人であったということもあり、大隈は、二つの文明が調和する次の舞台は中国になるだろうと主張した。しかしこの主張は、日本が強く中国に関与することが前提となっていた。そのような特別な優越的地位を根拠として、日本は中国を目覚めさせ、教え導き、共同で東洋の平和をもたらす役割があるとされた。

文明のためのこの崇高な目標とは別に、利己的現実的な目標も存在していたことは明らかだろう。普遍的な（西洋の）文明に基づくならば、日本は、いかなる優位性も主張することはできず、したがって中国に対する特別な立場を正当化することはできないはずである。しかし、東洋文明と西洋文明の調和に関する言説と、中国はこの調和という高度な段階に向けて日本の例に倣うべきであるという主張は、日本に排他的な特権を与えることとなった。そのためこの議論は、西洋列強諸国による中国の分割を回避することを目的として大隈が提唱した「支那保全論」とうまくかみ合うものだった。このようにこの新しい高尚なる言説は、こうした政治的な目標を達成する際における日本の特別な役割と、中国本土における日本の経済的軍事的「権益」を維持拡大しようとする目的の双方を正当化するものであった。

五〇〇頁にも及ぶ本の中では、中国もまた大きく取り扱われていた。東洋と西洋の調和という課題が、主に古代中国と古代ギリシャの比較という文脈から取り上げられていたからである。しかし忘れてはならないのは、大隈は中国を見下す立場をとっていたことで知られているということである。このことは、首相在任中（一九一四〜一六）の中国に対する厳しい姿勢にも表れている。彼は、古代中国に対する見方とは対照的に、現代中国は落伍者であると考えていた。彼の見解によれば、日本だけが白人に対し何かしらを要求できる対等な文明段階にあり、一方で中国は対等な扱いを受けることを期待できない段階にある、というのであった。

東洋と西洋の調和が欠くことのできないとするこの言説が強調されたもう一つの原因として、日露戦争以降の黄禍論に基づく反日思想が広がったことと、それに続いてアメリカ西海岸で日本人に対する移民反対運動がおきたことをあげる人々もいる。これらの出来事は、日本のオピニオンリーダーたちに強い影響を与え、日本が「世界」から追放されたという印象を与えることとなった。したがって、西洋に東洋というものを説明すると同時に東洋と西洋の間に調和をもたらすという特別な「天職」を日本に与えたこの新しい言説は、人種差別的な考えを相殺し、代わりに日本に関してきわめて前向きなイメージを提供することを意図するものでもあった。

†東西文明融合論

「東西文明の融合」という用語は、浮田和民(かずたみ)によって作られた言葉であるらしく、彼が編集長を務めた日本最初の総合雑誌である『太陽』の一九〇九年一二月号の論説の表題となっている。浮田はクリスチャンの政治学者であり、「道徳的帝国主義」を提唱したことで知られている。彼は、早稲田大学関係者であり大隈とも親交があった。

東洋文明と西洋文明に関する多様な言説の中で、これら異なる二つの構成要素の調和ということが強調されてきたが、この変種ではやがて両者を融合する考え方に移行していくこととなる。浮田は、二つの文明が一つの「世界文明」に統合されていく運命にあり、その過程で現在知られている段階よりも高い段階へと引き上げられていくだろう、という考え方に賛同している。浮田の言説は、大隈の言説よりも抽象的であり日本の対中政策の道具となろうとしたものではなかった。彼は日本を東洋で唯一「民族」と呼びうる特別な地位に置いた一方で、中国に対する見方はより肯定的なものであった。さらに言えば、浮田は謙虚な態度を維持しており、東西の文明を融合させるのは日本だけの天命であると主張することはなかった。彼は、西洋においては米国に日本と同様な役割を与えた。

†第一次世界大戦による再興

「東西文明融合論」という言説は、当時の多くの言説の一つにすぎなかったが、第一次世界大戦の勃発により、より顕著になった。欧州大戦（今日の日本語でいう第一次世界大戦）の間、西洋列強諸国が東アジアを留守にしていたことによって、そこに権力の空白が生じ、日本は喜んでそれを埋めた。一時的ではあったものの、東洋において最強な勢力をなしていたという例外的な状況は、日本のオピニオンリーダーたちに無限の夢をもたらす結果となった。そして同時に、オスヴァルト・シュペングラーの『西洋の没落』（一九一八・二二）という作品にのちにまとめられたような、西洋文明は第一次大戦の勃発と前例のない大虐殺によって崩壊したのだ、という認識をもたらした。インドの詩人ラビンドラナート・タゴールが一九一六年初めて日本を訪れたことも、誇りのある非暴力の東洋文明という構想にさらなる内容を与えた。

浮田の論説の中での米国は、西洋では「世界文明」への融合をもたらしうる勝利者としての役割を果たす存在であった。しかし「東西文明融合論」が再び勢いを得ていくなか、もはやそのような米国は視界から消え去り、すべての焦点は日本に限定されることとなった。

日本は、東洋をルーツとするユニークな特質を持ち、列強文明諸国のトップエリートの仲間に入ることを認められた唯一の非西洋国家なのであった。この特質と近代化に成功したという事実は、日本に東西文明の融合という膨大な作業を単独で行わせるのに十分であるように見えた。あるいはその作業を単独で行うということは、むしろ運命でさえあったようにも思われた。

日本が世界に優越する国家であるという極端な認識をもって、「東西文明融合論」は頂点に達した。「東西文明融合論」は、日本が主導して両文明をより高いレベルで一つの普遍的文明に向けて融合させることを意味するだけではなく、その作業を終えた後は日本が世界のリーダーとして君臨し続けることをも意味していたからである。

†第一次世界大戦後の退潮

田中王堂や茅原華山(かやはらかざん)のような目立ったオピニオンリーダーのほかに、原敬もこの議論に参加していたことは興味深い。彼は普段は前二者に比べて語ることが少ない議会制民主主義の先駆者であり初の平民宰相であったが、この議論に貢献していた。

しかし一九二一年における彼の主張の口調は、控え目でありおそらく防御的でさえあった。それは、戦後世界の舞台で日本の役割を継続することを、要請するというよりは願っているかのような口調であった。彼の議論には、これまでよく知られている以下のようなおなじみの主張が含まれていた。西洋諸国は、第一次大戦を通して自分達だけでは平和を維持できないことを証明した。したがって東洋文明は重要な役割を持つことになる。なぜなら東洋文明は、数千年来、世界に平和をもたらす諸原則を保持し続けてきたからである。しかるに東洋文明のルーツは中国にあるものの、その東洋文明自体はもはや中国には現存していない。中国文明は日本でのみ保存され完成されたのである。したがって日本は、永遠の平和を実現するために東洋と西洋の文明を融合させるという大戦後の理想にふさわしい存在である、と（原敬「東西文化の融合」『外交時報』三八八、一九二一年一月）。

明らかに、原の議論は日本が世界平和に貢献し参加できるという主張にとどまる。日本が最も貢献しうるとか、何か特別な存在であるとか、世界をリードするなどといった主張はもはやない。

このように原の議論は、第一次世界大戦後に新しい世界秩序が出現したことと、それに伴って東西文明論が衰退したことを示している。西洋列強が単に東アジアの舞台に戻ってきただけではなく、世界は経済を中心とする世界へと変貌した。日本は、経済力という基準に基づけば、かつて帝国主義が設定した基準に依拠していた頃よりもはるかに貧弱な存在であった。日本は優れているという夢は、日米間の巨大な経済格差の前に消滅せざるを得なかった。

†近代日本の思考構造

しかし変わらぬものもあった。一九〇五年以来、日本の主要な外交政策の目標は中国に対するものであったので、この世界における日本の特殊主義的な使命のほとんどすべては、中国に対する野心に結びついていた。したがって、もはや日本がより優れているというのではなかったものの、日本は特別であり、達成するべき独自の使命を持っているという考えが変わることはなかった。しかし、次第に普遍的な内容のものから地域的な内容しか持たないものとなっていった。

「文明または近代」および「人種」という二つの概念を組み合わせることによって、日本人は、アジアにルーツを持っていることを理由として、アジアの兄弟に対して果たすべき特別な任務、すなわち「黄色人種の責務」がある、と主張し続けた。西洋の文明の教師たちが優れているのか否か、また同じ黄色人種の「弟たち」が日本の慈善を望んでいるのか否か、といった観点は二次的な問題に過ぎなかった。西洋諸国は出ていくべきであり、日本は居るべきであり、アジア諸国はその下位者に留まっているべきだった。

　このようにして、文明という言葉はもはや東西二元的なものとしてではなく普遍的な概念として議論される状況に戻ったように思われる。一九二〇年代から一九三〇年代にかけて「東西文明論」という用語は、「調和」「融合」等の言葉を含むか否かにかかわらず、もはや人気のあるものではなくなっていた。

　しかし私は、この変化は表面的なものに過ぎないと主張したい。日本版「東西文明論」は、明治時代から続く日本が外の世界と自己を見つめる際の基本的な構造の表現の一つにすぎない。私は、その基本的な構造を「近代日本の思考構造」(Japan's modern mindset) と名付けている。

　時間の経過に伴う世界秩序の変化に沿って多少の変動はあるものの、このような思考構造は、図のように表すことができる。これは、明治維新から第一次世界大戦の終結まで、日本人にとって外の世界がどのように見えているのかを表している。ここで世界中の誰もが世界のすべての国のことを認識できているわけではないことに注意してほしい。したがって人々が頭の中に描いている地図には数カ国しか含まれていないだろうし、多くの場合は世界の大国と近隣諸国しか含まれていないだろう。

　日本の対外認識と自己認識に関しては、日本は常に東西の中間に位置し、西ヨーロッパや米国を文明の先導者として仰ぎ見る一方で、近隣のロシアや中国・韓国等のアジア諸国を見下していることがわかる。英国人がヨーロッパを「大陸」と言い、その中に自分たちを含めることを忘れがちであることと同様に、日本人はきわめて意識的に自分たちを「アジア」に含めようとしない。今日でも有名な一八八五年の論説「脱亜論」の著者は、以下のように結論付けている。「我れは心に於て亜細亜東方の悪友を謝絶するものなり」と（『時事新報』三月一六日）。「悪友」という言葉を否定する人々も多く、「亜細亜東方」という言葉はより広いアジアを意味するようになったのかもしれないが、私見によれば、外の世界と自己に対する日本の見方はこの一世紀半の間さほど変わっていない。東西文明論という形をとるさまざまな言説が東西の二元構造を前提として提示されているにもかかわらず、日本に与えられる地位と役割には、近隣の後進諸国と比べて東洋の陣営を超越する高い地位が与えられている。したがって日本はそれらとは別に単独で唯一な存在なので、東西文明論は、どのような名称を与えられているにせよ、本質的に三元構造とならざるを得ない。

1868-1895

1.	イギリス
2.	ドイツ
3.	アメリカ
4.	ロシア*
— — — —	
5.	日本
6.	中国**
— — — —	
	(朝鮮)

1895-1905

1.	イギリス
2.	ドイツ
3.	アメリカ
4.	ロシア**
— — — —	
5.	日本
	中国
— — — —	
	(朝鮮)

1905-1918

1.	イギリス
2.	ドイツ
3.	アメリカ
4.	日本
5.	ロシア*
— — — —	
	(中国)

図　近代日本の思考構造における世界認識の変遷
（*は敵、**は主要敵、楕円囲みは標的）

†戦時・戦後、そして現在

一九三〇年代から一九四〇年代前半における戦争期間中、先に述べたような思考構造と、それに基づいたイデオロギーと政策は、特殊主義的な優越した使命を日本に与えていた。その使命は、東アジアの裏庭に対するものであれ、あるいはより広い世界に対するものであれ、それらはすべて失敗に終わり、アジアと太平洋における戦場で前例のない大虐殺をもたらしたのは周知のことである。したがって、日本の特殊主義的使命という考え方、特に中国／アジアに対する使命に関するすべての概念は、立ち入り禁止区域またはタブーになっている、と予想するかもしれない。

しかしながら、戦後の政界と言論界を一瞥すれば、全くそうではないということがわかる。すなわち以前と同様いまだに多くの日本の政治家や知識人は、日本独自の世界的な使命という考え方なしには生きていけない。さらに言えば東西文明論という名称を使う者はいないものの、かつてのこの言説に非常に近い内容のものもけっして少なくない。

一九五六（昭和三一）年一二月一八日に国際連合加盟時の演説の中で、重光葵(まもる)外務大臣は日本が「東西の架け橋」となることを青写真として描いていることを表明した。第二次世界大戦後の新しい世界秩序となったいわゆる冷戦構造下において、この発言は東西両陣営間の架け橋と読むことも可能である。

また急速に経済成長が達成され、国民が自信を取り戻すと、日本独自の民族的使命という考え方の生まれる余地が再び生じ、日本人論がブームとなった。そこでは、他国が日本と同じ要素を持ち等しく世界に貢献ができるといった認識を欠いたまま、日本がとりわけ文化的な側面で優れているとする民族的自画像が再生産された。商業的・戦略的な理由から単純化されているものの、これらも近代日本の思考構造の産物であるという点に変わりはない。

しかし、冷戦が終わって、日本がアジアにおいて首位から退くことになり、その代わり中国とインドという新しいリーダーたちが突出してきた。現在の状況において日本にとっては自国を西洋と東洋の間に位置づける余地がないように見える。そのうえ、日本にアジアもしくは世界に対する特殊主義的な、優越した使命を与えるのはさらに現実性に乏しいように思われる。この変化を受けて、一五〇年ほど生き残ってきた「近代日本の思想構造」は今や破綻を迎えていて、東西文明論的な言説も、ついに終焉を迎えることとなるのかもしれない。

さらに詳しく知るための参考文献

野村浩一「国民的使命観の諸類型とその特質」(『近代日本思想史講座8　世界の中の日本』筑摩書房、一九六一)……国民的使命観に関して、まず参照してほしい先行研究。のちに、野村浩一『近代日本の中国認識（研文出版、一九八一）に収められている。

石川禎浩「東西文明論と日中の論壇」（古屋哲夫編『近代日本のアジア認識』京都大学人文科学研究所、一九九四）／神谷昌史「「東西文明調和論」の三つの型——大隈重信・徳富蘇峰・浮田和民」（『大東法政論集』第九号、二〇〇一）……東西文明論に関する研究はまだ皆無に近いが、例外として以上の二つが挙げられる。なお、国際日本文化研究センターで行われた研究プロジェクトは近く拙編『東西文明論の古今』（仮題）として刊行される予定。

Dick Stegewerns, "From the Chinese World Order to Japan's Modern Mindset - Japanese Views of the Outside World from the Early Modern Period up until the Present Day" (Kurt Almqvist and Yukiko Duke Bergman eds, *Japan's Past and Present*, Bokförlaget Stolpe, 2020) ……近代日本の思想構造に関して論じている拙稿。

第16講

旧外交

伊東かおり

†「旧い」外交？

ヨーロッパにおいて未曽有の惨禍となった第一次世界大戦は、それまで外交に黙諾的であった民衆の態度に変化をもたらした。また大戦中のロシア革命の発生や、孤立主義を掲げていたアメリカが大戦に参加したことも、ヨーロッパ中心の伝統的な国際秩序を変革する重大な転機となった。

特に重要なのは、宮廷文化や貴族階級の社会によって独占され秘密主義のうちに行われていた伝統的なヨーロッパ外交に、「民主主義」というイデオロギーが持ち込まれた点にある。アメリカ大統領ウッドロー・ウィルソンは、一九一八（大正七）年一月に示した戦後の平和構想の基本となる一四か条宣言の第一条で「公開外交」（Open Diplomacy）を主唱し、外交の「民主的統制」を訴えた。またウィルソンの提唱で設立された国際連盟の規約第一八条では、加盟国が締結するすべての条約・国際約定を連盟事務局に登録し公表させることで、国民が関知しないところで戦争に巻き込まれる恐れがある全ての秘密条約や対外政策に終止符を打とうとした（ハロルド・ニコルソン『外交』東京大学出版会、一九六八／細谷雄一『外交』有斐閣、二〇〇七）。大戦を契機に唱えられたこうした「民主的」外交を「新外交」（New Diplomacy）と呼ぶ。

「旧外交」（Old Diplomacy）とは、特権階級や政府、外交官が外交を占有し、「民主的統制」を受けず秘密裏に行う外交を指し、「新外交」の登場で再命名された旧来の外交体制を表す言葉である。当然ながら「旧外交」は明治期の日本にとっても同時代的概念ではない。日本の「旧外交」は一九二〇年頃に習熟したと言われる（千葉二〇〇八）が、それは欧米諸国との外交交渉や国内の政治状況を経て徐々に造形された外交のあり方であった。

顧みれば日本の近代とは、黒船に象徴される対外危機の際に江戸幕府がアメリカからの国書を公開し、身分・家柄を問わず意見を世に問うたことで「公議」が興ったことに端を発する。意見対立から生じた各所での軋轢は、やがて幕府の瓦解を招いた。「万機公論ニ決ス」ることを掲げた明治政府にとって、外交と「公論」（ひいてはそれを具現した帝国議会）との関係をどう構築するかということは、全く自明のことではなかったのである。

本講は明治日本の「旧外交」について、外交（外務省）が近代化し自律化する経緯と、その過程において議会参与の問題がどう議論されたかを中心に検討する。なお千葉功は君主＝政府による外交の独占と秘密外交に加え、植民地主義、二国間同盟・協商の積み重ねによる安全保障、および権力主義的な外交を「旧外交」の本質的な現象として定義付けている（千葉二〇〇八）が、本講では主に議会との関係に絞って論考したい。

†近代的な外交機関の形成

鳥羽・伏見の戦いで勝利した維新政府は、連続する外国人襲撃事件など実際の外交問題への対処や政体書の策定を通して、外国交際を本格的に管轄し組織的・法的体系化を進めた。また旧幕府から引き継いだ条約を順守するとともに、（万国）公法に準拠した外交路線を打ち立て内外に示した（澤井勇海「「交際」から「外交」へ」『国家学会雑誌』一二九巻九・一〇号、二〇一六）。外交機関の設立は維新後の「外国事務取調掛」にはじまり、幾度か名称が変更され、翌一八六九（明治二）年に中央政府の強化を目指して制定された職員令に基づき「外務省」となった。

維新草創期の外交機関は、幕藩体制下で開港場事務を担当していた開港場奉行を接収した経緯から、地方行政や司法と未分化という問題を抱えており、外交機関として独自の意思決定権を獲得していなかった。だが一八七二年、省と省務の整備確立を目指した太政官制改革によって、外務省への外交事務の統合と職権強化が推し進められるとともに、開港場事務を地方事務に解消することが図られた。さらに一八七四年から翌年にかけて外国人裁判を含む裁判事務の司法省管轄への統合が進められ、国内事務と分離し自律した外交事務を担う外交機関が形成された（湯川文彦『立法と事務の明治維新』東京大学出版会、二〇一七）。

一八七三年には外務省のトップである「外務卿」の下に「外務大輔」・「外務少輔」が置かれ、その下に弁事局・外事左局（欧州担当）・外事右局（米・アジア担当）・考法局・翻訳局・庶務局の六局と、別に書庫課が設置された。それより前の一八七〇年一一月の「外務省伺」では、海外諸国に駐在する「弁務使」・「全権公使」の派遣が認可された。一八七二年には「公使」や「書記官」など駐在使節の職位が新たな名称として設けられ、駐在使節を通して諸外国と継続的な外交交渉を行う体制が整備された（外務省百年史編纂委員会編『外務省の百年』上、原書房、一九六九）。

ただし太政官制の不備もあって揺籃期の外務省（行政）の自律性は曖昧なままであった。一八八五年、組織の効率化を図り各省の委任権限を明瞭化するなどの目的で新たに内閣制度が発足し、「外務卿」は「外務大臣」に名称が変更された。翌年二月、行政改革の結果として各省官制が勅令で公布される。これにより外務省では大輔以下の諸官が廃止され、「外務次官」が一名勅任で選ばれることになった。こうして外務省制度の基盤が整えられたのである。

†条約改正問題

明治政府にとって最大の外交問題が条約改正であったことは論を待たない。また条約改正は単に外交政策上の課題だけでなく、国内政治や体制の変革、民意の発露にも重大な影響を及ぼした。

一八八六年一〇月に発生したノルマントン号事件は、犠牲者や遺族に対する同情から不平等条約に憤慨する民衆の間にナショナリズムを高揚させた。翌年には井上馨（かおる）外務大臣によって進行していた条約改正の改正案が漏洩し、新聞紙上に掲載され世上に知られたことで、領事裁判権の撤廃と引き換えに外国人を日本の法官として任用を認める内容が、日本の主権を犯すとして国論を急騰させた。過度の欧化主義に対する批判とあわせ、政府内部でも反対論を開陳する者が現れる。諸外国の信頼を得るには「公議輿論（よろん）」の尊重に立脚する立憲政体の実現が不可欠と痛感していた農商省務大臣の谷干城（たにかんじょう〔たてき〕）は、外交当局によって条約改正が秘密裡に行われていることを問題視し、条約改正は議会開設後に情報公開と自由な議論による国民の合意に基づき行うべきとして井上外交を批判した（小林和幸『谷干城』中公新書、二〇一一）。政府内外の批判に晒された井上は交渉の中断と外相辞任に追い込まれた。

一方この時期の外務省には条約改正という国家事業の達成のため多くの人材が集められ、陸奥宗光、原敬（たかし）、小村寿太郎、鳩山和夫、加藤高明など、その後の外務省や各界を担う錚々たる顔ぶれが入省した。ハーヴァード大学で法律学を学んだ小村のように欧米の法律に関する高い専門性を備えた者も多く、明治中葉以降の外務省を支える豊かな才能が条約改正事業によってもたらされたのである(前掲『外務省の百年』上)。

†憲法起草時における議会参与の検討

条約改正をめぐって政府内外が侃々諤々(かんかんがくがく)するなか、作成が進められていたのが明治憲法であった。一八八九年二月に公布された憲法で外交権は天皇の大権に属し、「第一三条　天皇ハ戦ヲ宣シ和ヲ講シ及諸般ノ条約ヲ締結ス」と定められたが、当時憲法起草者や民権家が盛んに参照した西欧諸国の憲法には存在する、立法事項や財政事項を含む条約について議会参与を認める但書がなかった点においてやや異色であった。

第一三条の条文はどのような議論を経て成立したのか。憲法起草者のひとりである井上毅は一八八六年一二月頃から草案の作業に着手した。注目すべきことに、幾度かの推敲で作成された井上案ではいずれも外交権を天皇大権に位置付けつつ、国土の変更や国民の公権を制限する条約は両院の認可を経なければ効力を有しないとされている(『秘書類纂　憲法資料』上、秘書類纂刊行会、一九三五)。

だが井上以外の起草者である伊藤博文・金子堅太郎・伊東巳代治(みよじ)は、条約に関する条文について「各国ノ例ニ依ラズシテ特ニ新案ヲ掲ケ」て議会参与の規定を回避することを検討したらしく(「憲法逐条意見」井上毅伝記編纂委員会編『井上毅伝』史料篇一、國學院大學図書館、一九六七)、一八八七年八月頃の草案では該当の条文案は「第一六条　天皇ハ宣戦講和ノ権ヲ執リ及戦権ヲ施行スルニ必要ナル勅令ヲ発ス」、「第一七条　天皇ハ外国ト条約ヲ締結ス。其条約ニ由リ国民服従ノ義務ヲ有スルモノハ正当ノ式ニ依リ之ヲ公布スヘシ」となっている。伊藤らは、国民に関する条約はこれを公布し公知させることで効力を有するとしたのである。

これに対し井上は「逐条意見」(国立国会図書館憲政資料室所蔵「伊東巳代治文書」)を作成し、外交権に関する条文案について、国民の義務に関する条約を議会の認可を経ず公布のみとするのは各国に先例が無く、「此ノ如キ新奇ノ条ハ我国民輿論ヲ攪起スルノ媒介」となると懸念を表明した。また一方で国民の義務と無関係の条約であっても、これを公布しないのはこれまた「国民ヲ疎絶スルノ意味ヲ免レ」ないことになるとも指摘した。そして条約は法律と同様に国民が従わなければならないものであり、国民に特別な負担や権利の制限を求める条約の場合は「各国ノ例ニ倣ヒ、国会ノ承認ヲ要スルカ、又ハ国会ノ秘密会議ニ付スルヲ当然トスヘキ」であるとし、単に公布とするのではなく議会参与を明記するよう意見している。このように井上と伊藤・金子・伊東との間では明確な意見の違いが見られたのである(稲田正次『明治憲法成立史』下、有斐閣、一九

井上毅

六〇）。

検討の結果、起草者たちは次のように議論を落着させた。各国憲法に例を見ない「新案」を掲げるのは、それはそれで「恐ラクハ前途永遠ノ為ニ内外ニ対シ良好ナル政略ニ非サル」ものである。したがって「若シ各国ノ普通ニ依遵スル「国民負担ノ義務ニ係リ及通商ニ係ル条約ヲ議院ニ付スル」ノ要件ヲ避ケ」ようとするならば、本条（第一七条）を前条（第一六条）に併せて「天皇ハ外国ニ対シ交戦ヲ宣告シ条約ヲ締結スルノ大権ヲ有ス」とし、「正式公布云々ハ畢竟贅文ナルヲ以テ之ヲ削ル」ことにしても良いだろうと（前掲「憲法逐条意見」）。以上の経緯から外交権の条文は「贅文」が削がれ簡素化された一文となった。

なお伊藤の名で出され、憲法公布と同年に公刊された憲法解説書『憲法義解』（岩波文庫、二〇一九）では、条約締結において「議会ノ参賛ヲ仮ラズ」と記され、議会が外交政策に容喙することは否定されている。こうして外交は天皇大権に基づく政府の専権事項とされた。ただし伊藤らは議会参与の規定化を避けつつも、公布後にこの問題が国論を喚起することは十分予期しており、外交方針や外交政策について政府・外務省と帝国議会の意見の隔たりをどのように調整し国民の理解を得るかという課題は、帝国議会開設後の議会対応のなかで改めて検討されることになるのである。

†初期議会と議会不参与の確立

帝国議会開設の時期が近づくと、自由党系の民権家は条約問題を議会で議するよう求めた。たとえば理論的指導者のひとりである植木枝盛は、外交を政府専擅のものとすれば国民の意向に沿わない条約を締結する恐れがあり、政治の混乱につながるとして、宣戦講和などの迅速な対応が求められる条約交渉以外は秘密主義を採らずに条約を議会に付すべきと主張した(「外交秘密論」『植木枝盛集』五、岩波書店、一九九〇)。

一方改進党を率いる大隈重信は旧自由党と論を異にしていた。条約改正、特に税権の回復(関税の引き上げ)は、松方デフレ下において民力休養のための財源補填を可能にするとの考えから、帝国議会開設に拘泥せず直ちに実行されるべきと主張していた。しかしそれは国民の支持を得て条約改正を行うという「民権」の論理に矛盾するものであった(五百旗頭薫『大隈重信と政党政治』東京大学出版会、二〇〇三)。大隈は帝国議会開設前に外相となり条約改正に取り組むが、改正案自体は井上外交時の交渉内容と同様に外国人判事の採用を認めるというものであった。一八八九年四月、改正案がまたしても新聞に漏洩し反対論が再び高潮した。一〇月には大隈自身がテロに遭難し、大隈外交下での改正交渉も失敗に終わる。

さて帝国議会が開設されると、井上毅の懸念どおり議会の協賛権と外交大権が抵触する問題が顕在化した。改正を目指す条約の中には関税の規定が含まれるため、外交大権への参入を目指す帝国議会は、憲法第二一条と第六二条の納税や課税に関する規定に則り、改正条約中の関税は別に法律で定めるべきと主張した。

これに対し伊藤は「我外交ノ事ハ憲法的ニ論ストキハ至尊ノ大権ヲ以テ之ヲ決定スヘキ問題ナレトモ、政略上ニ於テ事情ノ許ス限リ政府自カラ之ヲ議会ニ公発シテ其意嚮ヲ問フコト固ヨリ妨アルコトナシト信ス」として、条約改正の問題などは帝国議会の意向を確認することを検討している（「〔欧洲外交ト東洋外交ニ関スル意見書草案〕」国立国会図書館憲政資料室所蔵「伊藤博文関係文書」）。憲法制定時には外交への議会参与に否定的であった伊藤であったが、議会対応を通して見たとき、憲法上はともかく政略的にはあらかじめ条約の大意を議会に示し同意を得ておく方が合理的だと考えたのである（千葉二〇〇八）。

こうした伊藤の考えに反対し議会参与を拒否したのが、第二次伊藤内閣で外務大臣となった陸奥宗光であった。陸奥は井上外交や大隈外交が改正案の漏洩によって失敗に追い込まれたことを教訓とし、政府内においてでさえ他の閣僚に草案を説明する際に草案を渡さない秘密主義の態度を崩さなかった。その秘密主義を可能にしたのは、閣内における陸奥の巧みな合意形成の手腕とともに、第二次伊藤内閣が従来の内閣に比べ首相の地位や権力が強固で、伊藤のもとで統制された内閣だったことが背景にあった（佐々木雄一『陸奥宗光』中公新書、二〇一八）。陸奥

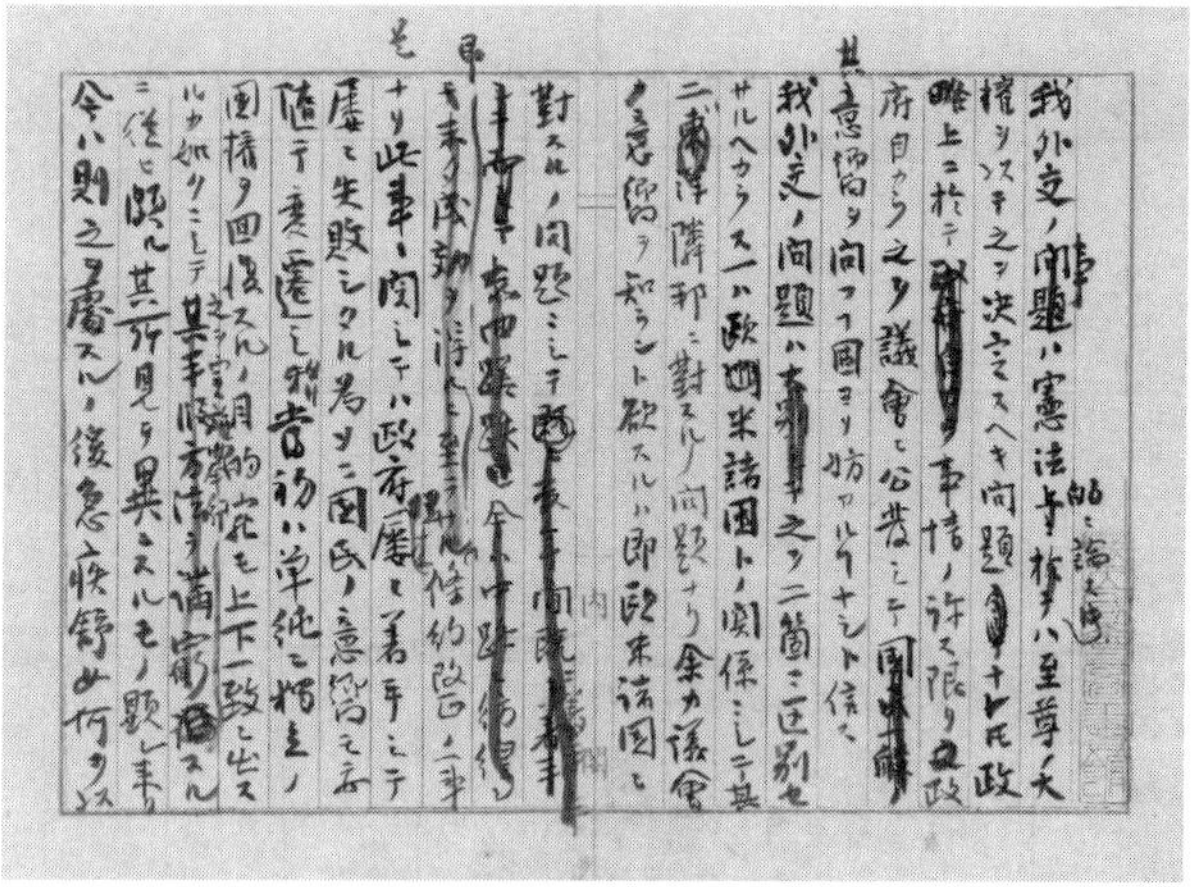

伊藤博文「〔欧洲外交ト東洋外交ニ関スル意見書草案〕」（国立国会図書館憲政資料室蔵）

の態度を受け、伊藤は政府として議会参与不可の方針を採る。

政府の議会対策に対し、元来政府に最も反対の立場だった自由党は藩閥との提携を目指して条約問題で政府に歩調を合わせ、予算問題で伊藤内閣との妥協に傾いた。民党連合路線を進めていた改進党は不信感を抱き、一八九三年一一月に開会した第五議会で対外硬派連合を形成して伊藤内閣と自由党に対峙し、陸奥外相の条約改正阻止の姿勢を鮮明にする（小宮一夫『条約改正と国内政治』吉川弘文館、二〇〇二）。しかし、条約問題への議会参与を拒否する意志を固めた伊藤内閣は続けざまに議会を解散した。そして第六議会を解散させた翌月の一八九四年七月、陸奥は日英通商航海条約の締結に成功し、時期を同じく勃発した日清戦争に人々の関心が向いたことで条約改正の問題は議会で立ち消えとなった。

その後、条約は公布をもって国法の一部として強制力を有し、条約の規定に抵触する法律・命令の規定は条約の公布とともに変更されるという解釈を、政府は既成事実の積み重ねによって定着させる（千葉二〇〇八）。こうして外交への議会不参与が確立されたが、対外硬勢力による政府批判は日清・日露戦争の折に触れて熱烈に展開され（酒田正敏『近代日本における対外硬運動の研究』東京大学出版会、一九七八）、外交問題における国論との合意形成の課題は棚上げの状態となる。

†「旧外交」の内実化

条約改正事業で外務省に人材が集められたのは前述のとおりだが、外交官経験の全くないものを公使として派遣せざるを得ないケースも多く、また制度上人材が容易に他省へ流出した。こうした問題を解消するために陸奥外相のもとで行われた改革が、職業外交官の試験制度である外交官及領事官試験制度の導入である。通商局長の原敬が起案し一八九三年に第一回が実施された。これにより特命全権・弁理公使を除く外交官は試験の合格者でなければ任用できず、他省への転任も禁じられた。また試験合格者が本省高等官、外交官、領事官の間を転官しつつ昇進することで、他機関からの干渉を極力受けず外務省が外交政策を独占する自律化が一層促進されるようになった（千葉二〇〇八）。

外務省の自律化が進められるなか、申し子の如く登場したのが小村寿太郎であった。小村は第一次桂太郎内閣時の外相だった一九〇二年一月に日英同盟を締結し、第二次桂内閣時の外相だった一九一一年二月には日米通商航海条約を締結したことで関税自主権を完全に回復して条約改正を実現した。また小村は冷徹で積極的な権益獲得志向のもと、日露講和条約において満洲権益を獲得し、韓国を保護国化・併合して帝国主義外交を展開した（佐々木二〇一七）。小村は議会や政党を嫌悪しており、桂太郎首相の強力な支持のもと非民主的かつ秘密主義的な手法を採ることで、これらの勢力によって外交が阻害されることを拒否した。こうした小村の外交手法は外交政策の貫徹を可能にした（片山二〇一一）。小村はヨーロッパ諸国との協調を重視しつつ、勢力均衡をもって対峙する日本の「旧外交」の形を体現した外交指導者だったと言えよう。

ただ小村の非民主的な態度も相まって、外交当局と政府外交に反感を覚える政治勢力や民衆との乖離は深刻化する。一九〇五年九月には日露講和条約に反対する民衆が暴動化し、日比谷焼討事件を引き起こした。事件に連座した小川平吉は一九〇九年三月に外交文書の公表を建議し、共同提出者の服部綾雄は帝国議会で、外交当局者への「国民ノ後援」を獲得するために「国民ヲシテ帝国ノ外交ニ疑ヲ挟ムコトナク、其信用ニ障害ヲ与フル憂ナカラシメンガタメニ、政府ハ外交文書ヲ公示シテ、一切ノ誤解ノ原因ヲ取除カレルヤウ」（「第二十五回帝国議会衆議院議事速記録」一五号）と建議理由を述べた。だが小村は「差支ナイ限リ成ルベク国際交渉事件ノ顚末ヲ公表スル」（「同」二四号）と短く答弁してこれを躱(かわ)し、決議案は否決された。小村は外交の遂行にあたって国民の支持を取り付けることに左程の理解を示さなかったのである。

維新以来、外務省の組織的・制度的な自律化が進む傍ら、外交を「公論ニ決ス」るかが問題となった。憲法構想期から初期議会期にかけては政府内部でも議会参与の選択肢が検討されていたが、交渉の当事者であり強力な外交指導者だった陸奥や小村は、内政における政略上の合理性や国民からの支持調達よりも交渉の実現性を重視し、議会参与を拒否した結果「旧外交」は内実化した。しかし挙国一致を要する局面が生じた際、帝国議会を含む他機関と外交政策の合意形成をどのように行い、統一した外交方針を確立するかが課題として浮き上がる。また国論との離隔は外務官僚の間に独特のエリート意識を醸成するとともに、第一次大戦後の国際新秩序への対応や国際協調姿勢に国民の理解を得られず、やがて協調路線の崩壊を招くことになるのである。

さらに詳しく知るための参考文献

高坂正堯『古典外交の成熟と崩壊』（中公クラシックス、二〇一二）……一九世紀に成熟したヨーロッパの国際体系について各国の「同質性・貴族性・自律性」に立脚した協調の時代とし、そのなかで近代外交がいかに発展したかを論じた名著。

千葉功『旧外交の形成——日本外交 一九〇〇～一九一九』(勁草書房、二〇〇八)……日本の「旧外交」の習熟過程を深く理解するための基本書。本講が扱えなかった外務省と元老・枢密院との関係についても論じている。

佐々木雄一『帝国日本の外交 一八九四～一九二二』(東京大学出版会、二〇一七)……政治指導者の対外方針や外交官の行動原理などの検討から外交の政策決定過程を詳細に分析し、近代日本の外交の成熟を論じた労著。

片山慶隆『小村寿太郎』(中公新書、二〇一一)……日本の近代外交の発達と「旧外交」が培われる過程を外交指導者個人の視点から理解できる好著。強権的なパブリックイメージの陰に隠れがちであった国際協調を重視する小村の外交官としての哲学も知ることができる。

伊東かおり『議員外交の世紀——列国議会同盟と近現代日本』(吉田書店、二〇二二)……本講末尾で取り上げた小川や服部はその後、議会が外交に関与する手段の一つに議員外交を見出す。小川らの活動は現在まで続く多国間議員外交の礎を築いた。本書はまた戦間期、戦後にかけて議会や民主主義の発展とともに熟達する議員外交の様相も検討している。

＊本稿はＪＳＰＳ科研費(課題番号：22K13200)による研究成果の一部である。

コラム10 台湾

新田龍希

「明治期」台湾最大の思想的事件は、台湾に「明治」が到来したこと、すなわち日清戦争の結果、一八九五年に台湾が日本に割譲され、島内各地に銃声と軍靴とが響きわたるなかで光緒から明治へと世が転変したことだったといえる。

割譲により台湾は棄地とされ、棄民となった者たちは大陸へ難を逃れるか台湾に留まるか、選択を迫られた。留まる場合、武器を執って日本軍に抵抗するか、さもなくば積極的か否かを問わず、日本軍を迎え入れるか決断を強いられた。総督府が各地を制圧して軍政を開始し、地域エリートの協力を求めてくると、彼らは異民族政権に協力するか否か、総督府に出仕するか否か、身の処し方を決めなければならなかった。

このような情況下、台湾に留まったエリートが現実に採り得た選択にはどれほどの幅があったのだろうか。二人の台湾人を紹介したい。

台湾中部の港町鹿港（ロッガン）の秀才洪攀桂（アンパングィ）（一八六六〜一九二八、割譲時三〇歳）は日本軍との戦闘において食糧供給や資金調達などに携わったとされるが、敗れると鹿港に戻り、門扉を閉ざして隠遁生活を開始した。このとき洪は名を繻（ズウ）と改め、以後棄生（キイシイン）という字を用いた。棄繻生と呼ばれた終軍の末路に我が身の悲境を重ねたのだろう。終軍は博学能文で知られ、早くに漢の武帝に引き立てられたが南越との和親の使者に派遣された際に二〇余歳の若さで殺された。洪棄生は割譲により「島嶼は今に于いて糞壌と成り、江山は此従り遺民を署く」（「台湾哀詞・四首」）と痛哭し、遺民として日本統治下の台湾を三四年生き、死んだ。洪に限らず割譲が生み出した遺民は清に忠義を誓った政治遺民というより、理想化された文化を抱きしめて生きた文化遺民であった（施淑「台湾詩人洪棄生的文化意識及身分認同」『抒情伝統与維新時代』上海文芸出版社、二〇一二）。

洪棄生は総督府に対する一切の協力を拒み、生涯詩文において日本を倭と称した。また洪は次男を棪楸と名づけたが、それは新生児を登記する日本人巡査が読み書きできない字を敢えて択ぶという日常における抵抗だった。そして棪楸を公学校（台湾人向け初等教育機関）に通わせず、自宅で四書五経を中心とした古典を叩き込んだ。

洪は洋服を着ず、アヘンを好み、辮髪を保ち続けたが、一九一五年に警察が突然自宅に押し入り断髪を強行した。だが警察は半分断ち切っただけで去ったため、洪は残りの髪で頭の左右に一本ずつ細い辮髪を編み、あえてこの奇矯な髪型を終生貫いた。

洪は総督府の強硬な防疫措置を批判し、保甲制度、市区改正、先住民征服戦争などを批判する詩を詠み続けた。総督府の苛政に対する批判及び文化保守主義が洪の基調にあったが、後者は他方で総督府による解纏足政策への反対をも伴った。

洪はまた、台湾割譲を「歴史」として書き遺した。日本への抗戦が忘却されないよう克明に『瀛海偕亡記』に記録した（呉密察「「歴史」的出現」『島史的求索』台大出版中心、二〇二〇）。ただし同書は台湾では出版できず、棪楸が原稿を北京に持ち込み、二二年に書名を『台湾戦紀』と改めて出版した。なお佐藤春夫が二〇年の台湾旅行に取材して発表した「殖民地の旅」のなかで、鹿港を訪れた際に面会を求めたが断られた老詩人こそ洪棄生であり、佐藤が称賛した洪の詩集『寄鶴齋詩䜪』は、台湾で出版するため総督府批判の詩を除いたものであった（程玉凰『洪棄生伝』台湾省文献委員会、一九九八）。

他方、こうした隠遁生活を送るエリートとは一線を画する者もいた。廈門出身のクリスチャンで、洋行の買辦から身を起こした台北大稲埕の李春生（一八三八〜一九二四、五八歳）は英語を通じてミルやスペンサーなど西洋の哲学思想書を渉猟した、当時の台湾にあって数少ない近代知識人だった。李は台北に日本軍を迎え入れることを合議したエリートの一人であり、総督府の始政直後から積極的な協力姿勢を見せた。

李にとって割譲は「国アリ朝ヲ易フルニ非スシテ而シテ事成キ地ヲ割クハ第宅主ヲ

新ニシ衣冠時ヲ易フルヨリ甚シ」、すなわち杜甫が晩年「秋興八首」において絶望と憂愁とを詠んだ、安史の乱による長安の転変にまさる出来事であった。だがこの事態は「実ニ天意ニシテ人為ニアラサルナリ」と言う。「天意」である以上戦勝者に従うことこそあるべき態度だとして、これを機に「積習旧尚ヲ去」ること、すなわち「開化」を主張し、早くも一八九五年九月に民政局長水野遵に市街地の衛生条件の改善やアヘン吸引、纏足の禁止を求めた（李春生「開化良規」樺山資紀関係文書）。

李は翌年内地を遊歴した際に「チャンコロ」と罵られ、「外出の便」のため辮髪を断ち、洋服を買い求めた（『東遊六十四日随筆』）。また公学校の設立に際して多額の寄附をし、孫を内地「留学」させた。李はキリスト教の教義を敷衍した独自の文明観に基づき、日本「民族への同化」を拒絶しつつも近代「文明への同化」を求めた（陳培豊『「同化」の同床異夢』三元社、二〇〇一／駒込武『世界史のなかの台湾植民地支配』岩波書店、二〇一五）。

近代化を追求し、総督府との交渉を自らの務めとし、「積習旧尚」を改革しようとした李春生と、終生割譲に疼き、総督府との交渉を峻拒し、「習尚」を固守した洪棄生。二人の埋めるべくもない溝は、割譲が台湾社会に負わせた傷の深さを物語る。

編・執筆者紹介

山口輝臣（やまぐち・てるおみ）【編者／はじめに・第2講・コラム1】
一九七〇年生まれ。東京大学大学院総合文化研究科教授。東京大学大学院博士課程修了。専門は日本近代史。著書『明治国家と宗教』（東京大学出版会）、『明治神宮の出現』（吉川弘文館）、『天皇の歴史9　天皇と宗教』（共著、講談社学術文庫）、『はじめての明治史』（編著、ちくまプリマー新書）など。

福家崇洋（ふけ・たかひろ）【編者／コラム6】
一九七七年生まれ。京都大学人文科学研究所准教授。京都大学大学院人間・環境学研究科博士後期課程研究指導認定退学。専門は近現代日本の社会運動史、思想史。著書『戦間期日本の社会思想』（人文書院）、『日本ファシズム論争』（河出書房新社）、『満川亀太郎』（ミネルヴァ書房）など。

＊

坂本一登（さかもと・かずと）【第1講】
一九五六年生まれ。國學院大學法学部教授。東京都立大学大学院博士課程単位取得退学。専門は日本政治史。著書『伊藤博文と明治国家形成』（講談社学術文庫）、『明治天皇と政治家群像』（共著、吉川弘文館）、『山県有朋と近代日本』（共著、吉川弘文館）、『岩波講座　日本歴史16』（共著、岩波書店）、『憲法義解』（解説、岩波文庫）など。

佐々木　隆（ささき・たかし）【第3講】
一九五一年生まれ。聖心女子大学名誉教授。東京大学大学院人文科学研究科博士課程単位取得退学。専門は日本近代史。著書『藩閥政府と立憲政治』（吉川弘文館）、『伊藤博文の情報戦略』（中公新書）、『日本の

近代14　メディアと権力』（中公文庫）、『日本の歴史21　明治人の力量』（講談社学術文庫）など。

飯塚一幸（いいづか・かずゆき）【第4講】
一九五八年生まれ。大阪大学大学院人文学研究科教授。京都大学大学院文学研究科博士後期課程単位取得退学。専門は日本近代史。著書『日本近代の歴史3　日清・日露戦争と帝国日本』（吉川弘文館）、『明治期の地方制度と名望家』（吉川弘文館）、『講座明治維新5　立憲制と帝国への道』（共編著、有志舎）、『帝国日本の移動と動員』（共編著、大阪大学出版会）、『近代移行期の酒造業と地域社会――伊丹の酒造家小西家』（編著、吉川弘文館）など。

梶田明宏（かじた・あきひろ）【第5講】
一九五八年生まれ。昭和天皇記念館副館長（元宮内庁書陵部編修課長）。東京大学大学院人文科学研究科博士課程単位取得満期退学。専門は近代日本史、皇室史。著書『昭和天皇の横顔』（編著、文春学藝ライブラリー）、『大正史講義』（共著、ちくま新書）。論文「酒巻芳男と大正昭和期の宮内省」（『年報・近代日本研究』20）、「大正十年皇太子海外御巡遊とメディア」（『メディア史研究』23）など。

小林和幸（こばやし・かずゆき）【第6講】
一九六一年生まれ。青山学院大学文学部教授。青山学院大学大学院博士後期課程満期退学。博士（歴史学）。専門は日本近代史。著書『明治立憲政治と貴族院』（吉川弘文館）、『谷干城――憂国の明治人』（中公新書）、『「国民主義」の時代――明治日本を支えた人々』（角川選書）、『明治史講義【テーマ篇】』（編著、ちくま新書）、『明治史研究の最前線』『東京10大学の150年史』（以上編著、筑摩選書）など。

中川未来（なかがわ・みらい）【第7講】

一九七九年生まれ。愛媛大学法文学部准教授。京都大学大学院文学研究科博士後期課程研究指導認定退学、博士（文学）。専門は日本近現代史。著書『明治日本の国粋主義思想とアジア』（吉川弘文館）、論文「『朝鮮新報』主筆青山好恵の東学農民戦争報道」（『人文学報』第一一一号）、「明治期瀬戸内塩業者の直輸出運動とアジア」（『史林』第一〇二巻一号）など。

長尾宗典（ながお・むねのり）【第8講】
一九七九年生まれ。城西国際大学国際人文学部准教授。筑波大学大学院博士課程人文社会科学研究科単位取得退学。博士（文学）。専門は日本近代史・思想史。著書『〈憧憬〉の明治精神史――高山樗牛・姉崎嘲風の時代』（ぺりかん社）、論文「法科と文科――明治・大正期における帝国大学生の官吏志望」（中野目徹編『官僚制の思想史』吉川弘文館）など。

郭　馳洋（かく・ちよう）【第9講】
一九九〇年生まれ。東京大学東アジア藝文書院（ＥＡＡ）特任研究員。東京大学大学院総合文化研究科博士課程修了。専門は日本近代思想史。論文「明治期の哲学言説とネーション・社会――井上哲次郎の「現象即実在論」をめぐって」（『年報地域文化研究』二一号）、「明治中期における批判理論としての「批評」――大西祝の批評的思考を中心に」（『日本思想史学』五〇号）、「近代日本における哲学的批評論の展開――大西祝から戸坂潤へ」（『北東アジア研究』三〇号）など。

木村悠之介（きむら・ゆうのすけ）【第10講】
一九九五年生まれ。東京大学大学院人文社会系研究科学生（博士課程）。日本学術振興会特別研究員ＤＣ１。専門は近代日本宗教史。著書『歴史で読む国学』（共著、ぺりかん社）、論文「神道学を建設する――井上哲次郎門下・遠藤隆吉と「生々主義」の近代」（伊藤聡・斎藤英喜編『アジア遊学　神道の近代

（仮）』勉誠出版、近刊予定）、「明治後期における神道改革の潮流とその行方――教派神道と『日本主義』から「国家神道」へ」（『神道文化』第三一号）など。

千葉　功（ちば・いさお）【第11講】
一九六九年生まれ。学習院大学文学部教授。東京大学大学院博士課程修了。博士（文学）。専門は日本近現代史。著書『旧外交の形成――日本外交　一九〇〇～一九一九』（勁草書房）、『桂太郎――外に帝国主義、内に立憲主義』（中公新書）、『桂太郎関係文書』（東京大学出版会）など。

差波亜紀子（さしなみ・あきこ）【第12講】
一九六七年生まれ。日本女子大学文学部教授。東京大学大学院博士後期課程退学。博士（文学）。専門は日本近現代史。著書『商人と流通』（共著、山川出版社）、『平塚らいてう――信じる道を歩み続けた婦人運動家』（山川出版社）、『成瀬仁蔵と日本女子大学校の時代』（共著、日本経済評論社）など。

月脚達彦（つきあし・たつひこ）【第13講】
一九六二年生まれ。東京大学大学院総合文化研究科教授。東京都立大学大学院博士課程単位取得退学。専門は朝鮮近代史。著書『朝鮮開化思想とナショナリズム』（東京大学出版会）、『福沢諭吉と朝鮮問題』（東京大学出版会）、『福沢諭吉の朝鮮』（講談社選書メチエ）、『朝鮮開化派選集』（訳注、平凡社東洋文庫）、『大人のための近現代史　19世紀編』（共編、東京大学出版会）など。

永島広紀（ながしま・ひろき）【第14講】
一九六九年生まれ。九州大学韓国研究センター教授。九州大学大学院人文科学府博士後期課程単位修得満期退学。博士（文学）。専門は朝鮮近現代史、日韓関係史。著書『戦時期朝鮮における「新体制」と京城帝国大学』（ゆまに書房）、『寺内正毅と帝国日本――桜圃寺内文庫が語る新たな歴史像』（共編、勉誠出版）など。

ディック・ステゲウェルンス（Dick Stegewerns）**【第15講】**
一九六六年生まれ。ノルウェー国立オスロ大学人文学部准教授。京都大学大学院文学研究科博士後期課程単位取得満期退学。ライデン大学博士（文学）。専門は日本近代史・日本映画史。著書 *Nationalism and Internationalism in Imperial Japan: Autonomy, Asian Brotherhood, or World Citizenship?*（Routledge）、『概説日本政治思想史』（共著、ミネルヴァ書房）、『複数の「ヒロシマ」――記憶の戦後史とメディアの力学』（共著、青弓社）など。

陣内隆一（じんない・りゅういち）**【第15講（訳者）】**
一九五九年生まれ。東京大学大学院総合文化研究科学生（博士課程）。専門は幕末明治外交史経済史。

伊東かおり（いとう・かおり）**【第16講】**
一九八六年生まれ。広島大学文書館助教。九州大学大学院人文科学府博士後期課程単位修得退学。博士（文学）。専門は日本近代史。著書『議員外交の世紀――列国議会同盟と近現代日本』（吉田書店）。

中野目 徹（なかのめ・とおる）**【コラム2】**
一九六〇年生まれ。筑波大学人文社会系教授。筑波大学大学院博士課程中退。博士（文学）。専門は日本近代思想史・史料学。著書『政教社の研究』（思文閣出版）、『近代史料学の射程――明治太政官文書研究序説』（弘文堂）、『明治の青年とナショナリズム――政教社・日本新聞社の群像』『三宅雪嶺』（以上、吉川弘文館）など。

高原智史（たかはら・さとし）【コラム3】
一九八七年生まれ。東京大学大学院総合文化研究科学生（博士課程）。専門は日本近代思想史・高等教育史。論文「古典に向かう愛と論理：日本思想史学の方法論としての「フィロロギー」について」（『比較文学・文化論集』三七号）、「森巻吉と中国人留学生」（『一高中国人留学生と101号館の歴史』）など。

高橋　原（たかはし・はら）【コラム4】
一九六九年生まれ。東北大学大学院文学研究科教授。東京大学大学院博士課程修了。博士（文学）。専門は宗教学、死生学。著書『ユングの宗教論――キリスト教神話の再生』（専修大学出版局）、『近代日本における知識人と宗教――姉崎正治の軌跡』（共著、東京堂出版）、『死者の力――津波被災地「霊的体験」の死生学』（共著、岩波書店）など。

国分航士（こくぶ・こうじ）【コラム5】
一九八五年生まれ。九州大学大学院人文科学研究院講師。東京大学大学院人文社会系研究科博士課程修了。博士（文学）。専門は日本近現代史。論文「近代の元号」（『歴史と地理　日本史の研究』二六八）、「明治立憲制と「宮中」」（『史学雑誌』一二四―九）など。

見城悌治（けんじょう・ていじ）【コラム7】
一九六一年生まれ。千葉大学大学院国際学術研究院教授。立命館大学大学院博士課程修了。博士（文学）。専門は日本近代史。著書『近代報徳思想と日本社会』（ぺりかん社）、『占領期報徳運動資料集成』（編集解説、不二出版）、『留学生は近代日本で何を学んだのか』（日本経済評論社）、『渋沢栄一』（日本経済評論社）、『社会を支える「民」の育成と渋沢栄一』（編著、ミネルヴァ書房）など。

川尻文彦（かわじり・ふみひこ）【コラム8】
一九六九年生まれ。愛知県立大学外国語学部教授。東京大学大学院人文社会系研究科博士課程単位取得。博士（学術）。専門は中国近代思想、日中関係史。著書『清末思想研究――東西文明が交錯する思想空間』（汲古書院）、『明治から昭和の中国人日本留学の諸相』（共著、東方書店）、『文明と覇権から見る中国』（共著、ウェッジ）など。

有馬　学（ありま・まなぶ）【コラム9】
一九四五年生まれ。福岡市博物館総館長、九州大学名誉教授。東京大学大学院博士課程満期退学。専門は日本近代史。著書『日本の近代4「国際化」の中の帝国日本』（中公文庫）、『日本の歴史23　帝国の昭和』（講談社学術文庫）、『福岡県の近現代』（共著、山川出版社）など。

新田龍希（にった・りゅうき）【コラム10】
一九八五年生まれ。台湾師範大学台湾史研究所助理教授。東京大学大学院博士課程単位取得退学。博士（学術）。専門は近現代台湾史。著書『台湾研究入門』（共著、東京大学出版会）、論文「胥吏と台湾の割譲」（『日本台湾学会報』第二一号）など。

ちくま新書

1513
明治憲法史
坂野潤治
近代日本が崩壊へと向かう過程において、憲法体制は本当に無力であるほかなかったのか。明治国家の建設から総力戦の時代まで、この国のありようの根本をよみとく。

650
未完の明治維新
坂野潤治
明治維新は〈富国・強兵・立憲主義・議会論〉の四つの目標が交錯した「武士の革命」だった。それは、どう実現されたのだろうか。史料で読みとく明治維新の新たな実像。

1379
都市空間の明治維新
——江戸から東京への大転換
松山恵
江戸が東京になったとき、どのような変化が起こったのか？　皇居改造、煉瓦街計画、武家地の転用など空間の変容を考察し、その町に暮らした人々の痕跡をたどる。

1608
頭山満
——アジア主義者の実像
嵯峨隆
戦前に大きな力をもったアジア主義者の浪人・頭山満（とうやま・みつる）。アジアとの連帯感と侵略志向が併存するその思想を読み解き、日本のアジア観を問い直す。

1651
世界遺産の日本史
佐藤信編
縄文遺跡群から産業革命遺産、原爆ドームに至るまで、日本の世界文化遺産を正確に紹介。世界的まなざしから各遺産の普遍的意義・価値を再検証する決定版入門書。

1690
教養としての能楽史
中村雅之
能は退屈どころか、本当はとてつもなく面白い。さまざまな逸話から六百年以上におよぶ能の歴史を楽しく学べて、日本の伝統芸能の本質が理解できる恰好の入門書。

1459X
世界哲学史　全8巻＋別巻セット
現代を代表する総勢115名の叡智が大集結。古今東西の哲学について各々が思考する、圧巻の論考集。初学者から極める者まで、これを読まずして哲学は語れない。

ちくま新書

1589
大正史講義
筒井清忠編
大衆の台頭が始まり、激動の昭和の原点ともなった大正時代。その複雑な歴史を26の論点で第一線の研究者が最新の研究成果を結集して解説する。決定版大正全史。

1136
昭和史講義
――最新研究で見る戦争への道
筒井清忠編
なぜ昭和の日本は戦争へと向かったのか。複雑きわまる戦前期を正確に理解すべく、俗説を排して信頼できる史料に依拠。第一線の歴史家たちによる最新の研究成果。

1194
昭和史講義2
――専門研究者が見る戦争への道
筒井清忠編
なぜ戦前の日本は破綻への道を歩んだのか。その原因をより深く究明すべく、二十名の研究者が最新研究の成果を結集する。好評を博した昭和史講義シリーズ第二弾。

1266
昭和史講義3
――リーダーを通して見る戦争への道
筒井清忠編
昭和のリーダーたちの決断はなぜ戦争へと結びついたのか。近衛文麿、東条英機ら政治家・軍人のキーパーソン15名の生い立ちと行動を、最新研究によって跡づける。

1421
昭和史講義【戦前文化人篇】
筒井清忠編
柳田、大拙、和辻ら近代日本の代表的知性から谷崎、乱歩、保田與重郎ら文人まで、文化人たちは昭和戦前期をいかに生きたか。最新の知見でその人物像を描き出す。

1665
昭和史講義【戦後文化篇】(上)
筒井清忠編
計7冊を刊行してきた『昭和史講義』シリーズの掉尾を飾る戦後文化篇。上巻では主に思想や運動、文芸を扱い、18人の第一線の研究者が多彩な文化を描き尽くす。

1666
昭和史講義【戦後文化篇】(下)
筒井清忠編
昭和史講義シリーズ最終刊の下巻では、戦後に黄金期を迎えた日本映画界を中心に、映像による多彩な大衆文化・サブカルチャーを主に扱う。昭和史研究の総決算。

ちくま新書
1672

思想史講義【明治篇Ⅱ】

二〇二三年二月一〇日　第一刷発行

編　者　山口輝臣（やまぐち・てるおみ）
　　　　福家崇洋（ふけ・たかひろ）

発行者　喜入冬子

発行所　株式会社 筑摩書房
東京都台東区蔵前二-五-三　郵便番号一一一-八七五五
電話番号〇三-五六八七-二六〇一（代表）

装幀者　間村俊一

印刷・製本　株式会社 精興社

ISBN978-4-480-07541-3 C0210

人名索引

あ行

か行

さ行

た行

な行

は行

ま行

や行

ら行

わ行